Gweddïau'r Flwyddyn

ⓗTestun gwreiddiol: Nick Fawcett 1998
Cyhoeddwyd yn wreiddiol o dan y teitl *Prayers for all Seasons* gan Kevin Mayhew Ltd.

Hawlfraint yr argraffiad Cymraeg
ⓗ Cyhoeddiadau'r Gair 2006
Cyngor Ysgolion Sul Cymru,
Ysgol Addysg, PCB,
Safle'r Normal,
Bangor, Gwynedd, LL57 2PX

Testun: Denzil Ieuan John
Golygydd Cyffredinol: Aled Davies
Cysodwyd: Ynyr Roberts

Dymuna'r cyhoeddwyr gydnabod cymorth
Adran Olygyddol Cyngor Llyfrau Cymru.

ISBN 1 85994 553 8

Argraffwyd yng Nghymru

CYNNWYS

RHAN UN
Y Flwyddyn Gristnogol

YR ADFENT

Y NADOLIG

YR YSTWYLL

Y GRAWYS

YR WYTHNOS SANCTAIDD

Y DRINDOD

DYDD YR HOLL SAINT

RHAN DAU

Bywyd a Ffydd

YR HEN FLWYDDYN A'R UN NEWYDD

GWASANAETH AILGYSEGRU

WYTHNOS GWEDDI DROS UNDEB CRISTNOGOL

SUL I GOFIO'R GWAHANGLEIFION

SUL ADDYSG

SUL Y MAMAU

WYTHNOS CYMORTH CRISTNOGOL

DYDD Y TADAU

GŴYL DIOLCHGARWCH

WYTHNOS UN BYD

DYDD Y COFIO

CANEUON MOLIANT / OEDFA GERDDOROL

PEN-BLWYDD YR EGLWYS

CYFARFODYDD EGLWYS

AELODAETH EGLWYS

RHAN TRI

Suliau Cyffredin

GWEDDÏAU O NESÂD

GWEDDÏAU O FAWL

GWEDDÏAU O FOLIANT A CHYFFES

GWEDDÏAU O GYFFES

GWEDDÏAU O DDIOLCHGARWCH

GWEDDÏAU'R OFFRWM

GWEDDÏAU DROSOM EIN HUNAIN

GWEDDÏAU DROS ERAILL

SWPER YR ARGLWYDD

BENDITHION

RHAGAIR

Carwn ddiolch am y gwahoddiad i gyfieithu'r gweddïau yn y gyfrol wreiddiol o waith Nick Fawcett. Mae ganddo ddawn i gyflwyno'r gweddïau sy'n gyffredin i bawb, beth bynnag yw ein hoed a'n cefndir, mewn iaith ffres a gafaelgar. Roedd y profiad o'u cyfieithu yn un defosiynol a gobeithiaf y bydd y gyfrol hon yn gymorth i addoliad personol y darllenydd ac yn adnodd hylaw i'r sawl sy'n llunio oedfaon cyhoeddus. Mae rhai delweddau yn ymddangos yn ddieithr yn y Gymraeg, ac mae ei batrymau o gyfarch yn newydd i'r glust sy'n arfer â chyfarchiad defosiynol yn y Gymraeg.

Bydd rhai o'r gweddïau yn herio ein cysyniad o weddi, ond gobeithiaf y bydd yn gyfrwng i'r sawl a fydd yn eu defnyddio ddyfnhau eu defosiwn personol.

Cyflwynaf y gwaith i aelodau'r tair eglwys y cefais y fraint o'u gwasanaethu fel gweinidog, sef Eglwys Tonyfelin ac Eglwys Bethel, Caerffili ac Eglwys y Tabernacl, Caerdydd; i gofio am fy nhad, sef Evan Brinley John, gweddïwr wrth reddf, un a'm harweiniodd i Gyrddau Gweddi Eglwys Blaenconin, fy mam-eglwys yn Sir Benfro, ddegawdau yn ôl, ac i ddiolch i'm mam am bopeth; i'm priod a'm plant, Siân, Luned ac Aled, am eu hamynedd a'u cariad ar draws y blynyddoedd.

Denzil Ieuan John

CYFLWYNIAD O'R AWDUR

Un o blant Sir Benfro yw Denzil Ieuan John sydd o hyd yn ymfalchïo yn ei wreiddiau anghydffurfiol. Addysgwyd ef yn Ysgol Gynradd Brynconin ac Ysgol Uwchradd y Preseli yng Nghrymych. Aeth i Goleg y Bedyddwyr ym Mangor cyn cael ei ordeinio yn Nhonyfelin, Eglwys y Bedyddwyr, Caerffili yn 1972. Ychwanegwyd Bethel, Eglwys Annibynnol y dref, at ei ofalaeth yn 1977. Yn 1991, derbyniodd wahoddiad Eglwys y Tabernacl, Caerdydd i fod yn olynydd i'r Parch. Raymond Williams. Bu'n aelod a swyddog mewn nifer o gyrff enwadol ac eciwmenaidd gan wasanaethu Undeb Bedyddwyr Cymru fel ei llywydd yn 2003. Bu'n frwd i gefnogi llu o fudiadau i hyrwyddo'r Gymraeg yn y gymuned ac ar hyn o bryd mae'n aelod o gwmni drama Cymraeg Caerffili ac yn olygydd *Tua'r Goleuni* – papur bro Cwm Rhymni.

RHAN UN

Y Flwyddyn Gristnogol

YR ADFENT

1. YR ADFENT – MOLIANT A CHYFFES

Dduw cariadlon,
molwn di o'r newydd am dymor yr Adfent,
yr amser o baratoad, diolchgarwch, her a myfyrdod.
Agor ein calonnau i bopeth sydd gennyt i'w ddweud nawr,
a chymorth ni i wrando.

Molwn di, dy fod wedi cyflawni dy bwrpas tragwyddol.
Daethost i'n byd yng Nghrist,
gan ddatguddio ehangder dy gariad,
a dangos i ni y ffordd i fyw,
a chaniatáu i ni dy adnabod drosom ein hunain.
Agor ein calonnau i bopeth sydd gennyt i'w ddweud nawr,
a chymorth ni i wrando.

Molwn di am i ti ddod eto yng Nghrist
i gwmni'r disgyblion ar ôl yr atgyfodiad,
gan ddwyn llawenydd lle bu tristwch,
gobaith lle bu anobaith
a ffydd lle bu amheuaeth.
Agor ein calonnau i bopeth sydd gennyt i'w ddweud nawr,
a chymorth ni i wrando.

Molwn di, dy fod drwy dy Ysbryd Glân
yn gwneud Crist yn real i ni bob dydd,
a'n llenwi â'i drugaredd,
ei heddwch, a'i gariad.
Agor ein calonnau i bopeth sydd gennyt i'w ddweud nawr,
a chymorth ni i wrando.

A molwn di am yr addewid y daw Crist eto
i sefydlu ei deyrnas
a chychwyn oes newydd,
a'n dwyn ni a'th holl bobl i fywyd tragwyddol.
Agor ein calonnau i bopeth sydd gennyt i'w ddweud nawr,
a chymorth ni i wrando.

Dduw cariadlon,
maddau i ni am ein bod yn colli golwg ar neges yr Adfent mor hawdd,
gan adael i'r rhyfeddu gael ei foddi
gan brysurdeb ein paratoadau ar gyfer y Nadolig,
gan ein gofidiau sydd mor aml yn ddibwys,
gan ein hesgeulusdod a'n hanufudd-dod fel disgyblion.
Agor ein calonnau i bopeth sydd gennyt i'w ddweud nawr,
a chymorth ni i wrando.

Maddau i ni am anghofio dy addewidion.
Rydym yn peri rhwystredigaeth i'th Ysbryd,
ac yn colli golwg o'th gariad.
Agor ein calonnau i bopeth sydd gennyt i'w ddweud nawr,
a chymorth ni i wrando.

Tyrd i'n cyfarfod, yn yr amser hwn o addoliad
drwy dy Air bywiol,
drwy'r gymdeithas a rannwn,
a thrwy'r Crist atgyfodedig.

Fel y gallwn wir ddathlu Adfent dy fab,
a'n galluogi i'w wasanaethu'n well,
er gogoniant dy enw.
Amen.

2. DIOLCHGARWCH YR ADFENT

Dduw cariadlon,
diolchwn i ti am lawenydd y cyfnod hwn,
y tymor Adfent yma sy'n ein hatgoffa cymaint,
ac sy'n datguddio mor fendigedig ehangder dy gariad.
Am dy ddyfod a'r dyfod o'r newydd yng Nghrist,
diolchwn i ti.

Dyma'r amser i edrych yn ôl
a chofio genedigaeth dy fab,
goleuni yn ymddangos oddi fewn i'n tywyllwch;
amser i edrych ymlaen a disgwyl ei ddyfodiad eto,
wrth iddo ddychwelyd a sefydlu ei deyrnas a llywodraethu yn dy enw;
ond yn bennaf, amser i'r foment hon,
i edrych ar ein bywydau a chwilio'n calonnau,
ymchwilio i'th air ac adnewyddu ein ffydd;
amser i adnabod yn llwyrach
fod Iesu gyda ni bob munud o bob dydd, nawr a hyd byth.
Am dy ddyfod a'r dyfod o'r newydd yng Nghrist,
diolchwn i ti.

Dduw cariadlon,
daethost i'n byd yn wylaidd,
dy eni o Fair mewn stabl.
Byddi'n dod o'r newydd mewn gogoniant,
drwy'r Crist atgyfodedig a dyrchafedig.
Rwyt gyda ni wrth i ni siarad,
yma drwy dy Ysbryd Glân yn gwneud Iesu'n real!
Molwn di, gwirionedd mawr yr Adfent,
diolchwn, yn ei enw.
Amen.

3. DEISYFIAD YR ADFENT

Dduw Dad,
molwn di unwaith yn rhagor am dymor yr Adfent,
am ei awyrgylch disgwylgar,
ei neges o obaith,
ei alwad i ymbaratoi'r hunan,
ei ysbryd o hyder ac ymddiriedaeth.
Y Gair a wnaethpwyd yn gnawd,
gwrando'n gweddi.

Molwn di am y modd rwyt wedi siarad,
wrth gyflawni yr hen broffwydoliaethau,
yn yr addewidion sydd eto i'w gwireddu,
ym mhresenoldeb bywiol y Crist,
a ddaeth yn hysbys drwy'r Ysbryd Glân.
Y Gair a wnaethpwyd yn gnawd,
gwrando'n gweddi.

Cyffwrdd eto â'n bywydau nawr,
wrth i ni gofio dyfod Iesu,
wrth i ni ddisgwyl ei ddyfod eto,
ac wrth i ni ymdrechu i'w wasanaethu yn y presennol.
Y Gair a wnaethpwyd yn gnawd,
gwrando'n gweddi.

Boed i ni yn ystod y tymor hwn
gael ein hadnewyddu mewn gobaith a'n hadfywio mewn ffydd,
gan ymddiried yn llwyrach yn y dyfodol rwyt yn dal gafael ynddo.
Boed i'n hyder ddyfnhau
yn dy gariad a'th bwrpas tragwyddol,
er popeth sy'n gweithio yn ei erbyn.
A boed i ni fod yn barod i groesawu Iesu,
yn y sicrwydd y bydd yn dod eto, fel y daeth cynt.
Duw yn gnawd,
clyw ein gweddi,
wrth i ni ei gofyn yn enw Crist. Amen.

4. EIRIOLAETH YR ADFENT

Arglwydd Iesu Grist,
yn y cyfnod honedig hwn o ewyllys da ymysg pawb,
gweddïwn am heddwch yn ein byd –
a diwedd i bob ymrannu a gwrthdaro,
i gasineb a gelyniaeth,
marwolaeth a chwalfa.
Tywysog tangnefedd,
clyw ein gweddi.

Arglwydd Iesu,
llefarwn am heddwch
ond yn ein calonnau nid ydym yn credu ei fod yn bosibl.
Pan edrychwn ar ein bywyd
ni welwn lawer o obaith am ddiwedd i'w drafferthion.
Rydym yn sceptigol,
yn ansicr,
yn llawn o amheuon,
yn ofalus ynglŷn ag unrhyw optimistiaeth.
Hyd yn oed pan geir arwyddion gobaith
a symudiadau tuag at gymod, gwyddom y cymer flynyddoedd
cyn y mentrwn gredu ei fod yn wironeddol bosibl.
Ond gweddïwn yn y tymor hwn o Adfent
ar i ti adnewyddu ein gallu i edrych ymlaen,
ar i ti ailgynnau ein cred yn y dyfodol,
a dychwelyd ein gallu i obeithio am bethau gwell.
Tywysog tangnefedd,
clyw ein gweddi.

Cymorth ni –
wrth i ni gofio dy ddyfod,
wrth i ni dy wasanaethu nawr,
ac wrth i ni edrych ymlaen at dy ddyfod eto –
gan ddisgwyl am dy deyrnas
drwy'r gwasanaeth a gyflwynwn ac wrth fyw ein bywydau.
Tywysog Tangnefedd,
clyw ein gweddi,
er mwyn dy enw.
Amen.

5. DISGWYLIADAU'R ADFENT

Dduw cariadlon,
dywedaist wrthym i edrych ymlaen at amser
pan ddeuai dy deyrnas a chyflawni dy ewyllys –
amser pan fydd diwedd ar bechod a drygioni,
dioddefaint a thristwch;
pan fydd dy holl bobl yn byw ynghyd mewn heddwch a harmoni;
pan ddaw Crist eto yn ei ogoniant.
Tyrd atom nawr yw ein gweddi.

Dduw cariadlon,
maddau i ni ein bod mor aml wedi colli ein synnwyr disgwylgar,
ac yn fodlon wrth rygnu ymlaen
a bodloni ar bethau fel ag y maent,
gan fethu credu dy fod yn newid bywydau a chwyldroi y byd.
Tyrd atom nawr yw ein gweddi.

Maddau i ni ein bod mor llawn o'n disgwyliadau ein hunain,
yn credu ein bod yn gwybod am bopeth sydd i'w wybod,
gan dy osod mewn blychau bach a wnaethom ar dy gyfer,
yn tybied bod dy feddyliau a'th ffyrdd yn debyg i'n rhai ni.
Tyrd atom nawr yw ein gweddi.

Maddau i ni bod ein disgwyliadau wedi bod yn rhy fach a chyfyng,
wedi cael eu clymu i lawr gan ein golygon cyfyng,
wedi cael eu cyfyngu gan ein gorwelion cul,
a'u ffurfio drwy edrych ar fywyd o safbwynt y presennol
yn hytrach nag o bersbectif tragwyddol.
Tyrd atom nawr yw ein gweddi.

Dduw cariadlon,
cymorth ni drwy'r tymor hwn i glywed geiriau'r Adfent
a meddu ar synnwyr newydd o ddisgwyliad
a hyder newydd yn y dyfodol.

Cymorth ni i fod yn fwy agored i bopeth rwyt
am ei wneud yn ein plith,
ac i ymateb i ti yn llawen.
Cymorth ni i ddal golwg ar y rhyfeddod sy'n dy ddyfod yng Nghrist,
fel y byddom yn barod i'w gyfarch pan ddaw o'r newydd.
Tyrd atom nawr yw ein gweddi,
yn ei enw.
Amen.

6. DISGWYL YR ADFENT
(yn seiliedig ar Habacuc 2)

Dduw tragwyddol,
Rheolwr gofod ac amser,
Arglwydd hanes,
yr hwn oedd cyn popeth, ym mhopeth a thu hwnt i bopeth,
addolwn a chydnabyddwn di,
gan gydnabod o'r newydd nad dy ffyrdd di yw ein ffyrdd ni,
na'th feddyliau di yn feddyliau i ni.
Arglwydd, yn dy drugaredd,
clyw ein gweddi.

Maddau i ni ein bod weithiau yn colli golwg o'r ffaith honno,
gan dybied ein bod yn gwybod yn well na thi,
gan ddisgwyl i ti gyflawni ein gofynion ni
yn hytrach na'n bod ni yn cyflawni dy ewyllys di.
Arglwydd, yn dy drugaredd,
clyw ein gweddi.

Dysga ni dy fod y tu hwnt i'n dychmygu mwyaf,
yn uwch na'r breuddwydion helaethaf;
a'th fod yn gweithredu yn dy amser a'th ffyrdd dy hun,
gan ddisgwyl i ni aros yn amyneddgar,
ac ymddiried yn dy ddoethineb a'th bwrpas.
Arglwydd, yn dy drugaredd,
clyw ein gweddi.

Pan fo'n gweddïau yn ymddangos eu bod heb eu hateb,
a'n huchelgais heb ei chyflawni
a'n ffydd yn ymddangos yn siomedig,
arbed ni rhag llunio barn cyn pryd.
Arglwydd, yn dy drugaredd,
clyw ein gweddi.

Dysg ni mai ar adegau fel hyn –
yn arbennig ar adegau fel hyn –
bod angen i ni gredu ynot ac yn dy amseru di.
Dyro i ni'r gras i dderbyn ein rhan yn dy gynllun di, a gadael y
gweddill i ti.
Arglwydd yn dy drugaredd,
clyw ein gweddi,
drwy Iesu Grist ein Harglwydd.
Amen.

7. FFORDD Y CRIST

Arglwydd Iesu Grist,
daethost i'n byd, i rannu ein dynoliaeth,
ac uniaethu dy hun gyda ni,
a mynegi drwy weithredoedd a hunanaberth dy gariad tuag at bawb.
Dysg ni i ddilyn yn ôl dy droed.

Roedd dy ffyrdd di yn llwybrau gwasanaeth,
cydymdeimlad a chymod.
Serch cael dy wrthod gan lawer,
gwelaist y gorau mewn pobl,
y da a'r gwerth na welodd eraill.
Dysg ni i gerdded yn ôl dy droed.

Arglwydd Iesu Grist,
rwyt yn dod i'n byd yn ddyddiol,
ond i wneud hynny'n llwyr rwyt angen ein cydweithrediad,
ein parodrwydd i gael ein defnyddio yn dy bwrpas.
Dysg ni i gerdded yn ôl dy droed.

Rwyt angen i ni lefaru drosot,
i weithio drosot,
i ddwyn pobl ynghyd.
Dysg ni i gerdded yn ôl dy droed.

Rwyt am i ni gerdded ffordd gwasanaeth,
symud y rhwystrau
a dwyn pobl ynghyd.
Dysg ni i gerdded yn ôl dy droed.

Rwyt am i ni ddilyn Ffordd y Groes –
gan werthfawrogi pobl am yr hyn yr ydynt,
a chynnig iddynt ymddiriedaeth ac anogaeth,
a'u cynorthwyo i gredu ynddynt eu hunain.
Dysg ni i gerdded yn ôl dy droed.

Arglwydd Iesu Grist,
daethost i'n byd i sefydlu teyrnas newydd,
oes newydd,
dimensiwn newydd i fywyd.
Cymorth ni ym mhob modd
i ddod â'r deyrnas yn agosach.
Dysg ni i gerdded yn ôl dy droed,
am ein bod yn gofyn hyn yn dy enw.
Amen.

8. ANGEN DUW OHONOM

Dduw y bywyd,
addewaist ddod at dy bobl gynt
drwy Adfent y Meseia.
Rwyt yn addo dod at bob un ohonom
yn nychweliad buddugoliaethus a gorfoleddus dy Fab.
Agor ein calonnau i'th ddyfodiad.

Dduw y cariad,
daethost i'n byd drwy Fair,
ac ymddangos yn ein byd, gofod ac amser.
Rwyt am ddod o'r newydd at bob un ohonom,
a Christ yn fod real yn ein bywyd beunyddiol.
Agor ein calonnau i'w bresenoldeb.

Dduw y Gras,
roedd angen i ti gael cytundeb Mair
cyn dy fod yn gweithio drwyddi.
Rwyt angen ein hewyllys ni
i ti weithio drwom.
Agor ein calonnau i'th Ysbryd.

Dduw y Brenin,
gelwaist ar Mair i gredu
nad oedd dim yn amhosibl gyda thi.
Rwyt angen i ni ddangos yr un ffydd
os yw dy deyrnas i ddod.
Agor ein meddyliau i bopeth y gelli di ei wneud.

Dduw y Mawredd,
daethost â dechreuad newydd i Mair,
i Joseff,
i'th bobl Israel,
i'r holl fyd.
Rwyt yn cynnig dechreuad newydd i bawb ohonom,
heddiw a bob diwrnod.
Agor ein bywydau i'th gariad
sy'n adnewyddu ac yn trawsnewid,
drwy Grist ein Harglwydd.
Amen.

9. LLAIS YN YR ANIALWCH

Dduw'r bywyd,
diolchwn i ti heddiw am y sawl sydd â'r dewrder
i sefyll a llefaru yn erbyn drygioni ac anghyfiawnder;
y sawl sy'n barod, os oes angen,
i sefyll ar eu pen eu hunain dros eu hargyhoeddiadau,
a dioddef gwawd a gwrthodiad,
ac aberthu statws a diogelwch,
yn barod i fentro popeth dros yr hyn a gredant sy'n iawn.
Diolch i ti am eu gweledigaeth,
eu penderfyniad,
eu hewyllys i fod yn llais yn yr anialwch.
Boed i'th ogoniant gael ei ddatguddio
ac i'r bobl weld yr oll ynghyd.
Dduw'r bywyd,
diolchwn am y bobl sydd â'r tosturi
a'r gofal dros eraill i ymestyn allan a dwyn cymorth –
i weini ar y claf,
i gydymdeimlo gyda'r galarus,
i ymweld â'r unig,
i ddarparu ar gyfer y tlawd,
i estyn gobaith i'r gorthrymedig,
i ddwyn chwerthin i'r trist.
Diolchwn am eu hymroddiad,
eu dealltwriaeth,
eu daioni,
eu hewyllys i lefaru dy air yn yr anialwch.
Boed i'th ogoniant gael ei ddatguddio
ac i'r bobl weld yr oll ynghyd.

Dduw'r bywyd,
gelwaist arnom ni i ymestyn allan at dy fyd toredig –
at y sawl sy'n cerdded mewn tywyllwch,
at y sawl sy'n ymgiprys gydag anobaith,
at y sawl sy'n crefu am gariad,
at y sawl sy'n sychedig i ddarganfod pwrpas mewn bywyd.
Dyro i ni ffydd,
doethineb,
tynerwch
a chariad i gwrdd â'r her.
Cymorth ni i fentro i'r anialwch ein hunain,
ac yno, yn dyner ond yn hyderus,
i lefaru gair y bywyd.
Boed i'th ogoniant gael ei ddatguddio
ac i'r bobl weld yr oll ynghyd
yn enw Crist.
Amen.

10. Y CRIST A DDAW ETO

Grasol Dduw,
molwn di am i ti ddod i'n byd yng Nghrist,
i gyflawni dy addewid
a chadarnhau disgwyliadau oesol dy bobl.
Molwn di am i ti ddod eto at dy Apostolion yn y Crist dyrchafedig,
ac ymddangos pan nad oedd pobl yn disgwyl,
gan ddwyn gobaith newydd a llawenydd anfesuradwy.
Molwn di am dy addewid i ddod eto yng Nghrist
i sefydlu dy deyrnas
a rhoi bywyd newydd i'th bobl.
Tyrd, Arglwydd Iesu, tyrd!

Sylweddolwn fod llawer
nad oeddent yn barod am ddyfodiad Iesu –
llawer nad oeddent wedi paratoi fel roeddent yn tybied
a'u hymateb yn syrthio'n fyr o'r disgwyl.
Cymorth ni i fod yn barod –
i fyw ein bywydau fel y byddem yn llawen unrhyw funud
i gwrdd â'r Crist yn dychwelyd i'n cyfarfod.
Cymorth ni i archwilio ein hunain –
ein geiriau a'n gweithredoedd, ein meddyliau a'n hymagweddau,
yn byw bob dydd ac eiliad
fel pe bai Iesu yn weladwy wrth ein hymyl –
fel ein bod yn ymroi'n llwyr i'w wasanaeth.
Tyrd, Arglwydd Iesu, tyrd!

Grasol Dduw,
gweddïwn, nid yn unig drosom ein hunain, ond dros ein byd,
a'r bobl hynny sydd heb unrhyw feddwl
am Grist a'i ddyfodiad –
y sawl sy'n byw iddynt eu hunain,
sy'n ceisio bodlonrwydd materol yn unig,
neu sydd heb ddimensiwn ysbrydol i'w bywydau.
Tyrd, Arglwydd Iesu, tyrd!

Gweddïwn dros y sawl sy'n proffesu caru
ond sydd wedi llithro i ffwrdd o'th ochr –
a'u ffydd yn fas a gwag,
eu calonnau yn llawn surni, balchder ac eiddigedd,
neu bod eu meddyliau yn llawn o amheuon a siom.
Tyrd, Arglwydd Iesu, tyrd!

Gweddïwn dros y sawl sy'n brwydro yn erbyn dy deyrnas –
ac yn fwriadol yn twyllo ac yn camarwain,
sy'n gwasanaethu'r hunan ar gost eraill,
sy'n lledu casineb ac yn hyrwyddo trais i'w hamcanion eu hunain.
Tyrd, Arglwydd Iesu, tyrd!

Yn olaf, gweddïwn dros y sawl sy'n disgwyl yn eiddgar am dy deyrnas,
sy'n newynu am ddechreuad newydd,
sy'n gweddïo am gyfle newydd,
neu sy'n methu gweld gobaith iddynt eu hunain yn y byd.
Tyrd, Arglwydd Iesu, tyrd!

Grasol Dduw,
diolchwn am y sicrwydd
bod dy deyrnas di yn dod ac y bydd dy ewyllys yn cael ei chyflawni –
y wybodaeth nad yw ein gobeithio yn ofer.
Dysg dy bobl yn wastadol i fyw
megis y sawl sy'n barod am ddyfod Iesu,
fel y bydd y sawl sydd heb ffydd yn clywed ac yn ymateb
i her dy air.
Dyro i'r sawl sy'n anobeithio
wybod dy fod gyda hwy,
ac i bawb sy'n gweithio i ddwyn dy deyrnas yn agosach
y sicrwydd y gwireddir hyn yn dy amser di.
Yn y ffydd honno y gweddïwn:
Tyrd, Arglwydd Iesu, tyrd!
Amen.

11. CYFLAWNI'R ADFENT

Dduw'r bywyd,
cofiwn heddiw sut y paratoist am dy ddyfodiad.
I'th was Abraham, addewaist fendith
i'r byd cyfan drwy ei ddisgynyddion.
I'r proffwydi, llefaraist air
yn addo dyfodiad y Meseia
yn dwyn heddwch, cyfiawnder a gwaredigaeth i bawb.
I Elisabeth a Sechareia addewaist fab
a fyddai'n paratoi ffordd yr Arglwydd
a gwneud ffordd union yn yr anialwch.
I Mair addewaist blentyn
a fyddai'n cael ei alw'n Emaniwel, Duw gyda ni,
ei eni i achub y bobl o'u pechod.
A thrwy Ioan Fedyddiwr
cyhoeddaist gyflawni'r proffwydoliaethau
ym mherson Iesu,
goleuni'r byd yn llewyrchu yn y tywyllwch.
Addewaist i ni y byddai Crist yn dyfod eto:
paratoa ni at ei ddyfodiad.

Dduw'r bywyd,
llefaraist dy air i gymaint
ac eto pan ddaeth yr amser a Iesu'n cael ei eni
doedd ond ychydig yn barod i'w dderbyn.
Ef oedd y gair a wnaed yn gnawd,
ond fe'i cyhuddwyd o gabledd.
Cynigiodd fywyd i'r byd, ond cafodd ei groeshoelio ar y groes.
Daeth at ei bobl ei hun, ond nid oeddent yn barod i'w dderbyn.
Addewaist i ni y byddai Crist yn dyfod eto:
paratoa ni at ei ddyfodiad.

Dduw'r bywyd,
cymorth ni wrth i ni gofio ei enedigaeth,
ei fywyd, ei farwolaeth a'i atgyfodiad,
i fod yn barod i'w dderbyn,
nid yn unig pan ddaw eto,
ond bob dydd ym mhob rhan o'n bywydau.

Cymorth ni i ddarllen ei air gyda meddwl newydd,
i gynnig i ti ein haddoliad bywiol,
ac i droi i ffwrdd o'r hyn sy'n anghywir ac yn ddi-ffydd yn ein
bywydau.

Cymorth ni i ganolbwyntio ar yr hyn sy'n ganolog i'r tymor hwn
ac nid ar yr addurniadau sy'n ei gwmpasu.
Cymorth ni i agor ein calonnau a'n meddyliau
i arweiniad yr ysbryd Glân
ac i ymateb i'w anogaeth.
Cymorth ni i ddilyn ffordd Crist
a'i garu fel y carodd ef ni.
Addewaist i ni y byddai Crist yn dyfod eto:
paratoa ni at ei ddyfodiad.
Gweddïwn yn ei enw.
Amen.

12. Y DUW SY'N DEFNYDDIO'R PETHAU BACH YN Y BYD

Dragwyddol Dduw,
daethost i'r byd, nid mewn bonllef o gyhoeddusrwydd,
wedi dy amgylchynu gan rwysg a sioe,
nac i gyfarchion afreolus y tyrfaoedd
wedi ymgasglu i gyfarch dy ddyfodiad,
ond yn dawel,
yn ddistadl,
braidd heb neb yn sylwi,
ar noson dawel yn nhre fechan Bethlehem –
dy eni mewn preseb
i'r Forwyn Fair,
a'r cyntaf i glywed oedd y bugeiliaid
yn gweithio allan yn y meysydd.
Fel y mae'r nefoedd yn uwch na'r ddaear,
felly nid yw'n ffyrdd fel dy ffyrdd di
na'n meddyliau ni fel dy feddyliau di.

Dysg ni beth a olyga hyn heddiw –
fel y gelli di ein defnyddio y tu hwnt i'n dychymygu,
fel y gelli gymryd yr hyn sy'n ymddangos yn ddibwys
a'i droi yn rhywbeth rhyfeddol,
fel y gelli weithio yn ein plith mewn ffyrdd
sydd yn fwy na'n disgwyliadau mwyaf.
Dysg ni i weld bywyd nid yn gymaint o'n perspectif ni ond o'th
berspectif di,
a bod dy gryfderau di yn cael eu gweld yn llawn yn ein gwendid ni.
Fel y mae'r nefoedd yn uwch na'r ddaear,
felly nid yw'n ffyrdd fel dy ffyrdd di
na'n meddyliau ni fel dy feddyliau di.
Diolch fo i Dduw, drwy Iesu Grist ein Harglwydd.
Amen.

Deuwn gan ofyn i ti ein defnyddio,
fel y defnyddiaist y wasanaethferch Mair
a datguddio dy hun i'r byd.

Cymer ein ffydd, er mor fychan yw,
cymer ein rhoddion, er mai ychydig ydynt,
cymer ein cariad , er mor dlawd mae'n ymddangos,
cymer ein bywydau, er mor wannaidd ydynt.

Dduw cariadlon,
llefara wrthym drwy y gwasanaeth hwn.
Boed i'r hyn a glywn ein dwyn yn agosach atat,
boed i'r hyn a rannwn ein hatgoffa o'th gariad,
a boed i neges y Nadolig
ddod yn fyw yn ein calonnau,
er gogoniant dy enw.
Amen.

Y NADOLIG

13. GWASANAETH CAROLAU – COFIO AC AIL-FYW

Dduw Hollalluog a chariadlon,
deuwn ynghyd heddiw
i ddathlu genedigaeth dy fab,
y plentyn a roddwyd i orwedd mewn preseb,
ein Harglwydd a'n Gwaredwr Iesu Grist.
Gwnaethost lawer o bethau da i ni,
ac rydym yn llawen.

Deuwn gan gofio y Nadolig cyntaf ganrifoedd yn ôl
a'r neges a gyhoeddwyd gan yr angylion –
newyddion o lawenydd mawr.
Gwnaethost lawer o bethau da i ni,
ac rydym yn llawen.

Deuwn gan gofio ffydd Mair
a diolchgarwch y bugeiliaid
ac addoliad y doethion.
Gwnaethost lawer o bethau da i ni,
ac rydym yn llawen.

Deuwn gan atgoffa'n hunain o'th gariad mawr
a ddangosaist i ni ac i bawb
drwy ddyfod a rhannu ein dynoliaeth,
drwy dy fyw a'th farw yn ein mysg.
Gwnaethost lawer o bethau da i ni,
ac rydym yn llawen.

Dduw cariadlon,
diolchwn am yr amser yma o'r flwyddyn –
ei awyrgylch o lawenydd a dathlu,
ei ysbryd o ewyllys da ac awydd i weithio o blaid heddwch,
yn adnewyddu cyfeillgarwch
a dod â theuluoedd ynghyd,
y darlleniadau a'r carolau rydym mor hoff ohonynt.
Gwnaethost lawer o bethau da i ni,
ac rydym yn llawen.

Arbed ni, O Arglwydd, rhag dod yn orgyfarwydd gyda'r tymor,
na dychmygu ein bod yn gwybod popeth sydd i'w wybod amdano,
neu ragdybio ein bod yn deall popeth sydd i'w ddeall.
Gwnaethost lawer o bethau da i ni,
ac rydym yn llawen.

Dysg ni i wrando ar dy lais ac i edrych am dy bresenoldeb,
i glywed dy alwad ac i ymateb i'th arweiniad.
Gwnaethost lawer o bethau da i ni,
ac rydym yn llawen.

Boed i ni, fel Mair, gael y ffydd i gredu
nad oes unrhyw beth yn amhosibl gyda thi;
fel y bugeiliaid i fynd yn frwdfrydig i Fethlehem
i weld beth a wnaethost;
ac fel y doethion i gynnig ein moliant i ti
a chyflwyno i ti ein rhoddion;
ac fel cwmni'r angylion i ganu caneuon o fawl yn llawen.
Gwnaethost lawer o bethau da i ni,
ac rydym yn llawen.

Y NADOLIG

Ac felly boed i ni, wedi i'r holl ddathliadau ddod i ben
ac i'r Nadolig fynd heibio,
ddychwelyd i'n bywydau beunyddiol yn dy ogoneddu a'th foli
am bopeth a welsom ac a glywsom,
gyda rhyfeddod dy gariad wedi ei ddatguddio yng Nghrist!
Gwnaethost lawer o bethau da i ni,
ac rydym yn llawen.
Moliant fyddo i ti, nawr a hyd byth! Amen.

14. GWASANAETH Y NADOLIG – DOD I WELD

Dduw Dad,
diolchwn am y dydd hwn o foli a dathlu.
Y dydd hwn rydym wedi neilltuo amser
i ail-fyw y Nadolig cyntaf oesoedd yn ôl,
pan atgoffwn ein hunain
o ryfeddod geni Crist,
a chofio o'r newydd am y Newyddion Da
a gyhoeddwyd i'r bugeiliaid
ac a dystiwyd gan y doethion
ac a wnaed yn bosibl drwy Fair.

Dduw cariadlon,
deuwn i roi diolch am y tymor hwn –
i lawenhau am dy gariad mawr yn anfon dy Fab,
i weld drosom ein hunain y gwirionedd a sylweddolodd y bugeiliaid,
i addoli'r Crist a dwyn ein rhoddion
fel y doethion a ddaeth o'n blaen.

Diolchwn am rym y tymor hwn i symud, ysbrydoli a herio,
i lawenhau y galon fwyaf caled, a'r ysbryd mwyaf bregus,
i gyffroi ein meddyliau ac i ddal ein dychymyg.
Am yr oll mae'r amser hwn yn ei olygu ac y bydd yn ei olygu,
molwn di.

Diolchwn i ti am gysylltiadau arbennig y Nadolig –
estyn ewyllys da,
rhannu cyfeillgarwch,
yr awydd am heddwch,
a'r mynegiant o gariad.
Am yr oll mae'r amser hwn yn ei olygu ac y bydd yn ei olygu,
molwn di.

Y NADOLIG

Yn bennaf oll, diolchwn am y gwirionedd sydd yn gefn i'r dydd
y neges a gawsom gennyt,
dy fod yn ein caru,
a'th fod yn rhannu ein dynoliaeth,
a'th fod yn dymuno i ni rannu dy fywyd tragwyddol,
Am yr oll mae'r amser hwn yn ei olygu ac y bydd yn ei olygu,
molwn di.

15. YNG NGHAMAU FFYDD

Anfeidrol Dduw,
clywsom unwaith yn rhagor am dy neges ryfeddol
o'th ddyfod atom yng Nghrist –
cyfarchion o lawenydd mawr,
Newyddion Da i'r holl bobl.
Fel y daethost atom,
felly boed i ni fynd ar dy ran.

Diolchwn i ti am y neges honno,
y geiriau annwyl rydym wedi eu clywed a'u canu eto heddiw –
mor gyfarwydd,
y buom yn eu hailadrodd droeon,
ac eto mor arbennig ac ystyrlon.
Fel y daethost atom,
felly boed i ni fynd ar dy ran.

Diolchwn iti am ffydd ac ymddiriedaeth Mair –
ei pharodrwydd i dderbyn dy ewyllys;
am bererindod a rhoddion y doethion –
eu penderfyniad i geisio ac i ymateb;
am weithred syml y bugeiliaid –
a glywodd y neges a mynd i weld y gwirionedd drostynt eu hunain,
a rhannu eu profiad gydag eraill!
Fel y daethost atom,
felly boed i ni fynd ar dy ran.

Gweddïwn y byddi yn ein haddysgu, wrth i ni ddathlu'r Nadolig hwn,
i ddysgu o'u hesiampl,
i ddilyn ôl eu traed,
a rhannu eu ffydd.
Fel y daethost atom,
felly boed i ni fynd ar dy ran.

Y NADOLIG

Addysga ni i adnabod realiti'r Crist a anwyd drosom,
ac yn ein tro i estyn i eraill
yr hyn a ddaeth yn wir i ni.
Fel y daethost atom,
felly boed i ni fynd ar dy ran,
yn enw Crist.
Amen.

16. EIRIOLAETH NOSWYL NADOLIG

Dduw y cariad,
gweddïwn dros y bobl hynny
a fydd yn dathlu'r Nadolig eleni,
yn mwynhau anrhegion, partïon, bwyd a hwyl,
ac eto heb glywed, derbyn na deall
beth yw neges y Nadolig.
Siarada gyda hwy nawr,
a'u helpu i ymateb.

Gweddïwn dros y sawl na chlywodd yr Efengyl,
neu a welodd lun gwyrdroëdig o'r neges,
neu a fethodd sylweddoli fod y Newyddion Da
yn berthnasol iddynt hwy.
Siarad gyda hwy nawr,
a'u helpu i ymateb.

Gweddïwn dros y sawl a gaeodd eu calonnau a'u meddyliau i Grist,
gan wrthod gwrando ac ystyried ymhellach,
yn gwrthod y Mab fel y gwrthododd llawer ef ym Mhalestina.
Siarad gyda hwy nawr,
a'u helpu i ymateb.

Gweddïwn dros y sawl a ddaeth i ffydd
ond wedi prin ddeall ei ystyr,
ac yn gweld dim ond rhan fechan o'r hyn a wnaethost,
neu yn ceisio deall mwy ond yn cael eu herio gan amheuon a
chwestiynau.
Siarad gyda hwy nawr,
a'u helpu i ymateb.

Y NADOLIG

Dduw y cariad,
tyrd eto i'n byd y Nadolig hwn,
a thorri drwy ein traddodiadau cyfforddus,
ein gorwelion cul
a'n dathliadau taclus.
Siarad gyda ni nawr,
a'n helpu ni i ymateb.

Cymorth ni a phawb arall
i gael golwg ar ryfeddod dy gariad aruthrol –
cariad a ddatguddiwyd yng Nghrist a ddaeth i fyw yn ein mysg,
a ddioddefodd ac a fu farw ar y Groes,
a gododd ac sy'n teyrnasu gyda thi,
ac a ddaw eto a dwyn popeth ato ef ei hun.
Llefara wrthym nawr,
a helpa ni i ymateb,
wrth i ni weddïo yn ei enw.
Amen.

17. GWEDDI OLAF NOSWYL NADOLIG

Dduw cariadlon,
diolchwn am dy neges
y cawsom ein hatgoffa ohoni o'r newydd heno.
Molwn di am y Newyddion Da
o'th ddod atom yng Nghrist.
Dathlwn yng nghyflawnder dy air
hen addewidion yr Ysgrythur.

Dathlwn gyda'r doethion a'r bugeiliaid gynt
enedigaeth dy Fab, ein Gwaredwr.
Llefara wrthym o'r newydd, drwy'r hyn a glywyd ac a rannwyd
fel y gallwn ni, fel hwythau,
barhau i ddathlu,
gan adnabod realiti'r cariad drosom ein hunain,
a chynnig ein gwasanaeth i Grist
mewn moliant diolchgar ac addoliad dwfn,
er mwyn ei enw.
Amen.

18. MOLIANT A DIOLCHGARWCH Y NADOLIG

Dduw cariadlon,
diolchwn am y dydd hwn a'r cyfan a ddywed –
dy addewid gynt i anfon Meseia i'th bobl,
y cyflawniad o'r addewid drwy anfon dy Fab,
y sylweddoliad o'r disgwyl dros yr holl flynyddoedd,
y Newyddion Da a gyhoeddwyd gan yr angylion,
rhyfeddod a dirgelwch y Nadolig cyntaf.

Am yr oll mae'r amser hwn yn ei olygu ac y bydd yn ei olygu,
molwn di.
Dduw cariadlon,
derbyn ein moliant,
derbyn ein diolchgarwch,
bendithia'n dathlu,
a boed i ryfeddod yr Efengyl
ddod yn fyw yn ein calonnau heddiw,
drwy Iesu Grist ein Harglwydd.
Amen.

19. RHYWBETH I'W DDATHLU

Dduw cariadlon,
molwn di am bopeth sydd gennym i'w ddathlu adeg y Nadolig,
y modd arbennig hwn o gofio o flwyddyn i flwyddyn am dy ddyfod
atom yng Nghrist.
Tyrd atom nawr,
a chymorth ni i'th gadw di yng nghanol ein dathliadau.
Arglwydd, yn dy drugaredd,
clyw ein gweddi.

Tyrd at ein hanwyliaid,
ein teuluoedd,
ein ffrindiau,
a phawb sy'n annwyl yn ein golwg,
a gwna i ni gofio amdanynt yn y dyddiau sy'n dod.
Helpa ni wrth ddathlu a bod yn hapus
i feddwl hefyd am Grist,
ac wrth nesáu ato
i ddod yn agosach at ein gilydd.
Arglwydd, yn dy drugaredd,
clyw ein gweddi.

Tyrd at y sawl sydd ag anghenion arbennig -
y tlawd, y claf, yr unig a'r trist,
y digartref, yr anghenus,
y gorthrymedig a'r sawl sy'n cael eu herlyn;
pawb sy'n profi o galedi bywyd a'r dyfodol yn edrych yn dywyll.
Estyn tuag atynt mewn cariad,
a rho iddynt rywbeth i'w ddathlu.
Arglwydd, yn dy drugaredd,
clyw ein gweddi.

Y NADOLIG

Dduw cariadlon,
boed i oleuni Crist ymdreiddio i fywydau pawb ym mhobman,
gan ddwyn dy lawenydd,
dy heddwch,
dy obaith,
dy gariad,
a'u moliant ar eu gwefusau
a dathliad yn eu calonnau.
**Arglwydd, yn dy drugaredd,
clyw ein gweddi.**

Tyrd atynt,
tyrd atom,
tyrd at bawb,
a danfon ni ar ein ffordd
yn dathlu'r Efengyl,
a'th foli, am ryfeddod dy ras.
**Arglwydd, yn dy drugaredd,
clyw ein gweddi,
drwy Iesu Grist ein harglwydd.
Amen.**

20. GWIR YSTYR Y NADOLIG

Dduw cariadlon,
diolchwn i ti am dymor y Nadolig –
am bopeth mae wedi ei olygu i ni dros y blynyddoedd
ac yn parhau i wneud i ni,
ac a fydd yn gwneud am genedlaethau i ddod.
Rhoddaist mor helaeth:
derbyn ein moliant.

Diolchwn am garolau hen a newydd,
am eiriau cyfarwydd ac annwyl yr Ysgrythur,
am bopeth sy'n dwyn sylw at dy ddyfod yn ein plith yng Nghrist.
Rhoddaist mor helaeth:
derbyn ein moliant.

Diolchwn am bopeth da y gwnawn eu mwynhau –
bwyd da,
cwmnïaeth dda,
hwyliau da.
Rhoddaist mor helaeth:
derbyn ein moliant.

Dduw cariadlon,
helpa ni ym mhopeth i ganolbwyntio ar galon y Nadolig,
beth mae'n ei olygu mewn gwirionedd –
dathlu genedigaeth y plentyn Iesu,
ei addoli mewn llawenydd a pharch,
fel y bugeiliaid a'r doethion mor bell yn ôl;
ei groesawu a'i ddilyn yn ffyddlon
fel y disgyblion a adawodd bopeth er ei fwyn.
Rhoddaist mor helaeth:
derbyn ein moliant.

Y NADOLIG

Dduw cariadlon,
maddau i ni os ydym wedi colli golwg ar wir ystyr y Nadolig.
Maddau i ni os daethom yn orgyfarwydd
gyda symlrwydd a rhyfeddod y neges.
Maddau i ni os methasom wneud digon o le i'r Crist
yn nathliadau ein Nadolig.
Rhoddaist mor helaeth:
derbyn ein moliant.

Llefara wrthym nawr
drwy bopeth y byddwn yn ei wneud a'i rannu,
popeth y byddwn yn ei ganu a'i glywed,
fel y bydd ein bywydau yn profi cyffyrddiad ei bresenoldeb.
Rhoddaist mor helaeth:
derbyn ein moliant,
drwy Iesu Grist.
Amen.

21. EIRIOLAETH Y NADOLIG 1

Anfeidrol a chariadlon Dduw,
yn enw dy Fab Iesu,
ymunwn ynghyd i'th addoli di.

Drwy ei ddyfod rwyt wedi ein bendithio
gyda golau dy gariad,
rwyt wedi llenwi ein byd o dywyllwch gyda'th oleuni,
rwyt wedi goleuo ein calonnau gyda'r Newyddion Da.
Gwnaethost i'th ogoniant lewyrchu arnom
fel na fydd unrhyw beth yn ei oresgyn.

Deuwn ynghyd
gyda diolchgarwch llawen,
a disgwyliadau eiddgar
a moliant o'r galon.

Cymorth ni, wrth i ni ganu dy glod a chlywed dy air,
i blygu wrth y crud yn ein calonnau,
a dwyn ein rhoddion
a dwyn ein haddoliad
i gydnabod dy fod yn ein plith nawr.

Cymorth ni i fynd ar ein ffordd heddiw a phob diwrnod,
yn dy ogoneddu a'th foli
am bopeth a welsom ac a glywsom.
Yn enw'r Crist.
Amen.

22. EIRIOLAETH Y NADOLIG 2

Arglwydd pawb,
gweddïwn dros bawb sy'n dy addoli heddiw,
pawb ar draws y byd sy'n gorfoleddu
yn y Newyddion Da am enedigaeth Iesu Grist.
Llefara air y bywyd
fel y byddi'n cael dy eni yn ein calonnau heddiw.

Boed i ddarlleniad yr ysgrythur
a chanu'r carolau,
ac offrymu'r gweddïau,
a rhannu'r gymdeithas,
gyfleu rhywbeth o ryfeddod dy gariad.
Llefara air y bywyd
fel y byddi'n cael dy eni yn ein calonnau heddiw.

Boed i ffydd dy bobl gael ei chyfoethogi,
a bywyd yr eglwys gael ei adnewyddu
drwy bresenoldeb y Crist byw,
fel y bo i'r Efengyl gael ei chyhoeddi
drwy ei thystiolaeth lawen,
ac y bydd Newyddion Da am ddyfod y Crist
yn dwyn gobaith newydd, llawenydd, ystyr a phwrpas
i fywydau pawb.
Llefara air y bywyd
fel y byddi'n cael dy eni yn ein calonnau heddiw.

Arglwydd pawb,
estyn allan i'r Eglwys ac i bawb ym mhob man
ar yr adeg lawen yma o'r flwyddyn,
gan gyffwrdd ein bywydau gyda phresenoldeb bywiol Crist.
Llefara air y bywyd,
fel y byddi'n cael dy eni yn ein calonnau heddiw,
er gogoniant Iesu Grist ein Harglwydd.
Amen.

23. EIRIOLAETH Y NADOLIG
DROS Y RHAI MEWN ANGEN

Arglwydd Iesu Grist,
a gefaist dy eni yn alltud a ffoadur
mewn gwendid ac eiddiledd,
wrth i ni ddathlu heddiw clyw ein gweddïau
dros y sawl sydd heb achos dathlu.
Arglwydd yn dy drugaredd,
clyw ein gweddi.

Gweddïwn dros y sawl sy'n llwgu a'r digartref,
y tlawd a'r di-waith,
y gorthrymedig a'r di-rym,
yr unig a'r isel eu hysbryd.
Arglwydd yn dy drugaredd,
clyw ein gweddi.

Gweddïwn dros y claf a'r sawl sy'n marw,
y trist a'r galarus,
dioddefwyr trais a rhyfel,
pawb a brofodd chwalfa bywyd
mewn trasiedi neu drychineb.
Arglwydd yn dy drugaredd,
clyw ein gweddi.

Arglwydd Iesu Grist,
a anwyd i ryddhau pobl,
tyrd eto i'th fyd,
gan ddwyn cymod lle mae rhaniad
a chysur lle bo tristwch,
gobaith lle bo anobaith,
a hyder lle bo ansicrwydd.
Arglwydd yn dy drugaredd,
clyw ein gweddi.

Y NADOLIG

Tyrd, gan ddwyn golau lle mae tywyllwch,
a chariad lle ceir casineb,
ffydd lle bo amheuaeth,
a bywyd lle bo marwolaeth.
Arglwydd yn dy drugaredd,
clyw ein gweddi.

Arglwydd Iesu Grist,
tyrd eto i'n byd,
a dwyn y dydd yn agosach pan wireddir dy deyrnas,
a'th ewyllys yn cael ei chyflawni.
Arglwydd, yn dy drugaredd,
clyw ein gweddi,
am i ni ei gofyn yn dy enw.
Amen.

24. EIRIOLAETH Y NADOLIG
DROS YR ALLTUD A'R FFOADURIAID

Arglwydd Iesu Grist,
daethost i'n byd,
ond nid oedd lle i ti.
Daethost at dy bobl dy hun,
ac nid oeddent yn barod i'th dderbyn.
Cefaist dy eni ym Methlehem,
ond nid oedd ystafell i ti yn y gwesty.
Cerddaist yn ein plith, gan rannu ein dynoliaeth,
ond heb le i orffwys dy ben.
Dychwelaist i'th dref enedigol,
ond heb anrhydedd yn dy wlad dy hun.
Daethost i roi bywyd i bawb,
ond cefaist dy groeshoelio a'th ladd.
Gwyddost beth yw bod yn ddigartref,
yn llwgu, dy adael a'th wrthod.
Felly, deuwn â'n gweddïau
dros bawb sy'n dioddef felly heddiw.
Gyfaill y digyfaill,
clyw ein gweddi.

Gweddïwn dros y sawl sydd heb do uwch eu pennau
nac unman i'w alw'n gartref –
eu henwau efallai ar restr aros am dŷ cyngor
neu wedi cael eu taflu allan am nad oeddent yn medru talu'r rhent,
eu cartref wedi cael ei chwalu gan drychineb naturiol,
neu wedi cael eu gadael ar ôl wrth ddianc rhag erledigaeth neu
fygythiad rhyfel.
Gyfaill y digyfaill,
clyw ein gweddi.

Y NADOLIG

Gweddïwn dros y sawl sy'n byw
mewn amgylchiadau tlawd neu dai gorlawn o bobl;
mewn trefedigaethau sianti neu wersyll ffoaduriaid;
hostelau, neu ddarpariaeth mewn gwely-a-brecwast;
blociau tenement uchel, neu slymiau annymunol;
y sawl sy'n cysgu allan ar y stryd.
Gyfaill y digyfaill,
clyw ein gweddi.

Gweddïwn hefyd dros y sawl
sy'n tybio nad oes ganddynt le mewn cymdeithas –
y di-waith,
y tlawd,
yr unig,
y gorthrymedig,
y sawl sy'n cael eu herlid,
y sawl sy'n agos at farw.
Gyfaill y digyfaill,
clyw ein gweddi.

Arglwydd Iesu Grist,
estyn allan at bawb sy'n wynebu amgylchiadau felly.
Dangos iddynt dy fod yn eu caru,
a rho iddynt yr hyder i gredu yn y dyfodol,
a'r nerth i wynebu'r presennol.
Gyfaill y digyfaill,
clyw ein gweddi.

dyro dy gymorth i'r sawl sy'n cynnig help,
dy gefnogaeth i'r sawl sy'n ymgyrchu am gyfiawnder,
dy fendith i bawb sy'n ceisio gobaith
lle ceir ond anobaith.
Gyfaill y digyfaill,
clyw ein gweddi.

Boed i ni, gyda hwy, wneud dy gariad yn real,
a dangos dy gydymdeimlad,
a gweithio gyda'n gilydd o blaid dy deyrnas.
Gyfaill y digyfaill,
clyw ein gweddi,
am i ni ofyn hyn yn dy enw.
Amen.

25. RHANNU'R NEWYDDION DA

Dduw y bywyd,
diolchwn am neges fawr yr Efengyl,
y Newyddion Da am dy gariad,
y Newyddion Da am dy ddyfod i'n byd
drwy dy Fab Iesu Grist.
Boed i'r neges hon ein hysgogi o'r newydd y Nadolig hwn
ac yn y dyddiau sy'n dod.
Llefara air dy gariad,
ac ymsymud yng nghalonnau pawb sy'n ei glywed.

Diolchwn i ti bod Newyddion Da y Crist
wedi herio pobl ar draws yr oesau,
ac er iddynt gael eu cyhoeddi cymaint o weithiau,
ac i ni eu clywed mor aml cynt,
eu bod yn parhau yn newyddion i ni ac yn newydd i bawb –
ac yn siarad gydag unigolion ar draws y byd
ac yn newid bywydau.
Llefara air dy gariad,
ac ymsymud yng nghalonnau pawb sy'n ei glywed.

Felly gweddïwn dros y sawl rwyt wedi eu galw
i gyhoeddi'r Newyddion Da –
gweinidogion,
pregethwyr,
efengylwyr,
athrawon,
a phawb sydd â dawn a chyfrifoldeb arbennig
i gyfathrebu dy air.
Dyro iddynt ddoethineb,
ymroddiad,
ysbrydoliaeth
a hyder,
fel y gallant fod yn ffyddlon eu tystiolaeth i ti
yng ngrym yr Ysbryd Glân.
Llefara air dy gariad,
ac ymsymud yng nghalonnau pawb sy'n ei glywed.

Gweddïwn hefyd dros y sawl sy'n clywed y Newyddion Da,
yn ymateb mewn ffyrdd amrywiol:
y sawl sydd wedi cau eu meddyliau
i'r hyn sydd gennyt i'w ddweud wrthynt –
boed i'th gariad dorri drwy'r rhwystrau maent wedi eu hadeiladu;
y sawl a glywodd ond heb ddeall –
boed i'w calonnau fod yn agored i'r gwirionedd;
y sawl sydd eto i afael yn y ffaith
fod yr Efengyl yn Newyddion Da iddynt hwy –
boed i'w cyfarfyddiad â Christ drawsnewid eu bywydau.
Boed i'r sawl sydd wedi ymateb a dod i ffydd gyflawn –
aeddfedu yn eu hadnabyddiaeth ohonot.
Llefara air dy gariad,
ac ymsymud yng nghalonnau pawb sy'n ei glywed.

Y NADOLIG

Yn olaf, gweddïwn dros y sawl sy'n dyheu am y Newyddion Da,
ac yn llefain allan am gyfarchion llawen –
y tlawd, y sawl sy'n llwgu, y claf a'r unig,
y gorthrymedig, y sawl sy'n cael eu herlid, y sawl sydd heb gariad,
y galarus –
cymaint o bobl ar draws y byd
sy'n anobeithio o brofi gobaith eto.
Boed i neges yr Efengyl fod yn Newyddion Da iddynt.
Llefara air dy gariad,
ac ymsymud yng nghalonnau pawb sy'n ei glywed.

Dduw y bywyd,
tyrd eto i'th fyd y Nadolig hwn,
drwy dy air, dy Ysbryd, dy bobl,
ac ym mhresenoldeb byw Crist,
fel y gall neges yr Efengyl
fod yn Newyddion Da mewn gwirionedd i bawb.
Llefara air dy gariad,
ac ymsymud yng nghalonnau pawb sy'n ei glywed,
drwy Iesu Grist ein Harglwydd.
Amen.

YR YSTWYLL

26. MOLIANT YR YSTWYLL

Dduw cariadus,
cofiwn heddiw
fod y Newyddion Da am Iesu Grist, o'r dechreuad, ar gyfer pawb,
ac nid yr ychydig yn unig.
Derbyn ein moliant.

Cyhoeddaist ef i'r bugeiliaid
yn gofalu am eu preiddiau gyda'r nos,
pobl gyffredin di-nôd
yn dilyn dyletswyddau beunyddiol bywyd,
yr annhebygol ac eto cynrychiolaeth arbennig
o'th genedl etholedig.
Derbyn ein moliant.

Ond gwnaethost hyn yn hysbys hefyd i'r doethion o'r Dwyrain,
dieithriaid yn byw ymhell,
heb unrhyw wybodaeth amdanat,
ac nad oedd llawer yn eu hystyried
oddi fewn i gylch dy addewidion.
Derbyn ein moliant.

Dduw cariadus,
mae'r gwirionedd hwn yn dangos
nad oes unrhyw un tu allan i'th gariad,
bod neges yr Efengyl yn torri drwy bob rhwystr,
a'th fod am ddwyn y goleuni i bedwar ban byd.
Derbyn ein moliant.

YR YSTWYLL

Am y ffaith ein bod yn rhan o'th bwrpas mawr –
etifeddion o'r addewidion a wnaed gynt i Abraham,
aelodau o gwmni mawr dy bobl,
wedi cael ein galw i gyhoeddi'r Efengyl i'r sawl sydd o'n cwmpas –
derbyn ein moliant.

Am y wybodaeth bod dy oleuni yn parhau i lewyrchu
er pob gwrthwynebiad
erledigaeth,
a gwrthodiad gan lawer –
derbyn ein moliant.

Am y modd mae llawer wedi dilyn esiampl Iesu
ac ymateb i'r alwad –
drwy ddyfroedd bedydd,
drwy ymrwymiad i'th Eglwys,
drwy fywyd o ffydd a thystiolaeth –
derbyn ein moliant.

Dduw cariadlon,
gwnaethost i'th oleuni lewyrchu yn ein calonnau.
Cymorth ni i ddangos ein gwerthfawrogiad
drwy gerdded yn llwybr y goleuni,
a rhannu golau i'r sawl sydd o'n cwmpas,
er gogoniant dy enw.
Derbyn ein moliant,
drwy Iesu Grist ein Harglwydd.
Amen.

27. CYFFES YR YSTWYLL

Dduw cariadlon,
cyfeiriaist y doethion i Fethlehem,
gan gynnig llewyrch i'w llwybr,
ac iddynt ymateb mewn ffydd.
Maddau i ni ein bod mor aml yn syrthio'n fyr o'u hesiampl.
Arglwydd grasol,
bydd drugarog.

Cynigiaist gyfarwyddyd i ni mewn sawl ffordd –
drwy oleuni dy air,
a llewyrch yr Ysbryd Glân,
cymdeithas yr Eglwys,
a phrofiad gweddi,
ond mor aml methwn naill ai i glywed neu wrthod gweld.
Arglwydd grasol,
bydd drugarog.

Mae'n sylw ni mor glwm wrth ein materion bach ni,
a'n llygaid ond ar gyfer materion y funud,
a'n gweld yn cael ei rwystro gan faterion dibwys,
fel ein bod yn methu sylweddoli ble rwyt yn ein harwain.
Arglwydd grasol,
bydd drugarog.

Credwn ein bod yn gwybod ble rydym yn mynd,
a beth a ddymunwn mewn bywyd,
a sut yn union y gallwn ei gael,
gan ymwrthod ag unrhyw awgrym y dylem ailystyried o'r newydd.
Arglwydd grasol,
bydd drugarog.

YR YSTWYLL

Dduw cariadlon,
maddau i ni ein gwiriondeb,
ein hystyfnigrwydd,
ein gwendid.
Arglwydd grasol,
bydd drugarog.

Maddau i ni ein balchder,
ein diffyg ffydd,
ein meddyliau caeëdig.
Arglwydd grasol,
bydd drugarog.

Maddau i ni am wrthod dy arweiniad,
a gwrthsefyll dy ewyllys,
ac fel canlyniad, cerddwn mewn tywyllwch.
Arglwydd grasol,
bydd drugarog.

Tyrd i'n cyfarfod eto,
a boed i oleuni dy gariad ddisgleirio o fewn ein calonnau,
fel na allom ond ei weld ac ymateb iddo
mewn moliant diolchgar a gwasanaeth llawen.
Arglwydd grasol,
bydd drugarog,
yn enw Crist.
Amen.

28. DEISYFIAD YR YSTWYLL

Dduw y cariad,
cofiwn heddiw ar Sul yr Ystwyll
sut y daeth y doethion o'r Dwyrain gan geisio y brenin newydd-anedig,
sut y daethant o'r diwedd i ben eu taith,
a sut y bu iddynt blygu mewn addoliad gerbron y baban Iesu.
Helpa ni i ddysgu o'u hesiampl.
Cyfeiria'n camrau,
ac arwain ni yn agosach at Grist.

Dysg ni i aros yn ffyddlon ar y llwybr a osodaist o'n blaen,
gan gofio bod gwir ffydd yn estyn taith o ddarganfod
ynghyd â chyrraedd pendraw'r daith.
Cyfeiria'n camrau,
ac arwain ni yn agosach at Grist.

Dysg ni i geisio dy ewyllys o ddifrif,
hyd yn oed pan nad yw'r ffordd ymlaen yn amlwg.
Cyfeiria'n camrau,
ac arwain ni yn agosach at Grist.

Dysg ni i edrych ar y byd o'n cwmpas,
ac adnabod yr arwyddion
y gallet fod yn siarad drwyddynt gyda ni.
Cyfeiria'n camrau,
ac arwain ni yn agosach at Grist.

Dysg ni i ddal i ymddiried yn dy bwrpas,
hyd yn oed pan fydd ymateb eraill
yn rhoi achos i ni amau.
Cyfeiria'n camrau,
ac arwain ni yn agosach at Grist.

Dysg ni i gynnig i Iesu ein hymroddiad llwyr –
nid yn unig ein rhoddion ond y cyfan o fywyd,
megis rhoi mewn addoliad llawen a moliant diolchgar.
Cyfeiria'n camrau,
ac arwain ni yn agosach at Grist,
gan i ni ofyn hyn yn ei enw.
Amen.

29. EIRIOLAETH YR YSTWYLL

Arglwydd y goleuni,
rydym wedi cofio heddiw am daith y doethion –
sut, wedi cael eu hysbrydoli gan arwydd,
y bu iddynt deithio gan chwilio am frenin newydd-anedig,
brenin a fyddai nid yn unig yn newid eu bywydau,
ac hefyd fywydau ei bobl,
ond bywyd holl bobl y byd.
Tyrd eto nawr,
a boed i'r goleuni lewyrchu yn y tywyllwch.

Cofiwn iddynt barhau yn eu hamcan,
yn teithio drwy ffydd
er nad oedd ganddynt syniad am gyfeiriad y daith
nac unrhyw sicrwydd y byddent yn cyrraedd ei therfyn.
Tyrd eto nawr,
a boed i'r goleuni lewyrchu yn y tywyllwch.

Cofiwn fel y bu iddynt wrthod cael eu digalonni,
er y derbyniad a gawsant yn Jerwsalem,
er nad oedd unrhyw un i bob ymddangosiad â syniad
bod brenin newydd wedi cael ei eni.
Tyrd eto nawr,
a boed i'r goleuni lewyrchu yn y tywyllwch.

Cofiwn fel y bu iddynt ddal i fynd,
gan ganolbwyntio ar eu nod,
hyd y bu i'w penderfyniad gael ei wobrwyo
a hwythau yn dod wyneb yn wyneb â'r baban Iesu.
Tyrd eto nawr,
a boed i'r goleuni lewyrchu yn y tywyllwch.

YR YSTWYLL

Dduw y bywyd,
gweddïwn dros y sawl sy'n ceisio rhywbeth penodol heddiw,
pawb sy'n chwilio am synnwyr pwrpas i'w bywyd,
pawb sy'n chwilio am gyflawniad ysbrydol,
pawb sy'n dyheu am dy ddarganfod di drostynt eu hunain.
Tyrd eto nawr,
a boed i'r goleuni lewyrchu yn y tywyllwch.

Helpa hwy i barhau i edrych,
hyd yn oed pan fo'r siwrnai yn anodd,
ac nad yw'r diwedd yn y golwg;
i barhau i gredu,
hyd yn oed pan fo eraill yn anymwybodol o'u nod
neu yn ddibris ohono;
i barhau i ymddiried,
hyd yn oed os yw'r sawl maent yn ceisio arweiniad ganddynt
yn ymddangos mor gymysglyd a chymaint ar goll â hwy eu hunain.
Tyrd eto nawr,
a boed i'r goleuni lewyrchu yn y tywyllwch.

Dduw y bywyd,
addewaist drwy Iesu Grist
y bydd y sawl sy'n chwilio yn cael.
Boed i brofiad y doethion
ysbrydoli pawb sy'n chwilio am y gwirionedd i barhau i edrych,
yn y sicrwydd y byddant hwythau, beth bynnag ddaw,
yn cyrraedd eu nod, rhyw ddydd,
a'th ddarganfod di drostynt eu hunain.
Tyrd eto nawr,
a boed i'r goleuni lewyrchu yn y tywyllwch,
yn enw Iesu.
Amen.

Y GRAWYS

30. DYDD MAWRTH YNYD

Dduw bywiol,
diolchwn am y diwrnod hwn a roddaist i ni,
dydd sy'n ein hatgoffa am dy drugaredd,
dy faddeuant,
dy gynnig o ddechreuad newydd i bawb sy'n wirioneddol yn ei geisio.
Archwilia ni, O Dduw,
ac arwain ni ar hyd ffordd bywyd tragwyddol.

Diolchwn am yr amser hwn a roddaist i ni,
tymor y Grawys, sy'n ein hatgoffa
o'r angen am weddi a myfyrdod,
disgyblaeth a hunanymchwiliad.
Archwilia ni, O Dduw,
ac arwain ni ar hyd ffordd bywyd tragwyddol.

Diolchwn am y tymor hwn sy'n arwain tuag at
ddyddiau yr Wythnos Sanctaidd a'r Pasg,
sy'n ein hatgoffa o'r cariad mawr a ddangosaist yng Nghrist,
a'r fuddugoliaeth fawr a enillaist drwyddo ef.
Archwilia ni, O Dduw,
ac arwain ni ar hyd ffordd bywyd tragwyddol.

Dduw bywiol,
cymorth ni i ddefnyddio'r diwrnod hwn yn ddoeth a'r tymor hwn yn
llawn,
fel y bydd i'n ffydd ddyfnhau,
a'r gorwelion gael eu hymestyn,
a'n cariad tuag atat gynyddu.
Archwilia ni, O Dduw,
ac arwain ni ar hyd ffordd bywyd tragwyddol.

Y GRAWYS

Glanha ni o bopeth sydd yn anghywir,
dyro galon newydd ac ysbryd cywir o'n mewn,
a pharatoa ni i lawenhau eto ac i ryfeddu at dy gariad
a ddatguddiwyd yn y Crist croeshoeliedig ac atgyfodedig.
Archwilia ni, O Dduw,
ac arwain ni ar hyd ffordd bywyd tragwyddol,
wrth i ni ofyn hyn yn ei enw.
Amen.

31. DYDD MERCHER Y LLUDW

Dduw bywiol,
ar y dydd cyntaf hwn o'r Grawys, deuwn ynghyd
yn ceisio dy bresenoldeb,
yn estyn ein haddoliad,
ac yn gofyn am dy arweiniad.
Arglwydd, clyw ein gweddi.

Deuwn, gan gofio unwaith yn rhagor
demtiad Iesu yn yr anialwch,
ac yntau'n gwrthod ildio.
Arglwydd, clyw ein gweddi.

Deuwn gan gofio y deugain diwrnod a'r deugain nos o brawf,
yr amser o weddi a myfyrdod,
yn paratoi am y dyfodol.
Arglwydd, clyw ein gweddi.

Deuwn gan gofio y bywyd,
y farwolaeth,
yr atgyfodiad a'r mawrygu a ddilynodd.
Arglwydd, clyw ein gweddi.

Dduw bywiol,
helpa ni, i ddysgu o'i esiampl,
i ddefnyddio'r tymor hwn yn ddoeth,
gan roi amser i wrando ar dy lais
a myfyrio ar dy air.
Arglwydd, clyw ein gweddi.

Helpa ni i archwilio'n hunain yn onest,
ac archwilio'n calonnau yn ofalus ac yn weddigar.
Arglwydd, clyw ein gweddi.

Helpa ni i weld ein hunain fel yr ydym mewn gwirionedd,
ac fel y caret ti i ni fod,
yn barod i'th ddilyn a gwneud dy ewyllys,
heb ystyried y gost.
Arglwydd, clyw ein gweddi.

Helpa ni i wybod ble yr ydym yn ffyddlon i ti
a ble rydym yn methu,
gan gydnabod y cryfderau a'r gwendidau.
Arglwydd, clyw ein gweddi.

Dduw bywiol,
dyro i ni'r nerth i sefyll o flaen dy lygaid sy'n ein harchwilio
ac i dderbyn y ddedfryd,
gwyleidd-dra i dderbyn y cywiriadau ac i dderbyn dy faddeuant,
doethineb i glywed dy air ac ymborthi arno drwy ffydd,
fel ein bod yn ystod y dyddiau sydd o'n blaen yn dod yn agosach atat
yn nhebygrwydd y Crist.
Arglwydd, clyw ein gweddi,
wrth i ni ei gofyn yn ei enw.
Amen.

32. SUL CYNTAF Y GRAWYS

Dduw grasol a thrugarog,
ar Sul cyntaf y Grawys deuwn ynghyd i'th addoli,
i'th foli ac i ddiolch,
i geisio dy faddeuant ac i ofyn am adnewyddiad.
Crea ynom galon lân, O Arglwydd,
a dyro ysbryd newydd ynom.

Deuwn yn enw'r Crist,
gan gofio ei ddyddiau unig yn yr anialwch,
ei amser o ymgodymu gyda themtasiwn,
y weinidogaeth a ddilynodd,
yn adfer a thrawsnewid bywydau llawer.
Crea ynom galon lân, O Arglwydd,
a dyro ysbryd newydd ynom.

Helpa ni i ddysgu o'i esiampl –
i chwilio ein calonnau fel y gwnaeth ef,
i ystyried ein galwad,
a meddwl eto am ein ffydd,
i ymwrthod â themtasiwn,
ac ymroi ein hunain yn fwyfwy i ti.
Crea ynom galon lân, O Arglwydd,
a dyro ysbryd newydd ynom.

Helpa ni i gydnabod popeth a wnaeth Iesu drosom,
drwy ei fywyd, ei farwolaeth a'i atgyfodiad,
fel y gallom ddod yn fodlon tuag atat,
yn cyffesu ein pechodau,
cydnabod ein beiau,
derbyn ein gwendidau,
a derbyn dy faddeuant.
Crea ynom galon lân, O Arglwydd,
a dyro ysbryd newydd ynom.

Y GRAWYS

Dduw grasol a thrugarog,
Deuwn gyda'n gilydd ar Sul cyntaf y Grawys.
Siarad gyda ni heddiw ac yn y dyddiau sydd i ddod,
fel y gallom dy adnabod a'th garu'n well.
Crea ynom galon lân, O Arglwydd,
a dyro ysbryd newydd ynom,
drwy Iesu Grist ein Harglwydd.
Amen.

33. CYFFES Y GRAWYS

Dduw cariadlon,
cofiwn yn nhymor y Grawys
demtiad Iesu yn yr anialwch,
y pwysau a wynebodd,
y dewisiadau bu'n rhaid iddo eu gwneud,
y drygioni bu'n rhaid iddo ymwrthod ag ef,
y llwybr a ddewisodd.

Cofiwn er iddo gael ei demtio fel ni
na ildiodd ei ffordd;
er y gallai fod wedi defnyddio'r grym i'w ddiben ei hun,
iddo ei ddefnyddio er ein mwyn;
er y gallai fod wedi dewis llwybr hawdd,
iddo gerdded y ffordd anodd.

Dduw cariadlon,
maddau i ni fod ein tystiolaeth mor wahanol yn aml.
Rydym wedi dy siomi mewn sawl ffordd,
yn gwrthod codi'r groes
a dilyn camrau Iesu.
Rydym wedi methu ufuddhau i'r gorchmynion,
na charu fel y ceraist di, nac wedi byw'n ffyddlon fel dy bobl.
Bu ein gweld yn gul,
yn wan ein hymrwymiad,
yn llac yn ein haddoliad,
yn hunanol ein hagweddau,
ac yn dewis ein ffyrdd ni ac nid dy ffyrdd di
gan grwydro ymhell oddi wrthyt.

Dduw cariadlon,
bydd drugarog wrthym.
**Adfer ein calonnau, ein meddyliau a'n hysbryd,
cryfha ein hewyllys a dyfnha ein ffydd,
ac anfon ni allan o'r newydd fel dy bobl,
wedi maddau i ni ein bai a'n hadfer o'r newydd,
i fyw ac i weithio drosot, yn enw'r Crist.
Amen.**

34. DEISYFIAD Y GRAWYS

Dduw cariadlon,
cofiwn heddiw cymaint oedd cariad Crist tuag atom,
cymaint roedd yn barod i'w aberthu
a'i ddioddef drosom.
Dysga ni i ddilyn.

Gosodaist o'i flaen yr angen i ddewis –
rhwng ffordd yr hunanol a ffordd y Groes,
ffordd y byd a ffordd cariad,
y ffordd sy'n arwain at farwolaeth
a'r ffordd sy'n arwain at fywyd.
Dysga ni i ddilyn.

Diolchwn am y dewis a wnaeth,
a'r cyfan oedd wrth gefn hynny –
y ffydd a roddodd iddo'r grym mewnol
i ymwrthod â themtasiwn ac i dderbyn dy ewyllys,
y dewrder i gerdded y llwybr tuag at ddioddefaint a marwolaeth,
a'r cariad a lywiodd y cyfan.
Dysga ni i ddilyn.

Maddau i ni ein bod wedi derbyn cymaint ganddo
a heb roi llawer yn ôl.
Rydym yn hunanol,
gan roi'n hunain o flaen eraill ac o'th flaen di,
yn ymbellhau oddi wrth aberth a hunanymwadiad.
Dysga ni i ddilyn.

Mae'n gweledigaeth yn gyfyng
gyda mwy o gonsýrn am foddhad daearol
na chyflawnder ysbrydol,
yn dewis y ffordd gyfforddus a hawdd
yn hytrach na ffordd y Crist.
Dysga ni i ddilyn.

Dduw cariadlon,
gweddïwn unwaith yn rhagor y byddi'n ein sicrhau o'th drugaredd
cyson,
a'n glanhau ac adnewyddu ein calonnau'n gyson
ac estyn nerth, ffydd a hyder o'r newydd
i ddilyn lle y byddi'n ein harwain.
Dysga ni i ddilyn.

Dysga ni i fod yn newynog ac yn sychedig am gyfiawnder,
gan wybod dy fod yn abl i'n digoni;
i ymddiried ynot yn wastadol, doed a ddelo,
gan wybod na fydd dy gariad yn ein siomi;
i estyn iti ein haddoliad
drwy bopeth yr ydym ac a wnawn,
gan wybod mai ti yn unig sydd Dduw.
Dysga ni i ddilyn.

Dduw cariadlon,
arwain ni pan ddaw amser ein prawf,
pan fydd yn rhaid i ni ddewis,
a gwared ni rhag y drwg.
**Dysga ni i ddilyn
yn enw'r Crist.
Amen.**

35. AMSER A GOFOD I DDUW

Arglwydd pawb,
deuwn ger dy fron ar derfyn dydd arall,
yn nhawelwch y nos,
i geisio gwneud amser yng nghanol prysurdeb ein bywydau,
i ymdawelu ac i wybod mai ti sydd Dduw,
**i wrando yn heddwch a llonyddwch yr eiliadau hyn
am dy lais distaw di.**

Arglwydd pawb,
maddau i ni mor anaml y gwnawn ymdrech i geisio amser fel hwn,
gan dybied ein bod yn rhy brysur, hyd yn oed i roi amser i ti!
Maddau i ni ein bod yn llenwi ein bywydau gyda sŵn a gweithgarwch –
**yn rhuthro o gwmpas gyda'r hyn ac arall,
ac yn esgeuluso'r elfennau mwyaf pwysig.**
Maddau i ni ein bod yn gofyn i ti siarad,
ac yn methu clywed dy lais oherwydd nad ydym yn gwrando.
Maddau i ni ein bod yn amddifadu ein hunain o heddwch dy
bresenoldeb
**drwy gamdybio gwerth ein hannibyniaeth neu'n fwriadol
anufudd.**

Arglwydd pawb,
derbyn ni nawr, fel yr ydym, er ein ffaeleddau.
**Maddau i ni am dy anghofio di,
ac adfer ni drwy yr Ysbryd Glân.**
Helpa ni i sylweddoli fod Crist gyda ni nawr
wrth i ni gyfarfod yn ei enw,
a dysga ni dy fod gyda ni drwyddo ef,
yn siarad, arwain, calonogi a chyfoethogi,
yn dymuno ac yn dyheu i fendithio'n bywydau gyda'th ras.

Agor ein calonnau i ti
**a llenwa ni a'r heddwch dwyfol,
drwy Iesu Grist ein Harglwydd. Amen.**

36. DILYN IESU

Dduw grasol,
deuwn ynghyd unwaith yn rhagor yn nhymor y Grawys.
Deuwn yn enw'r Crist,
yn cofio eto am y dyddiau o unigrwydd a phrawf
a ddioddefodd yn yr anialwch.
Deuwn gan gofio y modd bwriadol y treuliodd
amser yno ar ei ben ei hun,
yn myfyrio ar bwy oedd a'r hyn roeddet am iddo wneud.
Deuwn yn cofio ei ddewrder, y ffydd –
a'r ymroddiad a ddangosodd yn ystod yr amser hwn –
gwerthoedd a oedd i nodweddu gweddill ei weinidogaeth.

Dduw grasol,
cymorth ni i ddefnyddio'r amser hwn a gawsom.
Boed i ni ddod yn agosach atat,
gan ddeall mwy ar dy natur di ac ar ein natur ni.
Boed i'r amser hwn ddyfnhau ein ffydd,
cryfhau ein hymrwymiad,
a chadarnhau ein synnwyr o alwad.
Boed i ni ddeall beth yw ystyr dilyn Iesu
a'r hyn a olygir wrth dy wasanaethu di.
Boed i ni ddeall yn gliriach wir gost bod yn ddisgybl
a hefyd y bendithion.
Boed i ni ddeall yn llwyrach
pam rwyt wedi ein gosod yma,
beth rwyt am i ni wneud,
pwy y caret i ni fod,
sut y caret i ni fyw,
a ble y caret i ni fynd.

Dduw grasol,
paratoa ni ar gyfer yr amser hwn o addoliad,
y dydd hwn a'r tymor hwn,
i ddeall ac i ddathlu'n llwyrach
bopeth a wnaethost drosom yng Nghrist,
**fel y gallwn dy garu'n gywirach
a'th wasanaethu'n ffyddlonach,
i ogoniant dy enw.
Amen.**

37. ARCHWILIO EIN HUNAIN

Hollalluog Dduw sy'n gweld popeth,
diolchwn am y tymor hwn o'r Grawys –
ac amser i fyfyrio ar ein bywyd fel disgyblion,
i ystyried ein galwad,
ac i brofi ein hunain a gweld a ydym yn bobl y ffydd.

Hollalluog Dduw,
helpa ni i fod yn onest am unwaith gyda'n hunain,
i weld ein hunain fel yr ydym mewn gwirionedd,
gyda'n holl wendidau,
y cyfan sy'n hyll ac yn bechadurus yn ein bywyd.

Helpa ni i wynebu hyn i gyd
y byddai'n haws gennym ei wthio o'r neilltu –
y gwirioneddau annymunol rydym yn dewis eu cuddio,
ac esgus nad ydynt yno o gwbl.

Dduw sy'n gweld pob dim,
gallwn dwyllo ein hunain
ond ni allwn dy dwyllo di.
Gallwn esgus fod popeth yn dda
ond ni allwn guddio ein hing mewnol.

Gallwn wadu ein hangen ohonot
ond ni allwn guddio ein gwacter hebddo.
Rydym yn ceisio cyflawnder yn y byw
ond ni allwn brofi hedd gwirioneddol tu allan i'th gariad.

Hollalluog Dduw sy'n gweld popeth,
hawliwn ein bod mewn ffydd
ond weithiau mae ffydd yn denau iawn.
Hawliwn ein bod yn dy garu
ond mae'r cariad hwnnw yn aml yn fregus.

Hawliwn ein bod yn dy wasanaethu
ond yn rhy aml rydym yn gwasanaethu ein hunain gyntaf.
Archwilia ni a chymorth ni i ddarganfod ein hunain,
rheola ni, a chynorthwya ni i reoli ein hunain,
a dyro i ni'r gras i dyfu'n gryfach mewn ffydd
a'r cyfan yng Nghrist,
wrth i ni ofyn hyn yn ei enw.
Amen.

38. WYNEBU'R GWIRIONEDD
(ysbrydolwyd gan Meica 2:6)

Dduw y gwirionedd,
rwyt yn ein hadnabod ni yn well
nag yr ydym yn ein hadnabod ein hunain.
Rwyt yn chwilio ein calonnau a'n meddyliau,
ein gweld fel yr ydym mewn gwirionedd,
a'n herio i wynebu ein hunain am yr hyn yr ydym.
Dysga ni i wynebu'r gwirionedd
oherwydd bydd y gwir yn ein rhyddhau.

Maddau i ni ein bod mor aml
yn cilio rhag yr hyn sy'n anodd i'w dderbyn,
ac yn gwrthod cydnabod unrhyw beth
sy'n groes i'r ddelwedd sydd gennym ohonom ein hunain.
Mae'n anodd bod yn onest,
gan gau ein clustiau i'r gwirionedd y byddai'n well gennym
fod yn fyddar iddo.
Rydym yn osgoi'r sawl sy'n ein herio ac yn ein haflonyddu,
gan ddewis yn hytrach gwmni'r sawl sy'n ein maldodi a'n canmol.
Dysga ni i wynebu'r gwirionedd
oherwydd bydd y gwir yn ein rhyddhau.

Dduw y gwirionedd,
diolchwn i ti heddiw am bawb
sydd â'r ddawn brin o lefaru'r gwirionedd mewn cariad –
heb arfer malais, dichell, na bod yn greulon,
nac o fwriad amheus,
ond oherwydd eu bod â gofal drosom.
Dysga ni i wynebu'r gwirionedd
oherwydd bydd y gwir yn ein rhyddhau.

Diolchwn i ti am y sawl sydd â'r ewyllys i fentro dweud wrthym,
er efallai i hynny beri llid ynom wrth ymateb,
neu ein bod yn camddeall neu yn cael ein digio,
neu ein bod am ddial neu wrthod yn llwyr,
a hwythau am ein cynorthwyo i dyfu fel unigolion.
Dysga ni i wynebu'r gwirionedd
oherwydd bydd y gwir yn ein rhyddhau.

Dyro inni wyleidd-dra gwirioneddol ac addfwynder ysbryd,
fel y byddom yn barotach i wrando ac archwilio ein hunain,
yn barod i ofyn y cwestiynau ymchwilgar am bwy ydym
ac i wneud y newidiadau lle bo angen.
Dysga ni i wynebu'r gwirionedd
oherwydd bydd y gwir yn ein rhyddhau.
Gweddïwn yn enw'r Crist. Amen.

39. EIRIOLAETH Y GRAWYS

Arglwydd Iesu Grist,
cawn ein hatgoffa heddiw, yn nhymor y Grawys,
am yr amser a dreuliaist yn yr anialwch –
yn wynebu dewisiadau,
yn ymgodymu gyda themtasiynau,
a wynebu'r cyfnod o brawf
a fyddai'n ffurfio cwrs dy weinidogaeth;
amser sy'n ein hatgoffa o'th ddynoliaeth,
sy'n dweud wrthym dy fod yn un ohonom,
yn cael dy demtio fel ni.
Yn anialwch bywyd heddiw
bydd yn bresennol, O Dduw.

Arglwydd Iesu Grist,
diolchwn dy fod wedi dod drwy'r cyfnod hwn yn gryfach –
yn sicrach o'r llwybr roedd yn rhaid i ti ei gerdded,
ac yn fwy hyderus o'th allu i'w gerdded.
Felly gweddïwn dros y sawl sy'n profi cyfnodau tebyg o brofi.
Yn anialwch bywyd heddiw
bydd yn bresennol, O Dduw.

Gweddïwn dros y sawl sy'n wynebu dewisiadau anodd a chaled,
dewisiadau sy'n cynnwys poen a hunanaberth,
sy'n golygu ymryddhau o ddyheadau cariadlawn,
ac sy'n cynnwys wynebu ffeithiau lletchwith amdanynt
eu hunain ac eraill.
Yn anialwch bywyd heddiw
bydd yn bresennol, O Dduw.

Gweddïwn dros y sawl sy'n ymgodymu gyda themtasiwn –
yn cael eu rhwygo rhwng dyheadau sy'n croesdynnu,
ac yn ansicr o'u safbwynt.
Yn anialwch bywyd heddiw
bydd yn bresennol, O Dduw.

Gweddïwn dros y sawl sy'n wynebu cyfnod o brawf yn eu bywydau –
problemau sy'n ymddangos yn ormod iddynt,
sialens sy'n fwy na'u gallu i'w derbyn,
cwestiynau y byddai'n well ganddynt eu hosgoi.
Yn anialwch bywyd heddiw
bydd yn bresennol, O Dduw.

Arglwydd Iesu Grist,
dyro inni'r nerth i wynebu pob sefyllfa debyg –
a rho i ni sicrwydd yn ein nod a meddwl clir.
Dyro i ni wybod dy ewyllys –
a'r hyder i wneud y penderfyniadau cywir
a'r ymrwymiad i'w cyflawni.
Boed i bawb fod yn gryfach o fynd drwy'r profiadau,
ac yn gryfach i wynebu'r dyfodol.
Yn anialwch bywyd heddiw
bydd yn bresennol, O Dduw,
wrth i ni ofyn hyn yn dy enw.
Amen.

YR WYTHNOS SANCTAIDD

40. MOLIANT SUL Y BLODAU

Dduw cariadlon,
ymunwn heddiw mewn moliant llawen.
Croesawn Crist o'r newydd
fel ein Brenin, ein Harglwydd a'n Gwaredwr –
gan addo iddo ein teyrngarwch,
gan ddwyn ein cariad,
gan gablu o'i flaen,
gan ryfeddu wrth ei gyfarch.
Hosanna i Fab Dafydd,
gogoniant yn y goruchaf.

Dduw cariadlon,
tyrd atom eto drwy'r Crist heddiw.
Llefara wrthym fel y darllenwn y geiriau cyfarwydd,
wrth i ni ganu emynau cyfarwydd,
wrth i ni gofio ei fynediad clodforus i fewn i Jerwsalem
mor bell yn ôl,
wrth i ni gofio amcan a chost y cyfan.
Hosanna i Fab Dafydd,
gogoniant yn y goruchaf.

Helpa ni i weld nad yn unig yn y croeso ar Sul y Blodau,
ond yn y gwrthod a ddilynodd,
y datguddiodd Iesu dy ogoniant,
ac felly helpa ni i'w wasanaethu yn y dyddiau sydd o'n blaen,
drwy yr amseroedd da a drwg.
Hosanna i Fab Dafydd,
gogoniant yn y goruchaf,
nawr a hyd byth.
Amen.

41. SUL Y BLODAU – CROESAWU'R BRENIN

Dduw grasol,
wrth i ni gofio'r dydd hwn
sut y marchogodd Iesu i fewn i Jerwsalem i floeddiadau clodforus,
helpa ni i'w groesawu o'r newydd
i'n calonnau a'n bywydau.
Derbyn ein moliant a'n haddoliad
a dyro i ni synnwyr real o ddisgwyl
wrth i ni edrych ymlaen at ddyfodiad ei deyrnas.
Hosanna i Fab Dafydd,
gogoniant yn y goruchaf.

Dduw grasol,
fel dy bobl amser maith yn ôl, ni fyddwn yn gweld yn glir,
ac mae'n ffydd yn fas a hunanganolog;
nid ydym yn deall fel y dylem,
ac mae ein moliant yn fyrhoedlog ac arwynebol.
Ond gofynnwn ar i ti gymryd y ffydd a gyflwynwn
er ei fod yn wan,
a'i ddyfnhau heddiw,
fel y gallwn wir groesawu Crist fel ein Brenin,
a'i addoli ef mewn moliant llon,
nawr a hyd byth.
Hosanna i Fab Dafydd,
gogoniant yn y goruchaf,
nawr a hyd byth.
Amen.

42. SUL Y BLODAU – CYFFES 1

Arglwydd Iesu Grist,
rydym yn dy groesawu a'th foliannu heddiw.
Bloeddiwn yn llon ein Hosanna.
Cydnabyddwn di mewn llawenydd yn Frenin y brenhinoedd
ac Arglwydd yr arglwyddi.
Eto, gwyddom yn ein calonnau, hyd yn oed wrth dy gyfarch
pa mor ddidwyll bynnag y bo hynny,
bod ein haddoliad a'n hymroddiad weithiau
mor wan ac arwynebol â'r hyn a'th gyfarchodd
wrth i ti fynychu Jerwsalem ganrifoedd yn ôl.
Fab Dafydd,
trugarha wrthym.

Arglwydd Iesu Grist,
maddau i ni ein bod yn parhau
i wneud yr un camgymeriadau ag a wnaed ar y Sul y Blodau cyntaf.
Proffeswn ein bod yn dy ddilyn
ond yn ein calonnau dilynwn ein tueddiadau ein hunain.
Rydym yn hunanganolog yn ein hymdrech i fod yn ddisgyblion,
yn chwilio am yr hyn a gawn, yn gymaint â'r hyn a roddwn.
Rydym yn rhoi cymaint o sylw i ymddangosiad,
yr hyn sy'n weladwy, ac yn cuddio ein tlodi mewnol
rwyt ti yn unig yn ei weld.
Rydym yn barod i wasanaethu pan fo bywyd yn braf,
ond yn amharod pan mae'n galw am aberth.
Fab Dafydd,
trugarha wrthym.

Arglwydd Iesu Grist,
gwyddost, wrth i ti farchogaeth i Jerwsalem,
y byddai croeso'r dyrfa yn troi yn wrthodiad,
ac eto daethost a marw drostynt.
Molwn di am y gwirionedd hwn
a diolchwn dy fod yn parhau i ddod atom,
a'n gwahodd i ymateb a rhannu yn dy deyrnas.
Fab Dafydd,
trugarha wrthym.

Tyrd eto i'n calonnau,
glanha ni o bopeth drwg,
popeth sy'n amhur ac annheilwng,
sy'n dy gadw rhagddom.
Fab Dafydd,
trugarha wrthym.

Tyrd i'th eglwys,
a'i llenwi â'th gariad,
harmoni,
gwyleidd-dra
a ffydd.
Fab Dafydd,
trugarha wrthym.

Tyrd i'th fyd,
a'i fendithio gyda'th dangnefedd,
cyfiawnder, rhyddid
a gobaith.
Fab Dafydd,
trugarha wrthym.

Arglwydd Iesu Grist,
croesawn di heddiw fel Tywysog tangnefedd,
Brenin y brenhinoedd,
gwas i bawb,
Arglwydd pawb,
yr oll yn oll!
Fab Dafydd,
trugarha wrthym,
er mwyn dy enw.
Amen.

43. SUL Y BLODAU – CYFFES 2

Arglwydd Iesu Grist,
daethost i Jerwsalem a'th gyfarch gyda bonllefau o lawenydd,
a'th groesawu fel y Gwaredwr a addawodd Duw,
yr un a ddewiswyd ganddo i achub ei bobl.
Ond pan ddaeth natur dy deyrnas yn amlwg,
ac amlygu'r math o ryddid roeddet yn ei gynnig,
newidiodd yr ymateb.
Aeth y bloeddiadau o 'Hosanna!'
yn gri o 'Croeshoelier Ef!'
Trodd y dwylo a estynnwyd mewn cyfeillgarwch
yn ddyrnau caeëdig o gasineb.
Aeth y datganiadau o deyrngarwch yn lleisiau yn llawn gwawd a
gwrthod.
Arglwydd Iesu,
bydd drugarog.

Rwyt yn dod i'n bywydau ni
a chroesawn di yn llawen.
Rydym wedi dy dderbyn di fel ein Gwaredwr,
yr un sy'n ein rhyddhau.
Ond gallwn ninnau hefyd newid ein cân
pan nad wyt yn cyflawni ein disgwyliadau,
pan nad wyt yn gweithredu lle roeddem wedi gobeithio,
pan rwyt yn cyflwyno syniadau gwahanol i'n heiddo ni.
Rydym ni hefyd, hyd yn oed wrth broffesu ffydd,
yn mynd drwy'r arfer o ymroddiad
ac yn dy wthio o'r neilltu
ac yn dewis ein ffyrdd ni yn hytrach na'th ffyrdd di.
Arglwydd Iesu,
bydd drugarog.

Arglwydd Iesu Grist,
ar y dydd hwn rydym yn cael ein hatgoffa mor hawdd yw hi
i'th groesawu fel Brenin y brenhinoedd,
ond mor anodd yw hi i ddilyn yn Ffordd y Groes.
Arglwydd Iesu,
bydd drugarog,
wrth i ni ofyn hyn yn dy enw.
Amen.

44. DEISYFIAD SUL Y BLODAU

Dduw Dad,
diolchwn am y dydd hwn –
am bopeth mae'n ein hatgoffa ohono,
am bopeth mae'n ei olygu,
am bopeth mae'n dweud wrthym.
Siarad gyda ni nawr, wrth i ni dy addoli.

Dysg ni, drwy ein darllen a'n myfyrio o'th air,
drwy ein hemynau a'n gweddïau,
drwy ein cyfarfod â'n gilydd a gyda thi,
i ddeall mwy
o arwyddocâd Sul y Blodau ddoe a heddiw.
Siarad gyda ni nawr wrth i ni dy addoli.

Helpa ni i ddychmygu gweld Iesu yn marchogaeth i fewn i Jerwsalem,
mewn buddugoliaeth ac eto'n wylaidd,
i groeso a oedd hefyd yn wrthodiad,
i dderbyn coron ond hefyd i dderbyn Croes.
Siarad gyda ni nawr wrth i ni dy addoli.

Dduw Dad,
boed i'r diwrnod hwn ein harwain
i ddealltwriaeth ddyfnach o'th deyrnas,
i ymwybyddiaeth ehangach o'th gariad,
i synhwyro'n gliriach dy bwrpas,
ddoe, heddiw ac yfory.
Siarad gyda ni nawr wrth i ni dy addoli,
drwy Iesu Grist ein Harglwydd.
Amen.

45. EIRIOLAETH SUL Y BLODAU

Arglwydd Iesu Grist,
daethost i fewn i Jerwsalem mewn gwyleidd-dra tawel,
gan gymryd ffurf gwas,
hyd yn oed wrth farw ar y Groes,
yn gwacáu dy hun er mwyn i ni fod yn llawn.
Tyrd eto nawr
a sefydlu dy deyrnas.

Tyrd o'r newydd i'n byd cythryblus,
gyda'i holl anghenion,
ei densiynau,
ei broblemau,
ei ddrygioni.
Tyrd eto nawr
a sefydlu dy deyrnas.

Tyrd i gyfannu lle mae ymrannu,
a rhoi cariad lle mae casineb,
gobaith lle mae anobaith,
llawenydd lle mae tristwch,
hyder lle mae ofn,
nerth lle mae gwendid,
iachâd lle mae afiechyd,
bywyd lle mae marwolaeth.
Tyrd eto nawr
a sefydlu dy deyrnas.

Arglwydd Iesu Grist,
ymestyn tuag at dy Eglwys a'th fyd,
er gwendid ein ffydd,
a'r gwrthod gan lawer.
Gwneler dy ewyllys ar y ddaear
fel y mae yn y nef.
**Tyrd eto nawr
a sefydlu dy deyrnas,
wrth i ni ofyn hyn yn dy enw.
Amen.**

46. NESÁU AT YR WYTHNOS SANCTAIDD 1

Dduw cariadlon,
Tad ein Harglwydd Iesu Grist, y gair a wnaed yn gnawd,
cyfaill ac arweinydd dy bobl ar draws y cyfnodau,
molwn di mewn llawenydd a gorfoledd.
Dynesa atom ni
wrth i ni agosáu atat ti.

Dangosaist dy drugaredd,
a ddatguddiwyd yn dy gariad,
a lefarwyd drwy'r proffwydi.
Rwyt wedi byw yn ein mysg,
a rhannu ein bywyd a'n marwolaeth,
ac rwyt yn cynnig i bawb sy'n gofyn o ddifrif
y sicrwydd o fywyd tragwyddol!
Dynesa atom ni
wrth i ni agosáu atat ti.

Dduw cariadlon,
diolchwn i ti am bopeth a wnaethost drwy Grist,
a gofynnwn am dy gymorth am gael cipolwg cliriach
ar ryfeddod ei gariad.
Dynesa atom ni
wrth i ni agosáu atat ti.

Wrth i ni geisio dy air, llefara wrthym.
Wrth i ni gyffesu ein beiau, bydd drugarog wrthym.
Wrth i ni gydnabod gwendid ein rhan fel disgyblion,
glanha ac adfer ni
drwy gariad achubol y Crist.
Wrth i ni gydnabod ein diffyg gweledigaeth a dewrder,
ysbrydola a heria ni
drwy dy Ysbryd Glân.
Dynesa atom ni
wrth i ni agosáu atat ti.

Dduw cariadlon,
daethom ynghyd yn ystod yr Wythnos Sanctaidd.
Heria ni gyda'r Crist a roddodd ei fywyd er ein mwyn,
a helpa ni i roi ein bywyd iddo.
Dynesa atom ni
wrth i ni agosáu atat ti,
drwy Iesu Grist ein Harglwydd.
Amen.

47. NESÁU AT YR WYTHNOS SANCTAIDD 2

Dduw cariadlon,
deuwn o'th flaen,
mewn addoliad mawl a diolchgarwch gan gofio.
Agor ein calonnau i bresenoldeb Crist,
ac arwain ni ar hyd ei ffordd ef.

Deuwn gan gofio'r wythnos olaf ym mywyd Iesu
a'r cyfan a ddysgwyd gennym amdano –
ei ffyddlondeb hyd y diwedd,
ei barodrwydd i ddewis Ffordd y Groes,
ei ddewrder yn wyneb pob gwrthwynebiad, dioddefaint a marwolaeth.
Agor ein calonnau i bresenoldeb Crist,
ac arwain ni ar hyd ei ffordd ef.

Deuwn gan ymgysegru ein bywydau i'w wasanaeth,
yn ymrwymo ein hunain i'w achos.
Agor ein calonnau i bresenoldeb Crist,
ac arwain ni ar hyd ei ffordd ef.

Deuwn gan ddiolch am bopeth a wnaeth
ac y mae'n parhau i wneud,
gan ddathlu ei gariad rhyfeddol.
Agor ein calonnau i bresenoldeb Crist,
ac arwain ni ar hyd ei ffordd ef.

Deuwn gan ei gydnabod ef fel ein Harglwydd a'n Gwaredwr,
gan ddymuno bod yn wir ddisgyblion.
Agor ein calonnau i bresenoldeb Crist,
ac arwain ni ar hyd ei ffordd ef.

Derbyn nawr yr amser hwn o addoliad a gyflwynwn i ti,
a llefara drwyddo fel y gallom dyfu mewn ffydd
a bod yn gryfach yn ein gwasanaeth i ti.
Agor ein calonnau i bresenoldeb Crist,
ac arwain ni ar hyd ei ffordd ef,
gan i ni ofyn hyn yn ei enw. Amen.

48. FFORDD Y GROES

Arglwydd Iesu Grist,
rydym yn ei chael yn anodd i gerdded Ffordd y Groes,
yn galed i wynebu erledigaeth,
ac yn anodd hyd yn oed i wynebu gwrthwynebiad.
Rydym am fod yn boblogaidd,
a chael ein derbyn,
yn un o'r dyrfa,
ac nid bod yn wahanol i'r gweddill.
Dysga ni i ddilyn dy ffordd.

Arglwydd Iesu Grist,
maddau i ni am bob adeg
y gwnaethom lithro oddi wrth ein dyletswyddau,
gan gymryd y ffordd hawdd,
y ffordd gyda'r gwrthwynebiad lleiaf.
Dysga ni i ddilyn dy ffordd.

Maddau i ni ein bod ar bob achlysur posibl
wedi osgoi'n cyfrifoldeb fel disgyblion Iesu,
gan wasanaethu ein hunain yn lle eraill.
Dysga ni i ddilyn dy ffordd.

Diolchwn am y sawl sydd â'r dewrder
i sefyll dros eu hargyhoeddiadau,
a sefyll yn erbyn popeth maent yn credu sy'n anghywir.
Dysga ni i ddilyn dy ffordd.

Diolchwn fod yna rai a fydd yn derbyn cerydd,
hyd yn oed gelyniaeth,
er mwyn yr hyn a gredent sy'n gywir.
Dyro i ni rywfaint o'u ffydd ac o'u dewrder,
fel pan gawn ein herio
na fyddwn yn methu.
Dysga ni i ddilyn dy ffordd,
wrth i ni weddïo yn dy enw. Amen.

49. COFIO A DEALL

Dduw cariadlon,
daethom ynghyd yn ystod yr Wythnos Sanctaidd hon i gofio –
i gofio'r wythnos olaf ym mywyd Iesu
cyn ei farw;
i gofio'r digwyddiadau o Sul y Blodau
drwy Ddydd Gwener y Groglith ac ymlaen i'r Pasg;
i gofio'r ffyddlondeb,
iddo fynd pob cam i'r Groes,
hyd yn oed wrth i'r dyrfa a'i gyfeillion agosaf gilio.
Agor ein llygaid i ryfeddu at dy gariad.

Daethom er mwyn cofio.
Ond yn fwy na hynny, daethom
fel y gallom ddeall helaethrwydd dy ras,
pris ein gwaredigaeth,
a phoen y corff, y meddwl a'r enaid a ddioddefodd Iesu,
popeth mae'n ei olygu i ni ac i'r holl bobl.
Agor ein llygaid i ryfeddu at dy gariad.

Dduw cariadlon,
helpa ni i gofio ac i ddeall,
fel y gallom fyw yng ngoleuni Crist,
a dilyn yn ffyddlon ar hyd ei ffordd.
Agor ein llygaid i ryfeddu at dy gariad,
er mwyn ei enw.
Amen.

50. FFYDDLONDEB CRIST

Dduw cariadlon,
molwn di am weinidogaeth y Crist,
ei ffyddlondeb i'w alwad,
ei ymwadiad o'i hunan,
ei barodrwydd i wynebu marwolaeth
er mwyn i ni ddarganfod gwir ystyr bywyd.
Helpa ni i fod yn ffyddlon iddo,
fel y bu yntau yn ffyddlon i ni.

Maddau i ni bod ein hymrwymiad iddo mor wan,
a bod ein ffydd ynddo mor arwynebol,
a'n bywydau yn gwadu popeth rydym yn ei broffesu fel ein credo.
Helpa ni i fod yn ffyddlon iddo,
fel y bu yntau yn ffyddlon i ni.

Helpa ni i ddeall beth yw ystyr dilyn Crist,
beth sydd ynghlwm mewn cyffesu Iesu'n Arglwydd,
beth sydd ymhlyg mewn bod yn aelod o'i Eglwys.
Helpa ni i fod yn ffyddlon iddo,
fel y bu yntau yn ffyddlon i ni.

Helpa ni i fyw fel pobl iddo,
yn cydnabod y gost a hefyd y bendithion o fod yn ddisgyblion.
Helpa ni i fod yn ffyddlon iddo,
fel y bu yntau yn ffyddlon i ni,
wrth i ni weddïo yn ei enw.
Amen.

51. DYDD LLUN SANCTAIDD

Dduw cariadlon,
edrychwn yn ôl heddiw a chofio Iesu yn yr anialwch,
yn wynebu'r demtasiwn i gyfaddawdu,
yn cael ei orfodi i ddewis rhwng y ffordd hawdd a'r ffordd anodd,
ffordd y byd a ffordd yr aberth drud.
Llefara drwy'r esiampl a roddodd Crist,
a helpa ni i wrando.

Cofiwn heddiw am Iesu yn Jerwsalem,
gyda bloeddio'r dyrfa yn canu yn ei glust,
a'r croeso yn fyw yn ei gof –
yn wynebu unwaith eto'r demtasiwn i gyfaddawdu,
yn cael ei orfodi i ddewis rhwng y llwybr hawdd a'r llwybr anodd.
Cofiwn iddo ddewis y llwybr costus,
ffordd dioddefaint, darostyngiad a marwolaeth.
Llefara drwy'r esiampl a roddodd Crist,
a helpa ni i wrando.

Dduw cariadlon,
maddau i ni nad oes gennym yr un gwroldeb,
yr un ffydd,
yr un ymrwymiad,
yr un cariad.
Llefara drwy'r esiampl a roddodd Crist,
a helpa ni i wrando.

Maddau i ni ein bod mor aml wedi dewis y ffordd hawdd –
gan gydymffurfio gyda disgwyliadau'r byd
yn hytrach na mentro cael ein gwrthod neu dderbyn gwrthwynebiad,
a gyda mwy o gonsýrn am ddedwyddwch y presennol a llwyddiant
bydol
nag am yr hyn sy'n rhoi boddhad tragwyddol.
Llefara drwy'r esiampl a roddodd Crist,
a helpa ni i wrando.

Dduw cariadlon,
diolchwn y gallwn drwy gariad Crist
gael cadarnhad o'th drugaredd,
a'n derbyn fel ag yr ydym gyda'n gwendidau a'n methiannau,
yn cael ein hadnewyddu'n ddyddiol.
Ysbrydola ni felly, drwy ei esiampl,
i'th wasanaethu yn ffyddlonach a'i garu'n llwyrach,
fel y cerais di ni.
Llefara drwy'r esiampl a roddodd Crist,
a helpa ni i wrando,
wrth i ni ofyn hyn yn ei enw.
Amen.

52. DYDD MAWRTH SANCTAIDD

Arglwydd Iesu Grist,
rwyt yn parhau ar dy ffordd,
yn cyflawni dy fwriad,
er yr elyniaeth, y gwrthwynebiad, y gwrthod a'r erlid.

Cerddaist Ffordd y Groes,
gan sefyll dros yr hyn a wyddost oedd yn iawn,
heb ystyried y gost.

Gwrthodaist gymryd y ffordd hawdd,
y ffordd gyda'r gwrthwynebiad lleiaf,
gan ddewis cynnig dy fywyd dros fywyd y byd.

Rhoddaist y cyfan gan ddal dim yn ôl,
gyda'r un aberth yn ormod,
yn wynebu poen y Groes er mwyn ein rhyddhau.

Arglwydd Iesu Grist,
molwn di am dy ddewrder a'th ffyddlondeb,
dy dosturi a'th gariad anfesuradwy.

Helpa ni wrth inni gyfarfod nawr
i sylweddoli'n gliriach yr hyn rydym yn ddyledus i ti amdano,
ac i ymroi ein hunain yn llwyrach i'th wasanaeth,
er mwyn dy enw.
Amen.

53. DYDD MERCHER SANCTAIDD

Arglwydd Iesu Grist,
cofiwn eto am yr Wythnos Olaf
cyn i ti wynebu'r Groes–
dy gur a'th boen wrth i ti wynebu'r brad,
y gwadu, y gwrthod, y gadael ar ôl.
Cyffeswn ein bod wedi ychwanegu at dy boen.
Arglwydd Iesu Grist, bydd drugarog wrthym.

Drwy ein meddyliau, ein geiriau a'n gweithredoedd,
mor aml yn dy adael pan oeddet yn disgwyl llawer wrthym,
Arglwydd Iesu Grist, bydd drugarog wrthym.

Drwy'n diffyg meddwl, ein methiant i lefaru,
ein amharodrwydd i weithredu,
yr adegau aml hynny rydym wedi gwadu'r
ffydd a'r cariad a gyffeswn,
Arglwydd Iesu Grist, bydd drugarog wrthym.

Ac eto, rwyt wedi ein galw i fod yn Eglwys i ti.
Rwyt wedi maddau i ni, ein glanhau a'n hadfer,
gan roi dy fywyd er ein mwyn.
Derbyn ein diolch.
Derbyn ein moliant.
A helpa ni i ddilyn yn ffyddlonach,
gan i ni weddïo yn dy enw.
Amen.

54. CYMUN Y CABLYD – Y WEDDI WRTH NESÁU

Arglwydd Iesu Grist,
gwahoddaist bawb sy'n dy garu,
pawb sydd â'r dyhead didwyll i fod yn ddisgyblion i ti,
i rannu ynghyd yn y swper hwn.
Felly, wrth i ni ddod o gwmpas y bwrdd hwn,
mewn cymdeithas â thi,
gyda'n gilydd,
a gyda'th bobl ym mhob man a lle,
Arglwydd Iesu, wrth i ni ddod atat,
tyrd atom ni.

Deuwn gan dy gofio yn rhannu o'th fara a'th win
gyda'th ddisgyblion yn yr oruwch ystafell;
yn fynegiant syml o gymdeithas
gydag un a fyddai'n fuan yn dy fradychu,
gyda'r un a fyddai'n dy wadu,
ac eraill a fyddai'n cerdded i ffwrdd.
Arglwydd Iesu, wrth i ni ddod atat,
tyrd atom ni.

Deuwn gan gofio dy ing yng Ngethsemane
wrth i ti wynebu cost ofnadwy ac anferthol dy alwad, yn unig.
Arglwydd Iesu, wrth i ni ddod atat,
tyrd atom ni.

Deuwn gan gofio dy arestio a'r croesholi milain,
dy dristwch a'th ddarostyngiad,
dy ddioddefaint a'th farwolaeth.
Arglwydd Iesu, wrth i ni ddod atat,
tyrd atom ni.

Deuwn gan gofio i ti dderbyn yn dawel
y drygioni dynol a'r casineb a gafodd ei daflu tuag atat,
ti na wnaethost unrhyw bechod ac na wnaethost gasáu erioed.
Arglwydd Iesu, wrth i ni ddod atat,
tyrd atom ni.

Arglwydd Iesu Grist,
cofiwn dy gariad mawr,
a rhyfeddwn at radd dy ddioddef
er ein mwyn!
Felly deuwn â'n moliant, ein diolch a'n haddoliad,
gyda'n holl galon, ein holl feddwl a'n holl enaid.
Arglwydd Iesu, wrth i ni ddod atat,
tyrd atom ni,
er mwyn dy enw.
Amen.

55. CYMUN Y CABLYD – Y CRIST BRIWEDIG

Arglwydd Duw, anfeidrol a hollalluog,
am dy gariad sy'n parhau i greu,
dy rym sy'n parhau i atgyfnerthu,
dy drugaredd sy'n parhau i faddau,
dy bwrpas sy'n parhau i weithio,
a'th ddaioni sy'n parhau i roi,
derbyn ein moliant.

Arglwydd Iesu Grist,
datguddiwr cariad y Tad,
a thystiolaeth ei rym,
cyfrwng ei faddeuant,
cyflawnwr ei bwrpas,
asiant ei ddaioni,
derbyn ein moliant.

Arglwydd Iesu Grist,
a gafodd ei wawdio a'i wrthod,
ei gondemnio a'i groeshoelio,
croesawn di fel ein Harglwydd atgyfodedig.
Brenin cariad,
Tywysog Tangnefedd,
Arglwydd yr arglwyddi,
rhoddwr bywyd,
derbyn ein moliant.

Dduw cariadlon,
dangosaist i ni drwy Grist
bod yr hyn a ymddangosai fel gwendid yn nerth,
yr hyn a ymddangosai fel colled yn fuddugoliaeth,
yr hyn a ymddangosai fel y diwedd yn ddechreuad o'r newydd.
Derbyn ein moliant.

Maddau i ni am gael ein twyllo mor hawdd gan yr ymddangosiadol,
am fesur llwyddiant gyda'n safonau anghyflawn.
Dysg ni i adnabod mai
nid yn unig yn y Crist atgyfodedig ond yn y Crist briwedig,
nid yn unig yn y Crist buddugoliaethus ond yn y Crist sy'n marw,
y gwelwn dy bwrpas yn cael ei gyflawni
a'th ewyllys yn cael ei gwneud.
Derbyn ein moliant,
yn ei enw.
Amen.

56. DYDD IAU CABLYD – EIRIOLAETH

Arglwydd Iesu Grist,
cawn ein hatgoffa heddiw i ti gael dy falurio drosom,
ac i ti ddioddef tristwch, dioddefaint a marwolaeth drosom ni,
Uniaethaist dy hun gyda'r ddynoliaeth,
gan sefyll ochr yn ochr gyda'r briwedig o galon,
gan dderbyn cyfyngiadau bywyd a marwolaeth.
Felly, gweddïwn dros bawb sy'n dioddef yn gorfforol, yn feddyliol
neu yn ysbrydol.
Arglwydd, yn dy drugaredd,
clyw ein gweddi.

Gweddïwn dros y sawl sy'n dioddef poen,
ac yn cael eu poenydio gan afiechyd a haint,
yn dioddef anabledd corfforol,
wedi cael eu hanafu'n wael yn sgil rhyfel, terfysgaeth,
trychineb neu ddamwain.
Arglwydd, yn dy drugaredd,
clyw ein gweddi.

Gweddïwn dros y rhai sy'n galaru
neu sy'n wynebu marwolaeth eu hunain,
y sawl sy'n cael eu poenydio gan ofn neu ofid,
y claf eu meddwl a'r anabl,
a phawb sy'n gymysg oll ynghyd
gan gymhlethdodau bywyd beunyddiol.
Arglwydd, yn dy drugaredd,
clyw ein gweddi.

Gweddïwn dros y sawl sydd â'u hysbryd
wedi eu chwalu gan stormydd bywyd –
ac wedi eu boddi gan dristwch,
yn suddo mewn siom,
neu eu gwasgu gan drasiedi.
Arglwydd, yn dy drugaredd,
clyw ein gweddi.

Gweddïwn dros y sawl sydd a'u ffydd wedi ei daro
gan brofiadau creulon a real y byd,
a'u hyder wedi ei siglo,
eu hymddiriedaeth wedi ei chwalu
a'u cariad wedi oeri.
Arglwydd, yn dy drugaredd,
clyw ein gweddi.

Arglwydd Iesu Grist,
a ddioddefaist y fath ferw meddyliol yng Ngethsemane,
ac a ildiaist dy ysbryd i'th Dad,
ymestyn allan nawr yn dy gariad a'th gydymdeimlad i bawb sydd
mewn angen felly,
gan ddwyn sicrwydd drwy dy bresenoldeb,
a chysur dy dangnefedd,
a llawenydd dy gariad.
Arglwydd, yn dy drugaredd,
clyw ein gweddi,
wrth i ni ofyn hyn yn dy enw.
Amen.

57. DIOLCHGARWCH GWENER Y GROGLITH

Grasol Dduw,
gwnaethost gymaint drosom,
gan lenwi ein bywyd gyda chymaint sydd mor arbennig.
Derbyn ein diolch.

Ond yn bennaf heddiw deuwn i ddiolch i ti
am y rhodd mwyaf gwerthfawr oll –
y cariad rhyfeddol a ddangosaist i ni yng Nghrist.
Derbyn ein diolch.

Ynddo ef, daethost a byw yn ein plith,
yn rhan gyflawn o'n byd.
Drwyddo ef datguddiaist dy ras, dy drugaredd,
dy ewyllys, dy deyrnas.
Drwyddo ef uniaethaist dy hun
gyda phechod a dioddefaint ein byd,
gan agor y ffordd drwy ei farwolaeth a'i atgyfodiad,
i faddeuant a bywyd tragwyddol.
Derbyn ein diolch.

Grasol Dduw,
rhoddaist i ni heb gyfrif y gost,
nid yr ychydig ond y cyfan.
Derbyn ein diolch.

Ymwadaist â thi dy hun
gan gymryd ffurf gwas,
ac aberthu dy Fab er ein mwyn.
Derbyn ein diolch.

A'r rhyfeddod yw dy fod yn gofyn cyn lleied yn ôl –
nid wyt yn gwneud gofynion eithriadol
nac yn gosod amodau caeth i'th gariad,
dim ond gofyn i ni dy garu.
Derbyn ein diolch.

Grasol Dduw,
dysg ni i gynnig i ti ein hymgysegriad gwirfoddol a llawen,
ac i wneud ein rhan drwy eiriol dros dy deyrnas.
Derbyn ein diolch,
er mwyn Iesu Grist ein Harglwydd.
Amen.

58. CYFFES GWENER Y GROGLITH

Arglwydd Iesu Grist,
heddiw o bob dydd cawn ein hatgoffa
cymaint yw ein dyled i ti,
cymaint roeddet yn barod i'w dalu
er mwyn rhoi'r rhodd o fywyd i ni.
Maddau i ni am roi cyn lleied yn ôl,
am gadw i ffwrdd rhag bod yn ddisgyblion
pan fyddai unrhyw sôn am gost ac aberth.
Arglwydd, yn dy drugaredd,
clyw ein gweddi.

Cawn ein hatgoffa fel y buost yn ffyddlon i'th alwad
serch pob ymdrech i'th arwain rhagddo.
Maddau i ni am gymryd y ffordd hawsaf
gan gyfaddawdu ein hargyhoeddiadau er mwyn cael bywyd
didrafferth.
Arglwydd, yn dy drugaredd,
clyw ein gweddi.

Cawn ein hatgoffa o'r modd y buost yn driw
i'r sawl a'th siomodd di,
gan ddangos mwy o bryder dros eu diogelwch
nag am dy amgylchiadau dy hun.
Maddau i ni ein bod mor barod i roi ein buddiannau ein hunain
o flaen buddiannau pobl eraill,
a'n teyrngarwch yn amodol ar yr hyn fydd yn gost i ni.
Arglwydd, yn dy drugaredd,
clyw ein gweddi.

Cawn ein hatgoffa o'r modd y dioddefaist wawd a thrais
heb geisio taro'n ôl,
gan weddïo yn hytrach dros y sawl a oedd yn dy erlyn.
Maddau i ni am daro allan pryd bynnag y byddwn yn cael ein
cythruddo,
ac yn meddwl mwy am drefnu dial
nag am gynnig maddeuant i eraill.
Arglwydd, yn dy drugaredd,
clyw ein gweddi.

Cawn ein hatgoffa cymaint y gwnaethost ein caru,
fel y buost farw drosom,
a bod yn barod i gerdded Ffordd y Groes.
Maddau i ni ein bod yn dy garu cyn lleied,
fel ein bod yn ei chael yn anodd cynnig
unrhyw beth ohonom ein hunain.
Arglwydd, yn dy drugaredd,
clyw ein gweddi.

Arglwydd Iesu Grist,
diolchwn am y dydd hwn ac am bopeth mae'n ein hatgoffa ohono.
Helpa ni i glywed ei neges
ac ymateb i'w her.
Arglwydd, yn dy drugaredd,
clyw ein gweddi,
wrth i ni ei gofyn yn dy enw.
Amen.

59. GWENER Y GROGLITH – POEN CRIST

Arglwydd Iesu Grist,
ar y diwrnod hwn, rhyfeddwn eto at ehangder dy gariad,
ac yn arbennig y poen roeddet yn barod i'w wynebu
fel y gallom dderbyn bywyd yn ei holl gyflawnder,
poen sy'n goresgyn popeth
y gallwn byth ei ddychmygu neu ei ddeall.
Arglwydd grasol, am bopeth a ddioddefaist o'th wirfodd
diolchwn i ti.

Cofiwn boenau'r corff
wrth i'r drain gael eu gwthio i mewn i'th ben,
wrth i'r chwip dorri dy gorff,
wrth i ti lusgo dy hun o dan bwysau'r groes,
wrth i'r hoelion gael eu morthwylio i mewn i'th ddwylo a'th draed,
wrth i ti wingo mewn poen,
gan aros am y rhyddhad bendithiol mewn angau.
Arglwydd grasol, am bopeth a ddioddefaist o'th wirfodd
diolchwn i ti.

Cofiwn boenau'r meddwl
wrth i ti ddod i dermau gyda bradychiad Jiwdas,
a gwadiad Pedr,
diffyg ffydd dy ganlynwyr,
a'r gweiddi 'Croeshoelier ef'
gan y sawl a'th groesawodd di fel eu brenin
dim ond dyddiau yn gynharach.
Arglwydd grasol, am bopeth a ddioddefaist o'th wirfodd
diolchwn i ti.

Cofiwn boen yr ysbryd
wrth i ti ddwyn pechodau'r byd ar dy ysgwyddau,
wrth i ti brofi'r arswyd o fod wedi dy ynysu oddi wrth Dduw,
wrth i ti deimlo dy fod wedi cael dy adael,
i wynebu erchylltra dy dynged, yn unig.
Arglwydd grasol, am bopeth y dioddefaist o'th wirfodd
diolchwn i ti.

Arglwydd Iesu Grist,
ni allwn ddechrau dirnad beth aethost drwyddo,
na llawn werthfawrogi
gradd y dioddef a brofaist.
Ond gwyddom fod dy gariad yn fwy
na'n cariad ni,
a'th aberth yn fwy
na'r hyn y gallwn ei gynnig.
Arglwydd grasol, am bopeth y dioddefaist o'th wirfodd
diolchwn i ti.

Agor ein llygaid i ryfeddod y dydd hwn,
a chynorthwya ni i ymateb yn yr unig ffordd y gallwn –
gyda chalon ddiolchgar,
gyda moliant llawen,
yn cael eu cyflwyno yn dy enw ac er dy ogoniant.
Arglwydd Grasol, am bopeth y dioddefaist o'th wirfodd
diolchwn i ti.
Amen.

60. EIRIOLAETH GWENER Y GROGLITH

Arglwydd Iesu Grist,
a rwygwyd ar y groes,
a'th boenydio yno yn gorff, meddwl ac enaid,
gwyddost beth yw ystyr dioddef.
Gweddïwn felly heddiw dros bobl toredig ein byd,
pawb sydd wedi dioddef ychydig o'th boen di.
Ymestyn tuag atynt, a gwna hwy'n gyfan.

Gweddïwn dros y toredig o gorff –
a glwyfwyd mewn damweiniau,
a anafwyd mewn rhyfel,
sydd wedi dioddef anabledd drwy afiechyd.
Ymestyn tuag atynt, a gwna hwy'n gyfan.

Gweddïwn dros y toredig yn y meddwl –
yn cael eu harteithio gan ofnau,
yn dygymod ag iselder ysbryd,
sydd wedi dioddef salwch meddwl enbyd.
Ymestyn tuag atynt, a gwna hwy'n gyfan.

Gweddïwn dros y sawl sy'n doredig yn yr ysbryd –
y sawl a welodd breuddwydion wedi eu chwalu,
y sawl sydd â'u cariad wedi cael ei fradychu,
y sawl sydd â'u ffydd wedi ei chwalu.
Ymestyn tuag atynt, a gwna hwy'n gyfan.

Arglwydd Iesu Grist,
daethost i'n gwneud yn gyfan,
i wella bywydau briwedig,
i adfer pobl doredig.
Ymestyn tuag atynt, a gwna hwy'n gyfan,
wrth i ni ofyn hyn yn dy enw.
Amen.

61. GWENER Y GROGLITH – GOLAU YN EIN TYWYLLWCH

Arglwydd Iesu Grist,
daethost i'n byd fel golau i dywyllwch,
yn dwyn bywyd a chariad,
gobaith a maddeuant.
Goleua ein tywyllwch, Arglwydd.

Ni ddaethost i gondemnio, ond i achub,
nid i farnu ond i ddangos trugaredd,
ac i wneud hynny
roeddet yn barod i ddioddef tywyllwch drosom ni –
tywyllwch yr unigrwydd a bod yn wrthodedig,
y bradychu a'r gwadu,
y dioddef a'r darostyngiad,
yr ofn a'r farwolaeth,
yr oll o'n pechod dynol
yn pwyso ar dy ysgwyddau.
Goleua ein tywyllwch, Arglwydd.

Arglwydd Iesu Grist,
maddau i ni, er popeth a wnaethost,
ein bod yn rhodio yn y tywyllwch,
yn dewis ein ffyrdd ni yn hytrach na'th ffyrdd di,
yn bradychu ein hargyhoeddiadau,
yn gadael ein cyfrifoldebau
ac yn gwadu ein ffydd drwy'r ffordd rydym yn byw.
Goleua ein tywyllwch, Arglwydd.

Addysga ni i gerdded yn dy oleuni
ac i ddilyn lle rwyt yn arwain,
gan wybod mai ynot ti
y mae'r Ffordd, y Gwirionedd a'r Bywyd.
**Goleua ein tywyllwch, Arglwydd, yw ein gweddi,
wrth i ni ofyn hyn yn dy enw. Amen.**

Y PASG

62. ADDOLIAD Y PASG

Arglwydd Iesu Grist,
maddau i ni ein bod mor aml yn anghofio neges yr atgyfodiad.
Wedi profi dy bresenoldeb atgyfodedig
rydym yn ei gadw i'n hunain.
Wedi dy gyfarfod,
rydym heb dy gyflwyno i eraill.
Wedi derbyn cymaint,
rydym wedi methu rhannu'n llwyr.
Rhoddaist i ni Newyddion Da:
dysg ni i'w rhannu.

Arglwydd Iesu Grist,
diolchwn i ti am y sawl a gyflwynodd dy alwad –
y sawl a rannodd yr Efengyl gyda ni,
y sawl sy'n ei gyhoeddi i eraill,
y sawl sy'n hau hadau, a gofalu amdanynt gan eu dwyn
i lawnder aeddfedrwydd
hadau'r ffydd.
Gweddïwn dros bawb sydd â doniau arbennig
i gyhoeddi'r Newyddion Da –
pregethwyr ac efengylwyr,
gweinidogion a chenhadon,
athrawon ac awduron.
Boed i lawer dy gyfarfod drwy eu hymdrechion
a'th adnabod
fel Arglwydd a Gwaredwr byw.
Rhoddaist i ni newyddion da:
dysg ni i'w rhannu.

Arglwydd Iesu Grist,
gelwaist pob un ohonom i fod yn dystion –
i ddweud wrth eraill ein bod wedi profi dy gariad,
ac i ddweud am yr hyn a wnaethost drosom,
ac i dystio i'r modd y newidiaist ein bywydau.
Helpa ni i wneud hynny'n ffyddlon,
ac i wneud ein rhan yn dy deyrnas a'th bwrpas,
fel y daw eraill i'th gyfarfod
a'th adnabod drostynt eu hunain.
Rhoddaist i ni Newyddion Da:
dysg ni i'w rhannu,
er dy ogoniant.
Amen.

63. MOLIANT Y PASG

Dduw y bywyd,
diolchwn i ti am y dydd hwn o foliant a dathliad,
dydd o obaith ar ôl anobaith,
llawenydd yn lle tristwch,
bywyd yn lle marwolaeth –
a dydd i godi ein calonnau
ac estyn i ti ein moliant.

Dduw y cariad,
cofiwn heddiw am bopeth a wnaethost drosom
a thros bawb yn y byd –
dy fuddugoliaeth fawr dros bechod a marwolaeth,
dy oruchafiaeth dros bopeth sy'n ein cadw ar wahân i ti
a'n rhwystro rhag byw'r bywyd rwyt am i ni ei arwain.

Dduw yr achub,
ymunwn heddiw gyda'th Eglwys ym mhob oes
i ddwyn addoliad y Pasg –
i'th gydnabod di fel Duw cariad a grym,
ac i groesawu Iesu fel ein Harglwydd byw.

Dduw y Brenin,
anadla fywyd newydd i mewn i'n calonnau heddiw.
Tania ni gyda hyder a brwdfrydedd newydd.
Llenwa ni gyda grym yr atgyfodiad,
a chaniatâ i ni gyfarfod a theithio gyda Christ,
yn dwyn iddo ein gwasanaeth llawen a ffyddlon
heddiw a bob dydd,
er mwyn ei enw.
Amen.

64. MOLIANT AC EIRIOLAETH Y PASG

Dduw y cariad,
molwn di heddiw am y diwrnod hwn o ddathlu,
diwrnod i foli,
diwrnod i ddiolch,
diwrnod sy'n newid y ffordd a feddyliwn,
y ffordd a weithredwn,
y ffordd rydym yn byw –
diwrnod sy'n newid popeth.
Arglwydd bywyd,
clyw ein gweddi.

Ac felly fe weddïwn nawr am well newid yn y byd,
am newid ym mhobman lle mae angen dynol.
Gweddïwn dros y tlawd, y digartref,
y claf a'r newynog.
Arglwydd bywyd,
clyw ein gweddi.

Gweddïwn dros ddioddefwyr rhyfel, dros ffoaduriaid,
dros gymunedau a gwledydd rhanedig.
Arglwydd bywyd,
clyw ein gweddi.

Gweddïwn dros y trist, yr ofnus,
y sawl sy'n gythryblus eu calon a'u meddwl.
Arglwydd bywyd,
clyw ein gweddi.

Gweddïwn dros y gorthrymedig a'r sawl sy'n cael eu herlid,
y sawl sydd wedi cael eu carcharu a'r sawl sy'n cael eu hecsbloetio.
Arglwydd bywyd,
clyw ein gweddi.

Y PASG

Dduw y bywyd,
boed i wirionedd y Pasg
ymddangos ym mhob un o'r sefyllfaoedd hyn,
yn dwyn cymorth ac iachâd,
nerth a chefnogaeth,
gobaith a help,
ffydd a rhyddid,
y newid a all ddod ond oddi wrthyt ti.
Arglwydd bywyd,
clyw ein gweddi,
drwy Iesu Grist ein Harglwydd.
Amen.

65. MOLIANT Y PASG – BUDDUGOLIAETH CARIAD

Dduw'r cariad,
molwn di o'r newydd am bopeth a wnaethost yng Nghrist,
am dy fuddugoliaeth dros bechod a drygioni,
y tywyllwch a marwolaeth.
Molwn di am dy gariad na ellir ei orchfygu,
beth bynnag a wyneba.
Boed i wybodaeth am dy gariad ein hysbrydoli ni
i barhau i'th ddilyn
drwy gyfnodau da a drwg.

Pan fydd bywyd yn ymddangos yn galed
a daioni yn ymddangos yn rhwystredig,
pan deimlwn ein bod mewn perygl
a'n goddiweddyd gan dreialon a themtasiwn,
sicrha ni eto o'th gariad
na fydd byth yn cael ei drechu.

Pan ymddengys na fydd ein gwaith yn dwyn ffrwyth,
a'n hymdrechion wedi methu,
a'n gobeithion heb gael eu cyflawni,
addysga ni i ymddiried yn dy bwrpas
sy'n gweithio tuag at lwyddiant.

Pan fydd y diniwed yn dioddef,
a drygioni yn llwyddo,
pan fydd casineb yn llywodraethu,
helpa ni i barhau i gredu
y bydd daioni yn llwyddo yn y diwedd.

Caniatâ ni i feddu'r hyder di-sigl hwnnw,
beth bynnag a ddaw i'n rhan,
beth bynnag a wynebwn,
sut bynnag bydd ein sefyllfa'n ymddangos,
y gwneler dy ewyllys ac y daw dy deyrnas,
drwy Iesu Grist ein Harglwydd. Amen.

66. MOLIANT A CHYFFES Y PASG

Bywiol Dduw,
rydym yma yn enw Crist.
Rydym yma i ddathlu unwaith yn rhagor ei atgyfodiad,
i lawenhau o'r newydd yn ei fuddugoliaeth
dros ddrygioni, casineb a marwolaeth,
ac i roi diolch eto
am ei bresenoldeb byw sydd gyda ni nawr ac am byth.
Arglwydd y bywyd,
clyw ni.

Derbyn ein moliant,
ein haddoliad,
ein hunain, wrth i ni ddod ger dy fron.
Llenwa ni gyda llawenydd a rhyfeddod
wrth i ni glywed eto y neges am atgyfodiad Crist,
ac wrth i ni gydnabod ei bresenoldeb yn ein plith
drwy'r Ysbryd Glân.
Arglwydd y bywyd,
clyw ni.

Bywiol Dduw,
rydym yma yn enw Crist.
Rydym yma i gyffesu ein beiau a'n gwendidau,
i gydnabod ein hannheilyngdod o'th gariad,
i geisio dy drugaredd a'th faddeuant,
ac i ofyn am adnewyddiad yn ein bywydau.
Arglwydd y bywyd,
clyw ni.

Derbyn ein cyffes,
ein hedifeirwch,
ein hunain, wrth i ni ddod ger dy fron.
Glanha ac adfer ni drwy gariad y Crist
a chryfha ni drwy y grym mewnol
sydd yn dy Ysbryd Glân.
Arglwydd y bywyd,
clyw ni.

Fel y gallom dy wasanaethu'n well,
ac i fyw er dy ogoniant,
Arglwydd y bywyd,
clyw ni,
drwy Iesu Grist ein Harglwydd.
Amen.

67. CYFFES AC EIRIOLAETH Y PASG

Anfeidrol Dduw,
mae heddiw yn un o'r dyddiau mwyaf arbennig –
dydd buddugoliaeth, dathliad a moliant!

Dydd i gofio'r fuddugoliaeth fawr –
pan goncrwyd drygioni, dioddefaint a marwolaeth.

Dydd y gallwn gofio'r cyfnewid a ddaeth yn ei sgil –
llawenydd yn lle tristwch, gobaith yn lle anobaith, ffydd yn lle amheuaeth.

Dydd y gallwn ddiolch am bopeth a roddaist i ni –
cariad, chwerthin, bywyd.

Anfeidrol Dduw,
maddau i ni pan fyddwn yn colli golwg o'r gwirioneddau hyn.
Gallwn ddigalonni mor sydyn.
Gallwn anghofio am bopeth a wnaethost i ni.
Maddau i ni am roi cyfyngiadau ar dy gariad.
Maddau i ni ein hymateb gwannaidd.
Maddau i ni gulni ein gweld.

Llefara wrthym yn y tymor llawen hwn,
a llenwa ni gydag ymddiriedaeth fwy a ffydd ddyfnach,
fel y gallom fyw, nid yn unig ein heddiw ond pob heddiw
fel pobl y Pasg,
drwy Iesu Grist ein Harglwydd.
Amen.

68. DIOLCHGARWCH A CHYFFES Y PASG

Frenhinol Dduw,
diolchwn i ti am y fuddugoliaeth a gofiwn heddiw –
buddugoliaeth Crist dros ddrygioni, pechod a chasineb,
y tywyllwch a marwolaeth.

Felly, deuwn nawr,
yn cyffesu ein beiau niferus,
yn cydnabod ein gwendidau,
yn cywilyddio am ein diffyg ffydd,
ond hefyd yn siŵr o'th drugaredd,
ac yn llawenhau yn dy faddeuant,
yn hyderus yn dy gariad,
ac yn sicr o'th rym adnewyddol.

Frenhinol Dduw,
sy'n gwneud pob peth yn newydd,
llenwa ni nawr gyda ffydd newydd, ymroddiad newydd,
pwrpas newydd a bywyd newydd,
drwy bŵer y Crist atgyfodedig.
Amen.

69. DIOLCHGARWCH Y PASG

Hollgariadlon a hollrymus Dduw,
diolchwn i ti heddiw am y dydd ac am bopeth mae'n ei olygu,
y sicrwydd a rydd, sy'n sôn bod dy gariad yn gryfach
nag unrhyw beth arall yn y nef nac ar y ddaear –
yn gryfach na drygioni,
na holl rymoedd dyn,
na thristwch a dioddefaint,
na marwolaeth ei hun.
Derbyn ein diolch heddiw.
Derbyn ein diolch am bopeth.

Diolchwn, mewn byd lle ceir cymaint o boen a thristwch,
dy fod wedi dangos nad yw gobaith a ffydd yn ddi-fudd.
Mae dy bwrpas di ar waith drwy'r amser,
yn rhoi ystyr i'n chwilio a'n hymdrechion i geisio'r da.
Derbyn ein diolch heddiw.
Derbyn ein diolch am bopeth.

Holl gariadlon a hollrymus Dduw,
derbyn ein moliant am bopeth a wnaethost yng Nghrist –
dirgelwch sy'n peri i ni arswydo,
rhyfeddod sy'n ein galw i blygu mewn moliant,
gwirionedd sy'n fodd i ni fyw, symud
a bod drwyddo.
Derbyn ein diolch heddiw.
Derbyn ein diolch am bopeth,
yn enw'r Crist bywiol ac atgyfodedig.
Amen.

70. DUW'R ANNISGWYL

Dduw uwch pob mawredd,
molwn di am ryfeddod y Pasg –
dy drawsnewidiad di o'r hyn a ymddangosai yn ddiwedd
ac a ddaeth yn ddechrau newydd;
yn troi'r hyn a ymddangosodd yn fuddugoliaeth drygioni
yn fuddugoliaeth cariad.
Dduw'r annisgwyl,
clyw ein gweddi.

Molwn di am y ffordd y gwnaethost newid bywydau
dilynwyr Iesu –
yn troi tristwch i fod yn ddathliad,
amheuaeth yn ffydd,
cwestiynau yn atebion,
ansicrwydd yn sicrwydd,
tywyllwch yn oleuni.
Dduw'r annisgwyl,
clyw ein gweddi.

Maddau i ni ein bod ninnau hefyd
fel yr Apostolion yn cyrraedd at y bedd,
ac yn cael ein twyllo gan yr ymddangosiadol.
Gwnawn ein barn yn seiliedig ar y rhagdybiaethau cyfyngedig,
ac fe gollwn ffydd
pan nad yw bywyd yn cyrraedd mesur ein disgwyliadau.
Dychmygwn ein bod yn meddu'r holl atebion,
ac fe gawn fraw pan sylweddolwn nad yw hynny'n wir.
Gwrthodwn y gwirioneddau nad ydynt yn eistedd yn gyfforddus
gyda'n syniadau ni o'r byd,
ac wedyn yn rhyfeddu
nad ydym yn medru gwneud synnwyr o bopeth.
Dduw'r annisgwyl,
clyw ein gweddi.

Maddau i ni am amau dy gariad,
ac am golli golwg o'th bwrpas,
a chwestiynu dy rym.
Maddau i ni am anwybyddu dy addewidion,
a lleihau maint dy fawredd,
am anghofio nad dy ffyrdd di yw ein ffyrdd ni
na'th feddyliau di yn feddyliau i ni.
Dduw'r annisgwyl,
clyw ein gweddi.

Gweddïwn dros y sawl na allant wneud synnwyr
o amgylchiadau eu sefyllfa bresennol,
gyda'u gobeithion wedi cael eu chwalu gan brofiadau bywyd –
y sawl sy'n bryderus neu'n ofnus,
pobl wedi eu dadrithio neu'n isel eu hysbryd,
pobl a gollodd eu cartrefi o bosibl, neu eu gwaith,
eu bywoliaeth, eu hanwyliaid;
pobl a ddioddefodd oherwydd haint, anabledd, trasiedi,
neu eu bod wedi eu hecsbloetio, neu wedi cael eu gormesu,
eu hamddifadu o urddas sylfaenol dyn.
Dduw'r annisgwyl,
clyw ein gweddi.

Boed i syndod y Pasg ffrwydro o'r newydd
i'w bywydau ac i'n bywydau ni,
gan ddatguddio posibiliadau i fywyd
a rhannu gwedd newydd ar fywyd,
gan roi ystyr newydd i bob dydd a phob eiliad,
a dwyn nerth a chyfleoedd newydd
a phwrpas newydd i'r dyfodol.
Boed i'r dydd hwn a ddathlwn ein haddysgu i ddisgwyl yr annisgwyl!
Dduw'r annisgwyl,
clyw ein gweddi,
yn enw'r Crist atgyfodedig a buddugoliaethus.
Amen.

71. BUDDUGOLIAETH Y PASG

Dduw cariadlon, molwn di unwaith eto am Newyddion Da y Pasg,
a neges fuddugoliaethus yr atgyfodiad –
gobaith newydd,
llawenydd newydd,
bywyd newydd!
Mae Crist wedi ei atgyfodi,
mae wedi ei atgyfodi yn wir.

Molwn di am yr hyn a welwn yn hanesion y Pasg –
sef na lwyddwyd i reoli dy gariad,
nad oedd modd concro dy amcanion,
nad oedd modd dinistrio dy ddaioni.
Mae Crist wedi ei atgyfodi,
mae wedi ei atgyfodi yn wir.

Addysga ni bod yr hyn a oedd yn wir yr adeg honno yn wir nawr –
sef nad yw'r atgyfodiad ond yn sôn am fywyd wedi marwolaeth
ond am ddechrau o'r newydd parhaol,
y ffordd rwyt yn medru trawsnewid pob rhan o'n bywydau,
y ffordd rwyt yn dwyn adnewyddiad –
a boed i'r gwirionedd hwn ein hysbrydoli
i'th ddilyn di o hyd
drwy'r cyfnodau da a'r cyfnodau gwael.
Mae Crist wedi ei atgyfodi,
mae wedi ei atgyfodi yn wir.

Pan fydd bywyd yn ymddangos yn galed,
pan deimlwn fod treialon a themtasiynau bywyd yn ein goddiweddyd,
pan fydd hi'n ymddangos yn anodd ar ffydd yn wyneb rheswm,
sicrha ni na fydd dim yn drech na'th gariad di.
Mae Crist wedi ei atgyfodi,
mae wedi ei atgyfodi yn wir.

Y PASG

Pan na fydd ein llafur yn dwyn ffrwyth,
pan fydd ein hymdrechion ddim yn cael eu gwobrwyo,
pan na wireddir ein gobeithion,
addysga ni y bydd dy bwrpas di yn cael ei gyflawni.
Mae Crist wedi ei atgyfodi,
mae wedi ei atgyfodi yn wir.

Pan fydd y diniwed yn dioddef,
pan fydd daioni yn cael ei wrthod,
pan fydd drygioni yn ymddangos fel pe bai'n fuddugol,
addysga ni y bydd yr hyn sy'n iawn yn ymddangos yn
fuddugoliaethus.
Mae Crist wedi ei atgyfodi,
mae wedi ei atgyfodi yn wir.

Dduw cariadlon,
caniatâ i ni y sicrwydd mewnol
a ddaw drwy'r Pasg yn unig –
fel bod holl sefyllfaoedd bywyd,
ym mhopeth a wynebwn,
sut bynnag y byddant yn cael eu cyflwyno,
yn adegau o wybod y gwneler dy ewyllys ac y daw dy deyrnas.
Mae Crist wedi ei atgyfodi,
mae wedi ei atgyfodi yn wir.
Diolch fo i Dduw!
Amen.

72. SICRWYDD Y PASG

Bywiol Dduw,
deuwn ger dy fron ar y dydd hwn o ddathlu,
yn ymwybodol fod cymaint yn ein bywydau
sy'n ansicr,
cymaint na allwn ei ragweld,
cymaint na wyddom ac na ddeallwn chwaith.
Sicrha ni o'r fuddugoliaeth a enillwyd yng Nghrist.

Atgoffa ni eto drwy'r tymor hwn
dy fod, yng nghanol holl gyfnewidiadau a chyfleoedd byd,
yn graig ddigyfnewid,
yn waredwr di-feth,
yn obaith digyfnewid.
Sicrha ni o'r fuddugoliaeth a enillwyd yng Nghrist.

Atgoffa ni tra byddwn yn dathlu'r Pasg
yn y dyddiau sydd o'n blaen,
y gwelir dy gariad yn cael ei amlygu,
y bydd dy rym yn drech na phopeth,
ac y bydd dy bresenoldeb gyda ni drwy'r amser.
Sicrha ni o'r fuddugoliaeth a enillwyd yng Nghrist.

Dyro i ni heddiw
y synnwyr o'th fawredd,
yr ymwybyddiaeth o bopeth a wnaethost
a'r hyder ym mhopeth y byddi yn ei wneud.
Sicrha ni o'r fuddugoliaeth a enillwyd yng Nghrist.

Bywiol Dduw,
bydd yn ein plith nawr, drwy'r Crist Atgyfodedig.
Helpa ni i glywed ei lais,
a chynnig iddo ein gwasanaeth,
a rhoi iddo ein moliant.
Sicrha ni o'r fuddugoliaeth a enillwyd yng Nghrist.

Y PASG

Gwyddom fod ein gobaith ynot ti ac ynot ti yn unig.
Helpa ni i dderbyn hynny,
a byw yn y sicrwydd hwnnw,
gan dy ddilyn ble bynnag y byddi yn ein harwain.
Sicrha ni o'r fuddugoliaeth a enillwyd yng Nghrist,
wrth i ni ofyn hyn yn enw Iesu.
Amen.

73. RHANNU'R NEWYDDION

Arglwydd Iesu Grist,
diolchwn am neges y Pasg –
am y sicrwydd a ddug am dy fuddugoliaeth dros farwolaeth,
y dystiolaeth mae'n ei rhoi
fod cariad o hyd yn cael y gair olaf.
Ac eto mae neges arall
na fyddwn yn ei chlywed yn aml –
her y gallwn weithiau ei hosgoi,
sef ei bod yn alwad i weithredu yn gymaint ag i ddathlu.
Rhoddaist i ni'r Newyddion Da:
addysga ni i'w rhannu.

Arglwydd Iesu Grist,
ymddangosaist i'th ganlynwyr,
yn dangos dy fod wedi atgyfodi,
ac yna anfonaist hwy allan
i gyhoeddi hynny i bawb.
Gwnaethost eu cyfarfod,
ac yna eu galw i arwain eraill atat.
Rhoddaist lawenydd iddynt,
ac yna eu cymell i'w rannu.
Mae'r Pasg ar gyfer pawb, nid ar gyfer yr ychydig,
nid yn unig i'r disgyblion ond i'r holl fyd!
Rhoddaist i ni'r Newyddion Da:
addysga ni i'w rhannu.

Arglwydd Iesu Grist,
maddau i ni ein bod mor aml yn anghofio hynny.
Wedi profi dy bresenoldeb atgyfodedig,
cadwn ef i ni ein hunain.
Wedi dy gyfarfod di,
rydym yn methu â'th gyflwyno i eraill.
Wedi derbyn cymaint,
rydym wedi rhannu ond y peth lleiaf.
Rhoddaist i ni'r Newyddion Da:
addysga ni i'w rhannu.

Arglwydd Iesu Grist,
diolchwn i ti am y sawl sydd wedi cyflawni dy alwad –
y sawl a gyflwynodd yr Efengyl i ni yn gyntaf,
y sawl sy'n ei gyhoeddi i eraill,
y sawl sy'n hau, meithrin, a dwyn i ffrwyth
hadau'r ffydd.
Gweddïwn dros bawb rwyt wedi rhoi doniau arbennig iddynt
i gyhoeddi'r Newyddion Da –
pregethwyr ac efengylwyr,
gweinidogion a chenhadon,
athrawon ac awduron.
Boed i lawer dy gyfarfod di drwy eu llafur hwy
a dod i'th adnabod
fel eu Harglwydd a'u Gwaredwr.
Rhoddaist i ni'r Newyddion Da:
addysga ni i'w rhannu.

Arglwydd Iesu Grist,
rwyt wedi galw pob yr un ohonom i fod yn dystion i ti –
i ddweud wrth eraill am yr hyn a brofasom o'th gariad,
i ddwyn y dystiolaeth i eraill,
i sôn wrth eraill am y newid yn ein bywydau.
Helpa ni i wneud hynny'n ffyddlon,
a gwneud ein rhan yn dy deyrnas a'th bwrpas.
A thrwom ni, boed i eraill dy gyfarfod
a'th adnabod drostynt eu hunain.
Rhoddaist i ni'r Newyddion Da:
addysga ni i'w rhannu,
er dy ogoniant.
Amen.

74. Y PASG BACH – PARHAU REALITI'R PASG

Dduw y Brenin,
diolchwn i ti am realaeth y Pasg
rydym yn parhau i'w ddathlu heddiw,
realaeth sy'n dwyn y fath newid i fywyd –
buddugoliaeth daioni dros ddrygioni,
cariad dros gasineb, bywyd dros farwolaeth;
gan droi gwendid yn nerth,
yr ofn yn ddewrder, amheuaeth yn ffydd;
y dechreuad newydd pan ymddangosai fod y diwedd yn dod,
gobaith newydd lle'r oedd anobaith,
hyder newydd lle'r oedd ansicrwydd.
Dysg ni i fyw bob dydd fel pobl y Pasg.

Dduw y Brenin,
diolchwn i ti fod y Pasg
nid yn unig yn ddigwyddiad yn y gorffennol pell,
ond yn berthnasol i'r presennol,
nid yn unig am eraill, ond amdanom ni,
nid am un peth ond am bopeth!
Dysg ni i fyw bob dydd fel pobl y Pasg.

Helpa ni i fyw bob dydd yng ngoleuni'r Pasg,
gyda'i lawenydd yn byrlymu yn ein calonnau,
a'i chwerthin yn pefrio yn ein llygaid,
a'i neges yn wastadol ar ein gwefusau,
fel bod eraill, o weld y gwahaniaeth a wnaeth i ni,
yn darganfod y gwahaniaeth y gall ei wneud iddynt hwy.
Dysg ni i fyw bob dydd fel pobl y Pasg,
i ogoniant dy enw.
Amen.

YR ESGYNIAD

75. YR ESGYNIAD – MOLIANT A CHYFFES

Arglwydd Iesu Grist,
atgyfodedig a dyrchafedig,
y Gair a wnaed yn gnawd,
a oedd cyn popeth, ym mhopeth a thu hwnt i bopeth,
am y bywyd a roddaist i ni,
a rhodd o fywyd tragwyddol,
molwn dy enw.

Am bob harddwch,
a chymhlethdod
ac amrywiaeth
a rhyfeddod y bywyd sy'n ein hamgylchynu,
molwn dy enw.

Am bob cyfle,
pob her,
pob profiad,
a phob cyflawniad a gawn mewn bywyd,
molwn dy enw.

Am bopeth y gallwn feddwl amdano a'i wneud,
gweld a chyffwrdd,
clywed a theimlo,
arogli a blasu,
molwn dy enw.

YR ESGYNIAD

Arglwydd Iesu Grist, Oen y byd,
y gwas a ddioddefodd,
y Brenin nefol,
am y cariad sy'n ein hamgylchu bob dydd
drwy deulu a chyfeillion,
a chymdeithas yr Eglwys,
a phresenoldeb mewnol dy Ysbryd Glân,
molwn dy enw.

Am bob gofal
a chefnogaeth
a dealltwriaeth
a chyfeillgarwch a brofwn,
molwn dy enw.

Arglwydd Iesu Grist,
Arglwydd yr arglwyddi,
Tywysog y tywysogion,
Brenin y brenhinoedd,
am dy fawredd sy'n llenwi'r bydysawd,
dy rym a'th dras frenhinol,
dy sancteiddrwydd a'th gyfiawnder,
dy gyfiawnder a'th drugaredd,
molwn dy enw.

Am y ffordd y creaist y byd,
y ffordd y gweithredaist ar hyd hanes,
y ffordd a rennaist ein dynoliaeth,
a'r ffordd rwyt yn dal i adeiladu dy deyrnas,
molwn dy enw.

Arglwydd Iesu Grist,
Arglwydd y cyfan,
maddau i ni am nad ydym wedi byw bywyd yn gyflawn –
am ein bod wedi cymryd rhyfeddod bywyd yn ganiataol,
am ein methiant i werthfawrogi'r posibiliadau,
am i ni golli golwg o'r bywyd digonol
a thragwyddol rwyt yn ei gynnig.
Am gynnig i ni fywyd er gwaethaf hynny,
molwn dy enw.

Maddau i ni nad ydym wedi ymateb yn gyflawn
i'r cariad a ddangosaist i ni –
i ni adael iddo gael ei wenwyno
drwy ymgecru a rhannu,
i ni ei lwgu o faeth
drwy fethu cynnig ein cariad yn ôl i ti,
ac i ni gau ein calonnau i'r cyfan rwyt yn ei gynnig.
Am i ti ein caru er gwaethaf hynny,
molwn dy enw.

Maddau i ni nad ydym wedi dechrau amgyffred dy arglwyddiaeth –
nad ydym wedi cadw'r ymwybod o ryfeddod ohonot,
am i'n gweledigaeth ohonot wyro,
am i ni gynnig addoliad anghyflawn,
yn gweld ein gwendid ni yn hytrach na'th ogoniant di.
Am i ti ein galw er gwaethaf hyn i gyd,
molwn dy enw.

YR ESGYNIAD

Arglwydd Iesu Grist, ein Harglwydd a'n Gwaredwr,
agor ein calonnau wrth i ni dy addoli ar hyd cyflawnder bywyd,
a chyflawnder dy gariad,
ac i ddealltwriaeth fwy cyflawn o'th fawredd,
fel y gallom gyffesu o ddifrif
mai ti yw Brenin y brenhinoedd ac Arglwydd yr arglwyddi.
Am bopeth yr wyt ac a wnaethost,
ac am bopeth rwyt eto i'w gyflawni,
molwn dy enw,
heddiw ac yn dragywydd,
Amen.

76. CYFFES YR ESGYNIAD

Arglwydd Iesu Grist,
cofiwn heddiw
fel y syllodd dy apostolion tua'r nef,
yn bryderus ac yn gymysg eu meddyliau,
yn ofni eu bod wedi dy golli,
ac yn ymdrechu i wneud synnwyr o'u profiad.
Agor ein llygaid i weld dy ogoniant.

Cofiwn yn y dyddiau yn dilyn yr Esgyniad
iddynt aros ynghudd tu ôl i ddrysau caeëdig,
wedi eu caethiwo gan gyfyngiadau eu dychymyg
a'u clymu lawr gan wendid eu gweld,
a'u rhwystro gan fychander eu ffydd.
Agor ein llygaid i weld dy ogoniant.

Yn lle dy addoli di
fel Brenin y brenhinoedd ac Arglwydd yr arglwyddi,
tybient dy fod wedi eu gadael.
Yn lle gorfoleddu oherwydd dy Esgyniad
tybient dy fod wedi eu gwahanu oddi wrthyt eto.
Agor ein llygaid i weld dy ogoniant.

Er yr hyn a ddywedwyd wrthynt,
roeddent yn edrych am ddyn roeddent yn ei adnabod a'i ddeall,
dyn a gerddodd strydoedd Nasareth,
a siaradodd gyda hwy wrth ochr Môr Galilea,
a ddioddefodd ac a fu farw drostynt yn Jerwsalem.
Agor ein llygaid i weld dy ogoniant.

YR ESGYNIAD

Ond dangosaist iddynt fod Iesu'n fwy
na'r hyn roeddent ond yn dechrau ei ddychmygu –
nid yn gaeth i ofod ac amser,
heb ei glymu lawr i le penodol,
a'i gyfyngu i bobl arbennig,
ond wedi esgyn i fod wrth dy ochr
ac sydd gyda thi yn dragwyddol.
Agor ein llygaid i weld dy ogoniant.

Arglwydd Iesu Grist,
maddau i ni ein bod mor aml
yn gwneud yr un camgymeriadau â'r apostolion –
yn disgwyl i ti gydymffurfio gyda'n disgwyliadau,
yn tybied ein bod yn gwybod popeth sydd i'w wybod amdanat,
yn bodloni ar lun cyfforddus, esmwyth ohonot
sy'n cynnig llawer a gofyn ond yr ychydig,
a phan fydd y modd hwnnw o feddwl
yn cael ei herio neu ei fygwth,
rydym mewn penbleth,
yn cael ein boddi gan lu o gwestiynau.
Agor ein llygaid i weld dy ogoniant.

Maddau i ni fod ein gorwelion wedi bod yn rhy gul,
a'n golygon yn rhy isel
a'n disgwyliadau yn gyfyng.
Agor ein llygaid i weld dy ogoniant.

Helpa ni i gael cip ar ryfeddod dy berson
a'r posibiliadau diddiwedd o'r hyn y gelli ei gyflawni,
gan ddal ein hanadl mewn rhyfeddod
a meddiannu gweledigaeth newydd o'th deyrnas.
Agor ein llygaid i weld dy ogoniant,
wrth i ni ofyn hyn yn dy enw.
Amen.

77. GWASANAETHU'R CRIST ESTYNEDIG

Arglwydd Iesu Grist,
**cyfarchwn di heddiw fel Brenin y brenhinoedd ac
Arglwydd yr arglwyddi –**
cyhoeddwn dy fawredd,
cydnabyddwn dy awdurdod,
dathlwn dy ddyrchafiad,
dathlwn dy fuddugoliaeth.

Arglwydd y bywyd,
agor ein llygaid i weld ystyr y dydd hwn –
lleda ein golygon,
estyn ein dealltwriaeth,
ehanga ein gweld,
dyfnha ein ffydd.

Derbyn ni yn awr fel dy ddisgyblion,
ysbrydola ni drwy dy Ysbryd Glân,
arwain ni yn dy wasanaeth,
arfoga ni ar gyfer dy waith,
**fel y gallom fyw i'th ogoniant
a dwyn dy deyrnas yn agosach.
Gweddïwn hyn yn dy enw.
Amen.**

78. RHYFEDDOD YR ESGYNIAD

Anfeidrol Dduw,
deuwn heddiw yn cael ein hatgoffa o'th fawredd,
dy ogoniant,
dy rym brenhinol a'th bwrpas tragwyddol
a fynegwyd mor fendigedig yn Iesu Grist,
atgyfodedig ac esgynedig.
Mor deilwng yw'r Oen a gafodd ei ladd
i dderbyn pŵer a chyfoeth,
doethineb a gallu,
anrhydedd, gogoniant a bendith.

Diolchwn i ti am ryfeddod yr Esgyniad,
y foment arbennig a chyfriniol
ym mywyd yr apostolion,
a'u gadael yn syllu tua'r nef heb ddeall
ond yn aros mewn llawenydd.
Mor deilwng yw'r Oen a gafodd ei ladd
i dderbyn pŵer a chyfoeth,
doethineb a gallu,
anrhydedd, gogoniant a bendith.

Diolchwn am y modd y daeth gweinidogaeth
Iesu i ddiweddglo cyfaddas,
yn tystio'n bendant i'w hunaniaeth ynot ti,
a dangos dy fendith derfynol yn fodlon
ar bopeth a wnaeth.
Mor deilwng yw'r Oen a gafodd ei ladd
i dderbyn pŵer a chyfoeth,
doethineb a gallu,
anrhydedd, gogoniant a bendith.

Diolchwn dy fod drwy'r Esgyniad
wedi rhyddhau Iesu i fod yn Arglwydd popeth –
heb ei gyfyngu i le neu amser neilltuol,
ond i fod gyda ni drwy'r amser
ac yn medru cyrraedd eithafoedd y ddaear.
Mor deilwng yw'r Oen a gafodd ei ladd
i dderbyn pŵer a chyfoeth,
doethineb a gallu,
anrhydedd, gogoniant a bendith.

Diolchwn i ti fod Iesu wrth fynd
wedi medru paratoi'r ffordd i'w ddyfod eto,
drwy ei Ysbryd, ei Eglwys,
a'i ailddyfodiad mewn gogoniant.
Mor deilwng yw'r Oen a gafodd ei ladd
i dderbyn pŵer a chyfoeth,
doethineb a gallu,
anrhydedd, gogoniant a bendith.

Anfeidrol Dduw,
maddau i ni am fethu mor aml
i ddal gafael ar ryfeddod ei Esgyniad,
i fyw bob dydd fel pe na bai wedi bod.
Maddau i ni am gyfyngiadau ein gweld,
culni ein hagwedd,
gwendid ein cariad,
nerfusrwydd ein tystiolaeth,
a'n methiant parhaol i sylweddoli
cyflawnder dy ddatguddiad yng Nghrist.
Mor deilwng yw'r Oen a gafodd ei ladd
i dderbyn pŵer a chyfoeth,
doethineb a gallu,
anrhydedd, gogoniant a bendith.

YR ESGYNIAD

Dyro i ni synnwyr dyfnach o'th ryfeddod,
a ffydd gryfach,
a dealltwriaeth fwy o bopeth a wnaethost.
Mor deilwng yw'r Oen a gafodd ei ladd
i dderbyn pŵer a chyfoeth,
doethineb a gallu,
anrhydedd, gogoniant a bendith.

Anfeidrol Dduw,
fel yr apostolion,
ni fyddwn ninnau chwaith yn deall yn llwyr
holl ystyr yr Esgyniad.
Derbyniwn, ond heb ddeall yn llwyr,
credwn, ond y mae gennym gymaint o gwestiynau.
Helpa ni, er ein hansicrwydd,
i gydio'n dynn yn yr un gwirionedd mawr,
bod rhyfeddod y Crist y tu hwnt
i unrhyw beth y gallwn byth ei ddychmygu,
ac y gallwn fyw bob dydd yn y ffydd honno.
Mor deilwng yw'r Oen a gafodd ei ladd
i dderbyn pŵer a chyfoeth,
doethineb a gallu,
anrhydedd, gogoniant a bendith!
Diolch fo i Dduw!
Amen.

Y PENTECOST

79. MOLIANT Y PENTECOST

Rymus Dduw,
cofiwn heddiw, gydag arswyd a rhyfeddod,
ddigwyddiadau dydd y Pentecost cyntaf,
a drawsnewidiodd fywydau'r apostolion.
Boed i ni brofi cyffro tebyg.

Cofiwn sut y bu o fewn eiliadau
i'w profiadau gael eu chwyldroi,
a'u disgwyliadau eu troi wyneb i waered,
a'u hagweddau eu newid am byth;
un eiliad yn llawn ofn
a'r eiliad nesaf yn llawn o hyder,
ac yna yn sicr o'u galwad;
un eiliad yn ymgiprys gydag amheuaeth,
a'r nesaf yn llawn ffydd;
un eiliad yn cuddio tu ôl i ddrysau cloëdig,
a'r nesaf yn pregethu'n hyderus o flaen y tyrfaoedd.
Boed i ni brofi cyffro tebyg.

Rymus Dduw,
daethost drwy dy ysbryd,
ac nid oedd bywyd yr un fath eto.
Tyrd atom nawr, ac anadla dân newydd i'n calonnau,
ynni newydd i'n bywydau,
bywyd newydd i'n heneidiau.
Trawsnewid ein hofnau, ein pryderon a'n hamheuon,
a llenwa ni gyda hyder a ffydd.
Boed i ni brofi cyffro tebyg.

Y PENTECOST

Agor ein meddyliau i weld gorwelion newydd, profiadau newydd,
a ffyrdd newydd o edrych ar fywyd,
fel y gallom fyw drwy'r ysbryd,
a dwyn ffrwyth gwerthfawr i'th ogoniant.
Boed i ni brofi cyffro tebyg,
drwy Iesu Grist ein Harglwydd.
Amen.

80. CYFFES Y PENTECOST

Dduw'r bywyd,
buom yn dathlu eto heddiw
dy rodd o'r Ysbryd,
y ffordd yr anadlaist obaith newydd, ffydd newydd
a bywyd newydd i mewn i'th bobl.
Ond cofiwn hefyd
na wnaeth pawb ymateb mor barod
i ddyfodiad yr ysbryd –
gan i rai ddirmygu, bychanu a gwrthod credo,
gan awgrymu fod yr apostolion wedi meddwi
ac yn orffwyll.
Arglwydd trugarha.

Dduw'r bywyd,
maddau ein bod ni hefyd
yn medru bod yn euog o ymateb tebyg.
Yn lle croesawu'r ysbryd
rydym yn ei gyfarch gyda chalonnau llawn pwyll ac amheuaeth.
Yn lle agor ein calonnau i symudiad yr ysbryd
byddwn yn cau ein meddyliau i unrhyw beth
sy'n herio ein hen ragfarnau.
Yn lle derbyn yn llawen ddoniau'r ysbryd
byddwn yn amddiffyn ein heneidiau rhag newid.
Arglwydd trugarha.

Dduw'r bywyd,
rwyt yn ein rhybuddio i brofi'r hyn a dybiwn yw'r ysbryd
a bod yn sicr ei fod yn dod oddi wrthyt;
ac mae adegau pan oedd hynny'n angenrheidiol,
ac yn addas bod yn amheus
rhag gorfrwdfrydedd neu broffwydoliaeth gau.
Ac eto rwyt yn ein hachub ni rhag rhwystro'r Ysbryd.
Maddau i ni am yr adegau yr ydym yn euog o hynny,
ac agor ein hunain nawr
i anadliad yr Ysbryd Glân sy'n rhoi bywyd,
fel y gallom fyw'n fwy ffyddlon fel dy bobl di.
Arglwydd trugarha,
yn enw'r Crist.
Amen.

81. Y PENTECOST – YN AGORED I'R YSBRYD

Anfeidrol a chariadlon Dduw,
daethom ynghyd heddiw
fel pobl a gysylltwyd drwy'r ysbryd Glân.

Deuwn gan gofio dy addewid
i ddanfon dy Ysbryd ar dy holl bobl,
hen ac ifanc,
gwryw a benyw,
Iddew a chenedl-ddyn.
Symud yn ein plith yw ein gweddi.

Deuwn gan gofio'r Pentecost cyntaf
pan roddwyd yr Ysbryd i'r apostolion,
ac adnewyddu eu ffydd a thrawsnewid eu bywydau.
Symud yn ein plith yw ein gweddi.

Deuwn y Sulgwyn hwn,
yn cael ein hatgoffa o waith cyson dy Ysbryd,
yn ysbrydoli,
yn arwain,
yn herio,
yn aeddfedu.
Symud yn ein plith yw ein gweddi.

Anfeidrol Dduw, Ysbryd y gwirionedd,
tyrd, fel yr addewaist,
a datguddia i ni fwy am ffordd yng Nghrist.
Tyrd a llenwa ni â ffydd ddyfnach o gariad mwy.
Dyro i ni'r doniau sydd eu hangen arnom i weithio yn dy deyrnas,
ysbrydola ni gyda gweledigaeth a phwrpas newydd,
ac anadla dy rym i mewn i'n bywydau.
Symud yn ein plith yw ein gweddi.

Anfeidrol a chariadlon Dduw,
agor ein calonnau, ein meddyliau a'n heneidiau i'r Ysbryd,
pwy bynnag a fyddom,
a'n galluogi i fyw fel dy bobl,
nid yn unig heddiw ond bob dydd,
yn adlewyrchu dy fwriad.
Symud yn ein plith yw ein gweddi,
er gogoniant dy enw.
Amen.

82. EIRIOLAETH Y PENTECOST

Rymus Dduw,
tyrd atom drwy dy Ysbryd Glân,
a llenwa ni â'th dangnefedd.
Dyro i ni gariad at bawb ac awydd i wasanaethu,
gwyleidd-dra'r meddwl a thynerwch yr enaid.
Meithrin dy ras yn ein calonnau.

Rymus Dduw,
tyrd atom drwy dy Ysbryd Glân,
a'n tanio gyda chariad tuag atat.
Llenwa ni gydag awydd i weithio dros dy deyrnas,
a glanha ni o bob amhurdeb
ac annheilyngdod yn ein bywydau.
Enynna ynom fflam y ffydd yn ein calonnau.

Rymus Dduw,
tyrd atom drwy dy Ysbryd Glân,
ac anadlu bywyd newydd i'n heneidiau.
Llenwa ni gydag ynni a brwdfrydedd i wasanaethu Crist,
ac i ysgubo ymaith bopeth yn ein bywydau
sy'n ein rhwystro rhag byw fel dy bobl.
Argraffa synnwyr o ddisgwyliad yn ein calonnau.

Rymus Dduw,
maddau i ni ein bod mor aml yn cyfyngu gwaith yr Ysbryd,
drwy dderbyn y fendith ein hunain
ond methu ei rhannu gydag eraill.
Maddau i ni ein bod mor barod i yfed o'r Ysbryd,
ac yn gwrthod yr elfennau sy'n newid neu'n herio.
Maddau i ni ein bod mor gaeëdig
i symudiad dy Ysbryd,
a'i gadw allan oherwydd cyfyngiadau ein gweledigaeth.
Tyrd fel y golomen, y tân a'r gwynt,
agor ein bywydau i'r heddwch, y grym
a'r ysbrydoliaeth rwyt am eu rhannu gyda ni.
Agor ein bywydau a chyffwrdd â'n calonnau,
drwy Iesu Grist ein Harglwydd.
Amen.

Y DRINDOD

83. FFORDD Y DRINDOD

Mawr a Rhyfeddol Dduw,
deuwn atat gydag arswyd a rhyfeddod.

Rwyt yn fwy na'r hyn y gall ein meddyliau ei amgyffred,
yn fwy grymus nag y gallwn ei ddychmygu,
tu hwnt i'n meddyliau uchaf.
Arglwydd gofod ac amser,
Llywodraethwr popeth,
Dduw brenhinol,
derbyn ein moliant.

Rwyt yn ein caru gyda chariad grymus a llwyr,
ac yn rhoi gwerth arbennig arnom,
yn gofalu digon amdanon ni i'n galw yn blant i ti,
gan ddarparu bob dydd ar gyfer ein hanghenion
a'n harwain ar hyd taith bywyd.
Dduw'r Tad,
derbyn ein moliant.

Rhennaist ein dynoliaeth
gan uniaethu dy hun yn llwyr gyda'n byd,
profi'n bersonol ein llawenydd a'n tristwch,
gan arddangos yn glir dy gariad gweithredol,
a dangos i ni ffordd gwasanaeth.
Dduw a wnaed yn gnawd,
derbyn ein moliant.

Y DRINDOD

Rwyt gyda ni bob dydd,
bob amser wrth ein hochr,
yn gweithio ynom a thrwom,
yn addysgu, llywio ac annog,
a'n harwain ni i brofiadau newydd o'th gariad.
Dduw pob mawredd a dirgelwch,
derbyn ein moliant.

Dyro i ni heddiw synnwyr o'th fawredd
a'th dynerwch;
a chipolwg o'r hyn sy'n gudd
a'r hyn sy'n ddatguddiedig amdanat;
ac ymwybod o'th bwrpas tragwyddol sy'n cwmpasu'r greadigaeth
ac eto yn cynnwys pob un ohonom sydd yma nawr.
Dduw pob mawredd a rhyfeddod, Tad, Mab ac Ysbryd Glân,
derbyn ein moliant yn enw Iesu.
Amen.

84. ADDOLIAD Y DRINDOD

Dduw pob mawredd,
tu hwnt i ofod ac amser,
sy'n fwy nag y gall ein meddyliau ei amgyffred,
rheolwr dros bopeth sydd, ac a fu, ac a fydd,
addolwn di.

Dduw'r cariad,
caredig a thrugarog,
yn llawn daioni a chydymdeimlad,
sy'n gwylio drosom bob amser ac yn cyfeirio ein camau,
addolwn di.

Grist y Gwaredwr,
cnawd ein cnawd, ac eto yn nelw Duw,
yn rhannu ein dynoliaeth ac eto yn un gyda'r Tad,
yn caru hyd at angau ac eto yn un sy'n dwyn bywyd,
addolwn di.

Ysbryd Glân,
yn rhydd ac yn ddirgelwch,
ffynhonnell pob cyfarwyddo ac ysbrydoliaeth,
llenwa ein calonnau, ein meddyliau a'n bywydau,
addolwn di.

Y Tad, y Mab, a'r Ysbryd Glân,
Dduw y duwiau, ac Arglwydd yr arglwyddi,
gydag ofn a rhyfeddod,
llawenydd a gorfoledd,
cariad a moliant,
deuwn heddiw,
deuwn â'n bywydau,
addolwn di,
yn enw'r Crist.
Amen.

85. MAWL Y DRINDOD

Dduw mawr a chariadlon,
cyfarchwn di heddiw gyda moliant a rhyfeddod.
Cyfarchwn di fel creawdwr terfynau'r ddaear,
Brenin dros ofod ac amser,
un sy'n fwy na'n dychymyg.

Grist grasol a bywiol,
cyfarchwn di heddiw gyda llawenydd a diolchgarwch.
Cyfarchwn di fel ein Harglwydd,
ein Cyfaill,
ein Gwaredwr.

Cyfriniol ac anfeidrol Ysbryd,
cyfarchwn di heddiw gydag arswyd ac addoliad.
Cyfarchwn di fel ein tywysydd a'n hysbrydoliaeth,
ffynhonnell ein nerth a'n cysur,
y realiti mewnol a bywiol.

Anfeidrol Dduw, Tad, Mab ac Ysbryd Glân,
cyfarchwn di heddiw,
gan dy foli dy fod yma
yn ein cyfarch ni a phawb arall,
heddiw a phob dydd,
yma a phobman.

Helpa ni i'th gyfarfod di,
a thyfu'n agosach atat,
yn ystod yr amser hwn o addoliad.

Helpa ni i gael cip ar dy ogoniant,
a'i ddwyn yn gyhoeddus,
drwy bopeth a wnawn ac a ddywedwn,
i ogoniant dy enw.
Amen.

86. Y DUW SYDD YMA, ACW AC YM MHOBMAN

Dduw sydd tu hwnt i ni,
Dduw sydd gyda ni,
Dduw sydd o'n mewn,
addolwn di.

Dduw sydd tu allan i ni,
Dduw sydd wrth ein hochr,
Dduw sydd islaw,
diolchwn i ti.

Dduw'r Tad,
Dduw'r Mab,
Dduw'r Ysbryd Glân,
anrhydeddwn di.

Dduw'r gorffennol,
Dduw'r presennol,
Dduw'r dyfodol,
bendithiwn di.

Dduw sydd yma,
Dduw sydd acw,
Dduw sydd ym mhobman,
gwerthfawrogwn di.

Dduw brenhinol,
Dduw sy'n gariad,
Dduw sy'n rym,
anrhydeddwn di.

Y DRINDOD

Dduw cariadlon,
y Tad, y Mab a'r Ysbryd Glân,
am bopeth yr wyt,
am bopeth rwyt yn ei wneud,
am bopeth rwyt yn ei fwriadu,
rhoddwn i ti ein diolch,
ac estyn i ti ein haddoliad,
yn enw Crist.
Amen.

DYDD YR HOLL SAINT

87. EIN HETIFEDDIAETH GRISTNOGOL

Arglwydd Dduw hanes,
diolchwn i ti am y ffordd y buost gyda'th bobl ar draws y
blynyddoedd,
y ffordd y gelwaist Abraham i adael popeth
a mentro i fyd dieithr,
y ffordd y gelwaist Moses i arwain y bobl allan o Israel,
allan o gaethwasiaeth a thrwy'r anialwch
i Wlad yr Addewid,
y ffordd y gelwaist farnwyr ac offeiriaid,
llywodraethwyr a phroffwydi,
awduron a meddylwyr,
i gyfarwyddo ac i herio dy bobl,
a'u haddysgu am dy ewyllys
gan geisio eu dwyn yn gyson yn agosach atat.
Bydd un genhedlaeth yn canmol dy waith wrth y llall
a datgan am dy fawrion weithredoedd.

Arglwydd Dduw hanes,
diolchwn i ti am y ffordd y galwodd Iesu'r deuddeg o bobl gyffredin
i fod yn apostolion iddo,
a thrwy eu ffydd a'u tystiolaeth
y dewisaist y niferoedd di-rif i ddod ynghyd i'th Eglwys;
a sut drwy'r blynyddoedd ers hynny,
er pob bai a gwendid,
ei chamgymeriadau a'i chamddealltwriaeth,
y bu i ti lefaru drwy dy Eglwys
i'r holl genedlaethau,
a bod mwy a mwy o bobl yn dod, o ddydd i ddydd,
i ffydd fyw ac achubol yng Nghrist.
Bydd un genhedlaeth yn canmol dy waith wrth y llall
a datgan am dy fawrion weithredoedd.

DYDD YR HOLL SAINT

Arglwydd Dduw hanes,
diolchwn i ti am y ffordd
y gelwaist dy eglwys i fod –
gan gymell yr amrywiol unigolion
i ddechrau gweithgarwch newydd yn y fro hon,
y ffordd yr arweiniaist hwy i'r lle hwn,
y ffordd yr ysbrydolaist hwy i barhau
yn wyneb pob rhwystr a ddaeth ger eu bron.
Bydd un genhedlaeth yn canmol dy waith wrth y llall
a datgan am dy fawrion weithredoedd.

Diolchwn i ti am y modd y lleferaist
drwy'r bobl a fu'n rhan o'th eglwys,
y ffordd y dysgaist hwy a'u hysbrydoli
drwy weinidogion ac athrawon,
y ffordd y datguddiaist dy hun
drwy fywyd, tystiolaeth ac esiampl y sawl a aeth o'n blaen ni,
yn rhedeg yr yrfa ac yn cadw'r ffydd,
a'r ffordd rwyt o hyd yn llefaru wrthym
drwy ein gilydd.
Bydd un genhedlaeth yn canmol dy waith wrth y llall
a datgan am dy fawrion weithredoedd.

Arglwydd Dduw hanes,
diolchwn i ti am draddodiad ffydd y man lle safwn –
y llu tystion
sy'n ein hamgylchynu o'r gorffennol ac yn y presennol,
a diolchwn i ti am hanes yr eglwys hon
yr ydym yn rhan ohoni,
ac am y fraint o berthyn iddi,
ac i'n gilydd ac i ti.
Helpa ni i ddysgu o'r hyn sy'n orffennol,
i gyfrannu'n ystyrlon
i'r bennod bresennol yn hanes yr eglwys,
ac i weithio'n ffyddlon fel y bydd y sawl a fydd yn ein dilyn
yn cael eu hysbrydoli gan yr etifeddiaeth hon
i barhau gyda'th waith ac i hyrwyddo dy achos.
Bydd un genhedlaeth yn canmol dy waith wrth y llall
a datgan am dy fawrion weithredoedd.

Diolch i Dduw drwy Iesu Grist ein Harglwydd,
yr un ddoe, heddiw ac yn dragywydd.
Amen.

88. DUW HANES

Arglwydd popeth,
Duw gofod ac amser,
Rheolwr hanes,
Brenin dros bopeth sydd ac a fu ac a ddaw,
cydnabyddwn dy fawredd.
Rhoddwch ddiolch i'r Arglwydd, am ei fod yn dda,
a bydd ei gariad diysgog yn parhau am byth!

Deuwn ger dy fron,
Dduw Abraham, Isaac a Jacob,
y Duw a arweiniodd dy bobl ar draws y Môr Coch
a thrwy'r anialwch,
a lywiodd dy bobl etholedig i Wlad yr Addewid,
ac a lefarodd dy air drwy'r proffwydi,
gan arwain dy bobl allan o'r gaethglud ac yn ôl i Jerwsalem,
ac sydd uwchlaw'r sawl a fu fyw, ac a symudodd ac a anadlodd
ym mherson dy Fab, Iesu Grist ein Harglwydd.
Rhoddwch ddiolch i'r Arglwydd, am ei fod yn dda,
a bydd ei gariad diysgog yn parhau am byth!

Deuwn yn ei enw,
gyda hyder, ffydd, llawenydd a diolchgarwch,
gan wybod dy fod wedi llywio dy bobl ar draws y blynyddoedd
fel y byddi'n parhau i arwain heddiw,
gan wybod hefyd – mewn bywyd ac mewn marwolaeth,
ble bynnag y cerddwn a beth bynnag a brofwn –
y byddi yno wrth ein hochr,
yn graig ac yn noddfa,
yn ffynhonnell gyson o nerth,
ac yn rhoddwr di-feth o obaith,
yn ffynhonnell ddiddiwedd o fywyd a chariad.
Rhoddwch ddiolch i'r Arglwydd, am ei fod yn dda,
a bydd ei gariad diysgog yn parhau am byth!

Arglwydd pawb,
am bawb a aeth o'n blaen,
ac am ein galw yn ein tro
i fod yn aelodau o dyrfa'r saint,
diolchwn i ti a molwn di.
Rhoddwch ddiolch i'r Arglwydd, am ei fod yn dda,
a bydd ei gariad diysgog yn parhau am byth!
Diolch fo i Dduw.
Amen.

89. DEISYFIAD DYDD YR HOLL SAINT

(wedi ei seilio ar 1 Pedr 2:9-10)

Dragwyddol Dduw,
diolchwn i ti heddiw dy fod wedi ein galw
i rannu'r etifeddiaeth gyda'th saint,
yn un gyda thi a'th bobl ar draws y cyfnodau.
Drwy dy ras,
helpa ni i gyflawni dy alwad.

Unwaith nid oeddem yn bobl,
ond nawr rydym yn bobl Dduw.
Unwaith nid oeddem wedi derbyn trugaredd,
ond nawr derbyniasom drugaredd yn ei holl gyflawnder.
Drwyddot ti, daethom yn hil etholedig,
yn offeiriadaeth frenhinol, yn genedl sanctaidd,
wedi ein galw allan o dywyllwch i oleuni nefol
er mwyn cyhoeddi dy fawrion weithredoedd.
Drwy dy ras,
helpa ni i gyflawni dy alwad.

Dysga ni i roi heibio bopeth sy'n gwadu ein ffydd
ac yn gwadu ein cariad –
dicter,
trachwant,
eiddigedd,
chwerwedd.
Dysga ni i weithredu'n anrhydeddus mewn gostyngeiddrwydd,
a bod yn gariadlon a thyner yn ein gweithredoedd,
gan fyw'n gytûn gyda thi a gyda'n gilydd.
Drwy dy ras,
helpa ni i gyflawni dy alwad.

Helpa ni i edrych ymlaen at dy deyrnas,
a byw fel pobl sy'n barod i ddyfod Crist
ac i gynnig esiampl i'r sawl sydd o'n cwmpas,
heb fod yn fawreddog ein hagwedd
na thybied yn fwy o'n hunain nag y dylem,
ond yn cynnig ein hunain i wasanaethu eraill,
a chyhoeddi'r Efengyl drwy ddisgyblaeth ffyddlon.
Drwy dy ras,
helpa ni i gyflawni dy alwad.

Dragwyddol Dduw,
deuwn ger dy fron fel pobl gyffredin,
heb dybied bod gennym unrhyw beth arbennig sy'n mynnu broliant
ac eto dy fod wedi ein croesawu i mewn i'th deulu,
a'n galw i fod oddi fewn i'th Eglwys,
a'th fod wedi cynnig lle arbennig i ni
ymysg cwmni'r saint yn y nefoedd ac ar y ddaear.
Drwy dy ras,
helpa ni i gyflawni dy alwad,
drwy Iesu Grist ein Harglwydd.
Amen.

90. EIRIOLAETH DYDD YR HOLL SAINT

Dduw cariadlon,
cofiwn heddiw am bawb a aeth o'n blaen
ar bererindod ffydd,
yn rhedeg yr yrfa a osodwyd o'u blaen,
gan ddal gafael yn gadarn hyd y diwedd.
Caniatâ iddynt ac i ninnau dy fendith dragwyddol.

Cofiwn y sawl a elwaist o'r dechreuad –
fel Abraham, Isaac a Jacob,
yn esiamplau o ffydd a fu'n ysbrydoliaeth
i genedlaethau.
Caniatâ iddynt ac i ninnau dy fendith dragwyddol.

Cofiwn y sawl a elwaist i arwain dy bobl
drwy gyfnodau anodd –
Moses, Josua, Gideon,
esiamplau o ymroddiad a phenderfyniad
yn wyneb y lli.
Caniatâ iddynt ac i ninnau dy fendith dragwyddol.

Cofiwn y sawl a elwaist i lefaru dy air –
fel Samuel, Eleias ac Eliseus,
esiamplau o ddoethineb a gweledigaeth o'r ewyllys.
Caniatâ iddynt ac i ninnau dy fendith dragwyddol.

Cofiwn y sawl a elwaist i reoli dy genedl etholedig –
fel Saul, Dafydd a Solomon,
esiamplau o fawredd dynol a gwendid dynol.
Caniatâ iddynt ac i ninnau dy fendith dragwyddol.

Cofiwn y rhai a elwaist
i gyhoeddi barn ac adfywiad –
fel Eseia, Eseciel a Jeremeia,
esiamplau o fod yn agored i'r Gair
a'r hyder i'w gyhoeddi.
Caniatâ iddynt ac i ninnau dy fendith dragwyddol.

Cofiwn amdanynt a chymaint mwy
a fu'n arwain y ffordd at ddyfodiad Crist,
a chofiwn hefyd dy weision
a oedd yn rhan o'i weinidogaeth,
neu yn rhan o'r eglwys.
Caniatâ iddynt ac i ninnau dy fendith dragwyddol.

Cofiwn am Ioan Fedyddiwr, y llais yn yr anialwch,
Mair, mam yr Iesu,
y deuddeg apostol a'i gyfeillion agos,
y gwragedd ger y bedd gwag, yn chwilio am ei gorff,
a'r holl unigolion
y bu i'r Iesu eu cyffwrdd yn ystod ei weinidogaeth ar y ddaear.
Caniatâ iddynt ac i ninnau dy fendith dragwyddol.

Cofiwn am Pedr, Craig yr Eglwys,
Paul, apostol y cenhedloedd,
a'r sawl a gerddodd yn ôl eu traed,
y saint sy'n adnabyddus a'r saint anadnabyddus, yr agos a'r pell,
eto pob un â rhan yng nghymdeithas fawr dy bobl
yn y nef ac ar y ddaear.
Caniatâ iddynt ac i ninnau dy fendith dragwyddol.

Cofiwn am y sawl y gwyddom amdanynt
a fu'n rhan o'n heglwys ni,
ac a fu'n ddylanwadau yn ein bywydau,
ac a fu'n ysbrydiaeth ac yn anogaeth i ni yn ein bywydau.
Caniatâ iddynt ac i ninnau dy fendith dragwyddol.

Cofiwn am y sawl sydd o'n cwmpas,
eglwysi ein cymdogaeth,
Cristnogion ar draws y wlad,
cyd-gredinwyr ar draws y byd.
Caniatâ iddynt ac i ninnau dy fendith dragwyddol.

Ac yn olaf gweddïwn drosom ein hunain,
a phawb a fydd yn dod i gredu,
gan gynnig eu gwasanaeth,
a byw i Grist.
Caniatâ iddynt ac i ninnau dy fendith dragwyddol.

Dduw cariadlon,
cofiwn heddiw am y sawl a aeth o'n blaen
ar bererindod ffydd.
Helpa ni a phawb a fydd yn dilyn i redeg yr yrfa fel y gwnaethant
hwy,
a dal gafael yn gadarn hyd y diwedd.
Dyro iddynt ac i ninnau dy fendith dragwyddol,
drwy Iesu Grist ein Harglwydd.
Amen.

RHAN DAU

Bywyd a Ffydd

YR HEN FLWYDDYN A'R UN NEWYDD

91. MOLIANT GWYLNOS

Dduw pob mawredd,
deuwn ynghyd ar derfyn blwyddyn arall,
gyda llawenydd a diolchgarwch yn ein calonnau.
Deuwn gan godi ein lleisiau,
i ganu dy foliant,
ac i ddatgan ein ffyddlondeb.
Arglwydd y gorffennol, y presennol a'r dyfodol,
derbyn nawr ein moliant.

Ymgasglwn gyda'th bobl ar draws y byd,
i ddwyn i ti ein diolchgarwch,
ac i gynnig ein gwasanaeth,
ac i geisio dy arweiniad.
Arglwydd y gorffennol, y presennol a'r dyfodol,
derbyn nawr ein moliant.

Am y cariad a dderbyniasom,
a'r gofal a ddangosaist i ni,
ac am yr help a roddaist bob amser,
Arglwydd y gorffennol, y presennol a'r dyfodol,
derbyn nawr ein moliant.

Am y trugaredd a ddangosaist,
a'r maddeuant a gynigiaist,
ac am yr adnewyddiad a roddaist,
Arglwydd y gorffennol, y presennol a'r dyfodol,
derbyn nawr ein moliant.

Am bopeth yr wyt,
am bopeth y buost,
am bopeth y byddi di,
Arglwydd y gorffennol, y presennol a'r dyfodol,
derbyn nawr ein moliant.

Tyrd i'n cyfarfod nawr yn yr amser hwn o addoli,
fel wrth fod yma heno
y gallwn agosáu atat ti ac at ein gilydd,
a'n harfogi i weithio dros dy deyrnas
yn y blynyddoedd sydd i ddod.
Arglwydd y gorffennol, y presennol a'r dyfodol,
derbyn nawr ein moliant,
drwy Iesu Grist ein Harglwydd.
Amen.

92. DIOLCHGARWCH GWYLNOS

Bywiol Dduw,
unwaith yn rhagor y safwn ar drothwy blwyddyn arall –
ac ar ddiwedd hen bennod
a dechrau un newydd.
Deuwn gan gofio'r oll a wnaethost,
ac i edrych ymlaen at yr hyn y byddi eto'n ei gyflawni.
Arglwydd, buost wrth ein hymyl drwy'r amser,
tyrd gyda ni nawr.

Diolchwn am bopeth a gawsom
yn ystod y flwyddyn sy'n mynd heibio –
yr hwyl a fwynhawyd,
y cyfeillgarwch a rannwyd,
y gwersi a ddysgwyd,
yr anawsterau a oresgynnwyd,
y breuddwydion a wireddwyd.
Arglwydd, buost wrth ein hymyl drwy'r amser,
tyrd gyda ni nawr.

Gofynnwn am dy help ym mhopeth sydd yn y dyfodol –
pob her a wynebwn,
pob cyfle y cawn gip ohono,
pob menter a fydd yn cael ei chychwyn,
pob llwyddiant a wireddir,
a phob siom bydd yn rhaid ei dioddef.
Arglwydd, buost wrth ein hymyl drwy'r amser,
tyrd gyda ni nawr.

Bywiol Dduw,
arwain ni yn y dyddiau sydd o'n blaen,
fel yn y da a'r drwg,
llwyddiant ac aflwyddiant,
llawenydd neu dristwch,
y cawn gerdded gyda thi a gweithio er mwyn dy deyrnas,
hyd y daw'r dydd y bydd Iesu'n dod,
ac y byddwn oll yn un gyda thi a'th holl bobl
yn nhragwyddoldeb.
Arglwydd, buost wrth ein hymyl drwy'r amser,
tyrd gyda ni nawr,
yn enw'r Crist.
Amen.

93. DIOLCHGARWCH Y FLWYDDYN NEWYDD

Y diddiwedd Dduw,
daethom ynghyd ar ddechrau blwyddyn newydd
i'th addoli.
Am bopeth rwyt yn ei olygu i ni,
derbyn ein moliant.

Deuwn gan ddwyn i gof bopeth a wnaethost drosom
dros y deuddeg mis a aeth heibio –
y modd yr arweiniaist ni, a'n dysgu,
yr adegau y rhoddaist i ni nerth a chefnogaeth,
yr amserau yr amgylchynaist ni
gyda'th gariad a'th gydymdeimlad.
Am bopeth a roddaist i ni,
derbyn ein moliant.

Cyffwrdd â'n calonnau nawr wrth i ni ymuno i addoli,
gan neilltuo amser i gysegru ein hunain
i'n gilydd,
i ti,
ac i'th deyrnas.
Am bopeth rwyt yn ei ofyn gennym,
derbyn ein moliant.

Cryfha ni,
ysbrydola ni,
arfoga ni,
arwain ni yn dy wasanaeth,
yn enw'r Crist.
Am bopeth rwyt yn ei wneud drwyddo,
derbyn ein moliant.
Amen.

94. MOLIANT A DEISYFIAD Y FLWYDDYN NEWYDD

Bywiol Dduw,
ar y Sul cyntaf hwn o flwyddyn arall, deuwn i'th glodfori,
yn ymwybodol dy fod wedi ein gwarchod
dros y misoedd a aeth heibio.
Bendithiaist ni yn helaeth yn y gorffennol,
addysga ni i ymddiried ynot i'r dyfodol.

Molwn di am y modd difrif
rydym wedi profi dy gariad –
y ffydd a feithrinwyd ynom,
y nerth a roddaist,
yr arweiniad a gynigiaist.
Bendithiaist ni yn helaeth yn y gorffennol,
addysga ni i ymddiried ynot i'r dyfodol.

Molwn di am yr hwyl rydym wedi ei fwynhau,
y gymdeithas a ranasom,
yr anogaeth a roddwyd ac a dderbyniwyd gennym.
Bendithiaist ni yn helaeth yn y gorffennol,
addysga ni i ymddiried ynot i'r dyfodol.

Diolchwn i ti am fentrau a gychwynnwyd,
y llwyddiannau a gafwyd,
a'r breuddwydion sy'n dal gennym.
Bendithiaist ni yn helaeth yn y gorffennol,
addysga ni i ymddiried ynot i'r dyfodol.

Bywiol Dduw,
buost yn gyson wrth ein hymyl,
a'th gariad yn ein hamgylchynu,
a'th law yn ein cynnal,
beth bynnag oedd yn ein hwynebu.
Bendithiaist ni yn helaeth yn y gorffennol,
addysga ni i ymddiried ynot i'r dyfodol.

Dyro i ni'r fendith i'r dyfodol.
Helpa ni i wneud y gorau o'r cyfleoedd sydd o'n blaen,
a byw bob dydd yn llawn,
ac aros yn ffyddlon i ti drwy'r da a'r drwg,
yn gwasanaethu Crist ym mhopeth a ddywedwn ac a wnawn.
Bendithiaist ni yn helaeth yn y gorffennol,
addysga ni i ymddiried ynot i'r dyfodol,
wrth i ni ofyn hyn yn ei enw.
Amen.

GWASANAETH AILGYSEGRU

95. MOLIANT AILGYSEGRU

Dduw cariadlon,
daethom ynghyd heddiw i bwrpas arbennig –
i ymgysegru ein hunain i ti,
ac ymroi ein hunain o'r newydd i'th wasanaeth,
a datgan ein ffydd eto,
a chynnig ein hunain fel disgyblion i ti.
Cymer ni, Arglwydd, a defnyddia ni.

Deuwn yn ymwybodol o bopeth a wnaethost drosom –
dy ffyddlondeb eithriadol,
dy ddaioni cyson,
dy drugaredd di-feth,
dy ddaioni digymar.
Cymer ni, Arglwydd, a defnyddia ni.

Deuwn i'th foli am dy ras rhyfeddol.
Er ein bod wedi dy anghofio di,
nid wyt wedi ein hanghofio ni.
Er i ni dy siomi,
buost yn aros yn driw i ni.
Er i ni grwydro o'th ymyl,
gwnaethost ein bugeilio'n dyner yn ôl atat.
Er i ni anufuddhau i'th ewyllys,
erys dy gariad tuag atom.
Cymer ni, Arglwydd, a defnyddia ni.

Deuwn i ddiolch am y sicrwydd a roddaist –
na fydd modd trechu dy bwrpas,
na fydd dy gydymdeimlad yn gorffen,
na fyddi'n atal dy drugaredd.
Cymer ni, Arglwydd, a defnyddia ni.

Dduw cariadlon,
derbyn ein haddoliad,
a helpa ni i ddangos yr un ymroddiad i ti
ag yr wyt wedi ei ddangos i ni.
Cymer ni, Arglwydd, a defnyddia ni,
yn enw'r Crist.
Amen.

96. DEISYFIAD YR AILGYSEGRU

Dduw anfeidrol a chariadlon,
yn dy fawredd a'th ryfeddod, dy wirionedd a'th ffyddlondeb,
deuwn ger dy fron â diolchgarwch,
i ganu dy foliant,
ac i ddathlu dy gariad a'th drugaredd di-feth.
Bendithiaist ni yn helaeth,
ac ymatebwn yn llawen.

Deuwn felly â'n haddoliad,
fel arwydd o'n diolchgarwch ac yn fynegiant o'n ffydd;
fel modd o gydnabod dy ddaioni a'th arweiniad,
a'r bendithion lu a rennaist gyda ni
ar hyd ein blynyddoedd.
Bendithiaist ni yn helaeth,
ac ymatebwn yn llawen.

Llefara wrthym drwy'r gwasanaeth hwn
ac er bod y geiriau'n gyfarwydd
boed iddynt gyffroi a herio'n calonnau.
Bendithiaist ni yn helaeth,
ac ymatebwn yn llawen.

Helpa ni i ystyried yn ofalus yr addewidion a wnawn heddiw,
fel y byddwn o ddifrif calon yn eu gwneud,
ac y byddwn yn eu defnyddio gydag anrhydedd
yn y dyddiau sydd o'n blaen.
Bendithiaist ni yn helaeth,
ac ymatebwn yn llawen.

Bydd yn ein canol yn ystod yr amser hwn o addoliad,
fel y gallom synhwyro o'r newydd dy bwrpas o'r newydd,
gan y byddai gweledigaeth newydd yn ein harwain atat ti.
Bendithiaist ni yn helaeth,
ac ymatebwn yn llawen,
drwy Iesu Grist ein Harglwydd.
Amen.

WYTHNOS GWEDDI
DROS UNDEB CRISTNOGOL

97. TEULU DUW
(wedi ei seilio ar 1 Pedr 2:9–10)

Dduw cariadlon,
diolchwn i ti dy fod wedi ein galw ynghyd i'r lle hwn
fel rhan o deulu mawr dy bobl.

Molwn di am y cwlwm cyffredin
a roddaist i ni yng Nghrist –
y ffaith ein bod wedi ymgasglu fel cyfeillion,
mewn cymdeithas gyda thi a gyda'n gilydd,
ac fel rhan o gwmni enfawr dy bobl
ym mhob amser a lleoliad.
Mewn un ffydd y daethom ynghyd,
pletha ni'n deulu yn dy gariad.

Molwn di mai drwy Iesu Grist
y daethom yn hil etholedig,
yn offeiriadaeth frenhinol,
yn genedl sanctaidd,
dy bobl di,
wedi ein galw i gyhoeddi dy fawrion weithredoedd
a'n galw allan o dywyllwch i oleuni.
Gynt nid oeddem yn bobl,
ond fe'n gelwaist i fod yn bobl Duw,
wedi ein dewis ac yn werthfawr i ti.
Gynt, ni wnaethom dderbyn trugaredd
ond nawr rydym wedi derbyn dy drugaredd a'i holl ryfeddod.
Mewn un ffydd y daethom ynghyd,
pletha ni'n deulu yn dy gariad.

Dduw cariadlon,
molwn di am anferthedd dy gariad,
cymaint fel pan oeddem yn bechaduriaid
rhoddaist dy fab er ein mwyn.
Molwn di am dy amynedd diderfyn,
o hyd yn maddau er ein methiant i'th wasanaethu fel y dylem.
Molwn di am dy ofal cyson drosom,
yn ein gwylio fel y gwylia'r tad dros ei blant.
Mewn un ffydd y daethom ynghyd,
pletha ni'n deulu yn dy gariad.

Helpa ni i'th alw yn 'Ein Tad' nid mewn enw yn unig
ond mewn gwirionedd –
i fod yn ufudd i ti,
yn ceisio dy arweiniad,
yn derbyn dy ddisgyblaeth,
ac yn ymddiried yn dy farn.
Helpa ni i ddysgu beth yw ystyr bod yn bobl i ti,
ac i werthfawrogi hyd a lled
dy gariad.
Addysga ni i ddangos yr un cariad a gofal
yn ein hymwneud â'n gilydd.
Mewn un ffydd y daethom ynghyd,
pletha ni'n deulu yn dy gariad.

Dduw cariadlon,
ymgasglwn eto fel dy bobl.
Boed i ni gael ein calonogi drwy fod gyda thi
ac yng nghwmni'n gilydd.
Felly boed i ni fel dy deulu yn yr eglwys hon,
a phawb sydd wedi ymgynnull yma,
yn y dref hon ac ym mhob man,
dyfu a ffynnu i ogoniant dy enw.
Mewn un ffydd y daethom ynghyd,
pletha ni'n deulu yn dy gariad,
drwy Iesu Grist ein Harglwydd.
Amen.

98. EIN METHIANT I FYW FEL TEULU O BOBL DUW

Hollalluog Dduw,
deuwn ynghyd heddiw yn cael ein hatgoffa
o'th alwad i fod yn un bobl,
yn gorff Crist,
wedi ein huno mewn ffydd,
yn gweithio gyda'n gilydd dros dy deyrnas.
Galwasom ein hunain yn aelodau o'th deulu,
ond yn or-aml rydym wedi bod yn deulu rhanedig.

Maddau'r ymrannu sy'n ymddangos yn ein plith,
ein diffyg consýrn dros les ein gilydd,
ein dallineb i anghenion eraill,
ein harafwch i roi ystyr i'n perthynas
oddi fewn i bartneriaeth eciwmenaidd.
Galwasom ein hunain yn aelodau o'th deulu,
ond yn or-aml rydym wedi bod yn deulu rhanedig.

Hollalluog Dduw,
maddau i ni ein methiant i edrych y tu hwnt i ni'n hunain
tuag at y teulu estynedig rydym yn perthyn iddo.
Rydym wedi methu ymarfer consýrn
dros ein brodyr a'n chwiorydd yng Nghrist,
yn bell ac agos.
Ni wnaethom gydgyfarfod er mwyn annog ein gilydd.
Buom yn gul yn ein hagwedd,
yn gwrthod lledu'n gorwelion,
gan wneud ein hunain ac eraill yn dlotach o'r herwydd.
Galwasom ein hunain yn aelodau o'th deulu,
ond yn or-aml rydym wedi bod yn deulu rhanedig.

Hollalluog Dduw,
helpa ni i gydnabod ein hundeb yng Nghrist
gyda'th bobl ym mhobman,
ac i ddeall, beth bynnag sy'n ein gwahaniaethu,
beth bynnag y byddwn yn anghytuno yn ei gylch,
na ddylai chwalu'r gymdeithas a rannwn gyda'n gilydd.
Galwasom ein hunain yn aelodau o'th deulu,
ond yn or-aml rydym wedi bod yn deulu rhanedig.

Dyro i ni gonsýrn dros bawb arall,
ac ymwybod gwirioneddol o'r gymdeithas letach
rydym yn perthyn iddi,
ac agwedd agored at ein gilydd,
a chariad dwfn a didwyll tuag at dy bobl ym mhobman,
fel y gallom weld y cwlwm yng Nghrist sy'n ein gwneud yn un.
Galwasom ein hunain yn aelodau o'th deulu,
helpa ni i fod yn deulu cytûn,
yn enw'r Crist.
Amen.

99. EGLWYSI RHANEDIG

Dduw cariadlon,
gweddïwn dros yr eglwysi –
llawer gormod ohonynt –
sydd wedi profi rhaniadau ymysg ei gilydd,
wedi rhwygo dros faterion o athrawiaeth, addoliad ac awdurdod.
Am bopeth sy'n rhwystro ein hundeb yng Nghrist,
maddau i ni, O Arglwydd.

Gweddïwn dros y sawl sydd â'u ffydd
wedi ei thanseilio gan y fath anghydfod,
sy'n teimlo eu bod wedi eu brifo a'u siomi
oherwydd yr hyn sydd wedi digwydd,
a gweddïwn dros y sawl sy'n ceisio adfer y sefyllfa.
Am bopeth sy'n rhwystro ein hundeb yng Nghrist,
maddau i ni, O Arglwydd.

Dduw cariadlon,
una dy Eglwys ym mhob man,
gan ddwyn ynghyd y sawl sydd o wahanol enwadau,
anianau, agweddau a thraddodiadau.
Boed yna barch rhyngddynt,
ac ewyllys i gydweithio,
ac ymwybod o undeb sy'n llefaru tu hwnt i'r gwahaniaethau.
Am bopeth sy'n rhwystro ein hundeb yng Nghrist,
maddau i ni, O Arglwydd,
yn ei enw.
Amen.

SUL I GOFIO'R GWAHANGLEIFION

100. DIOLCHGARWCH SUL Y GWAHANGLEIFION

Dduw cariadlon,
cofiwn y dydd hwn mor ffodus rydym –
i fwynhau iechyd da,
i gael gofal gan wasanaeth iechyd cenedlaethol,
i dderbyn gofal meddygol pryd bynnag bydd ei angen,
i fod yn rhan o wladwriaeth lle mae afiechydon cyffredin
yn rhan o'r gorffennol,
i gael digon a mwy na digon i gwrdd â'n gofynion.
Arglwydd pawb, fel y derbyniasom,
addysga ni i roi.

Ond mae heddiw hefyd yn ddiwrnod
sy'n ein hatgoffa o'r rhai llai ffodus –
y sawl sy'n dioddef ac a gystuddiwyd gan y gwahanglwyf,
y sawl sydd ond yn medru breuddwydio am ein bendithion ni,
y sawl sydd heb y lefelau gofal rydym yn eu disgwyl yn ein gwlad,
y sawl sy'n gorfod ymgodymu â heintiau drwy'r amser,
y sawl sydd heb yr adnoddau i helpu eu hunain.
Arglwydd pawb, fel y derbyniasom,
addysga ni i roi.

Dduw cariadlon,
helpa ni i fod yn wir ddiolchgar am bopeth a dderbyniwn,
a hefyd i fod yn ddiolchgar am y sawl sydd, fel Cenhadaeth y
Gwahangleifion,
yn arfer cydymdeimlad,
ac yn meddu'r ewyllys,
y ffydd a'r ymroddiad
i wneud rhywbeth dros yr anghenus yn ein byd.
Arglwydd pawb, fel y derbyniasom,
addysga ni i roi.

Helpa ni i adnabod y gwahaniaeth mae cyrff tebyg
yn ei wneud i fywydau cymaint o bobl,
a'r gwahaniaeth pellach y gallant ei wneud
pe bai ganddynt y modd.
Er mwyn i ni ddangos ein gwerthfawrogiad,
nid mewn geiriau yn unig,
na hyd yn oed mewn gweddïau,
ond drwy ein gweithredoedd,
yn rhoi ohonom ein hunain er lles eraill.
Arglwydd pawb, fel y derbyniasom,
addysga ni i roi.

Dduw cariadlon,
ymestynna allan i'r sawl sy'n galw arnat,
gan ddwyn o'th sancteiddrwydd,
dy iachâd,
dy obaith,
a'th fywyd newydd.
Arglwydd pawb, fel y derbyniasom,
addysga ni i roi,
yn enw'r Crist.
Amen.

101. EIRIOLAETH SUL Y GWAHANGLEIFION

Dduw cariadlon,
cyflwynwn o'th flaen heddiw
y claf a'r dioddefus yn ein byd,
a gweddïwn yn arbennig dros
y sawl sy'n dioddef o glefyd y gwahanglwyf,
a'r holl effeithiau erchyll,
ac eto sydd â'r modd i'w hosgoi neu eu gwella.
Arglwydd, yn dy drugaredd,
gwrando'n gweddi.

Maddau i ni fod cymaint o bobl yn parhau i ddioddef
y boen,
yr anffurfio,
a'r stigma sy'n gysylltiedig gyda'r gwahanglwyf,
ac mewn termau real, y byddai'n costio cyn lleied
i wared yr afiechyd am byth.
Arglwydd, yn dy drugaredd,
gwrando'n gweddi.

Hyrwydda waith y sawl sydd, fel Cenhadaeth y Gwahanglwyf,
yn ymdrechu i ddwyn cymorth ac iachâd.
Dyro iddynt y geiriau i gyflwyno eu neges,
a'r adnoddau i drin y dioddefwyr ble bynnag y maent,
a chefnogi eu hymdrech,
gan wneud y gwahanglwyf yn rhywbeth a berthyn i'r gorffennol.
Arglwydd, yn dy drugaredd,
gwrando'n gweddi.

Dduw cariadlon,
gweddïwn hefyd heddiw am bawb sydd
drwy'r clwyf neu ofn pobl o gael eu heintio
yn gweld eu hunain yn cael eu hesgymuno gan gymdeithas,
a meddyliwn yn arbennig dros y sawl sy'n dioddef AIDS,
sydd mor wahanol ei natur,
ac yn anoddach ei wella,
ond eto i lawer sy'n dwyn yr un stigma,
ac yn creu'r un ymdeimlad o ing ac anobaith.
Arglwydd, yn dy drugaredd,
gwrando'n gweddi.

Dyro obaith a dewrder i bawb sy'n dioddef,
a rho ddoethineb ac ysbrydoliaeth
i'r sawl sy'n gweithio i ddarganfod triniaeth i ddwyn iachâd.
Arglwydd, yn dy drugaredd,
gwrando'n gweddi.

Gweddïwn dros y sawl sy'n ofni eu bod mewn perygl,
y sawl sy'n bryderus eu bod yn cario firws heb wybod,
y sawl sy'n gwybod eu bod wedi cael eu heintio,
y sawl sy'n wynebu'r salwch terfynol,
neu'r sawl sydd wedi colli pob gobaith.
Arglwydd, yn dy drugaredd,
gwrando'n gweddi.

Dduw cariadlon,
cefnoga ac atgyfnertha
bawb sy'n rhannu yn y gwaith o iachâu,
pawb sy'n gweithio er mwyn dwyn esmwythâd,
a phawb sy'n ceisio ffyrdd
o ddangos dy gariad a'th gydymdeimlad di.
Arglwydd, yn dy drugaredd,
gwrando'n gweddi.

Dyro i bob un dy ddoethineb a'th arweiniad,
a gweithia drwyddynt,
fel bo'r sawl sy'n dioddef yn darganfod nerth i wynebu bywyd neu
farwolaeth
gydag urddas, gobaith a heddwch.
Arglwydd, yn dy drugaredd,
gwrando'n gweddi,
yn enw'r Crist.
Amen.

SUL ADDYSG

102. NESÁU AT SUL ADDYSG

Dduw cariadlon,
deuwn ynghyd ar y dydd newydd hwn,
dydd cyntaf yr wythnos,
yn enw'r Crist sy'n gwneud pob peth yn newydd.
Dduw'r gwirionedd,
adnewydda'n ffydd.

Deuwn yn ddiolchgar am y cyfleoedd newydd a ddaw heddiw,
y profiadau newydd o'th gariad y gallwn eu rhannu,
y bywyd newydd a roddaist i ni yn Iesu,
y golau newydd a rydd ef i'th hen addewidion.
Dduw'r gwirionedd,
adnewydda'n ffydd.

Ac yn arbennig heddiw, ar Sul Addysg,
deuwn yn cael ein hatgoffa o'r ffordd
daeth Iesu â dealltwriaeth newydd o'r hen ddysgeidiaeth,
y ffordd a welodd tu hwnt i'r llythyren hyd at yr ysbryd,
y ffordd syml a chofiadwy y dysgodd y tyrfaoedd.
Dduw'r gwirionedd,
adnewydda'n ffydd.

Siarada wrthym drwy ein hemynau a'n caneuon,
ein haddoliad a'n cymdeithas,
ein gwrando o'th air,
a thrwy'r cyfan y cawn ein harwain
gan dy ysbryd at bob gwirionedd.
Dduw'r gwirionedd,
adnewydda'n ffydd.

Agor ein calonnau a'n bywydau at bopeth rwyt am i ni ei ddysgu,
a'n helpu i wrando
ac i ddeall,
gan dathlu yn dy gariad.
Dduw'r gwirionedd,
adnewydda'n ffydd,
drwy Iesu Grist ein Harglwydd.
Amen.

103. EIRIOLAETH SUL ADDYSG

Dduw Dad,
ar y Sul Addysg hwn,
gweddïwn dros bawb sy'n cynnig hyfforddiant.
Gweddïwn yn arbennig dros athrawon ein hysgolion,
a wynebodd gymaint o newidiadau yn y blynyddoedd diweddar,
gyda chymaint o alwadau ychwanegol,
sy'n newydd ac yn ddieithr iddynt,
cymaint o gyfrifoldebau ychwanegol,
ac yn or-aml heb ddigon o adnoddau a chefnogaeth.
Arfoga hwy gyda'r doethineb a'r brwdfrydedd sydd eu hangen arnynt
er mwyn hyfforddi eraill ar gyfer bywyd.
Dduw'r gwirionedd,
adnewydda'n ffydd.

Gweddïwn dros y sawl sy'n isel eu hysbryd
ac yn amau eu gallu i addasu,
sy'n gweld y pwysau yn anodd i'w wynebu,
ac yn credu nad ydynt yn cael eu gwerthfawrogi
a'u bod yn gweithio'n rhy galed.
Dduw'r gwirionedd,
adnewydda'n ffydd.

Gweddïwn y bydd pwysigrwydd addysg yn ein cymdeithas
yn cael ei werthfawrogi'n llawn,
ac y bydd cyfraniad y sawl sy'n addysgu,
gan bobl broffesiynol neu weithwyr gwirfoddol,
yn cael ei gydnabod a'i werthfawrogi.
Dduw'r gwirionedd,
adnewydda'n ffydd.

SUL ADDYSG

A dyro i athrawon ym mhobman
y doethineb sydd ei angen arnynt,
yr ymroddiad, yr ymrwymiad, y sgiliau a'r sensitifrwydd
sydd eu hangen arnynt,
i hyrwyddo'r sawl sydd yn eu gofal,
a datblygu eu doniau,
a'u paratoi ar gyfer y dyfodol.
Arfoga hwy gyda'r doethineb a'r brwdfrydedd
sydd eu hangen arnynt
i arfogi eraill ar gyfer bywyd.
Dduw'r gwirionedd,
adnewydda'n ffydd,
yn enw'r Crist.
Amen.

SUL Y MAMAU

104. MOLIANT SUL Y MAMAU

Dduw grasol,
fel y mae mam yn caru ei phlentyn, rwyt ti yn ein caru ni.
Am y gwirionedd mawr hwn,
molwn a diolchwn i ti.

Rydym yn ddyledus i ti am ein bywydau.
Gofalaist amdanom ers ein geni,
yn ein meithrin yn dyner,
a'n cofleidio gyda'th gariad.
Pan oeddem dy angen, roeddet yno.
Am y gwirionedd mawr hwn,
molwn a diolchwn i ti.

Dduw grasol,
nid ydym wedi gwerthfawrogi dy gariad bob tro,
ac yn or-aml yn esgeuluso dy neges i ni,
yn anufudd i'th orchmynion,
ac yn dy gymryd yn rhy ganiataol ac yn crwydro oddi wrthyt.
Eto, buost yn ffyddlon yn dy gariad tuag atom,
yn aberthu popeth er ein mwyn,
yn ein caru gyda chariad diddiwedd,
ac wedi ein galw yn blant i ti.
Am y gwirionedd mawr hwn,
molwn a diolchwn i ti,
yn enw'r Crist.
Amen.

105. DIOLCHGARWCH SUL Y MAMAU

Dduw grasol,
diolchwn i ti am ein mamau ar y Sul arbennig hwn,
ein mamau ein hunain a mamau ym mhobman.
Arglwydd cariad,
gwrando'n gweddi.

Diolchwn am bopeth a wnânt, neu a wnaethant rywbryd,
am bopeth a roddant, neu a roddasant rywbryd,
am bob peth maent yn ei olygu, ac y byddant yn ei olygu.
Arglwydd cariad,
gwrando'n gweddi.

Diolchwn i ti dy fod wedi ein caru
megis mae mam yn caru ei phlentyn –
gydag angerdd a defosiwn heb ddal dim yn ôl,
ac fel pob mam, gofalaist drosom
bob eiliad o bob dydd,
yn hyrwyddo ein buddiannau,
yn gofalu am ein datblygiad,
yn ein harfogi ar gyfer taith bywyd.
Arglwydd cariad,
gwrando'n gweddi.

Rwyt o hyd yno ar ein cyfer,
yn barod i gysuro, i gymell ac i gadarnhau,
yn araf i gosbi ac yn sydyn i fendithio.
Arglwydd cariad,
gwrando'n gweddi.

Grasol Dduw,
galwn di yn 'Ein Tad',
ond hefyd ti yw ein Mam.
Helpa ni i ddysgu beth mae hyn yn ei olygu,
ac i ddathlu'r gwirionedd hwnnw.
Arglwydd cariad,
gwrando'n gweddi,
yn enw'r Crist.
Amen.

106. SUL Y MAMAU – DIOLCHGARWCH AC EIRIOLAETH

Dduw cariadlon,
diolchwn am heddiw,
dydd i gofio,
i lawenhau,
i ymateb.
Arglwydd popeth,
gwrando'n gweddi.

Diolchwn am ein cartrefi a phopeth a gysylltwn gyda hwy –
llawenydd y bywyd teuluol,
y ddyled sydd gennym i'n rhieni,
ac yn arbennig heddiw am gariad ein mamau ar draws y blynyddoedd.
Arglwydd popeth,
gwrando'n gweddi.

Diolchwn am y teulu lletach rydym yn rhan ohono –
teulu'r ddynoliaeth,
teulu'r gynulleidfa hon,
a theulu'r Eglwys fyd-eang.
Arglwydd popeth,
gwrando'n gweddi.

Diolchwn am y cariad a ddangosaist tuag atom,
yr un math o gariad ag a deimla'r fam tuag at ei phlentyn,
yr un amynedd a dealltwriaeth,
yr un consýrn ac awydd i warchod.
Arglwydd popeth,
gwrando'n gweddi.

Dduw cariadlon,
dyro dy fendith ar bob mam a'r holl deuluoedd heddiw –
ar deulu'r ddynoliaeth ar draws y byd,
ar deulu'r eglwys, yma ac ym mhob man.
Arglwydd popeth,
gwrando'n gweddi.

A dyro dy ofal a'th gefnogaeth arbennig
ar bawb na chafodd gariad mam,
ac ar bawb na brofodd hyd yma
dy gariad di iddynt hwy.
Arglwydd popeth,
gwrando'n gweddi,
yn enw Crist.
Amen.

107. SUL Y MAMAU GWEDDI EIRIOLAETH

Dduw grasol,
gwyddost beth yw caru dy blant
a gwylio'n dyner ac yn bryderus drostynt –
yn falch ac yn gyson.
Gwyddost beth mae hyn yn ei olygu,
am i ti ein galw i fod yn blant i ti,
ac i ti ofalu drosom,
mor ddwfn â mam dros ei phlentyn.

Felly gweddïwn nawr dros
bawb a brofodd gyfrifoldeb bod yn famau –
a phawb sy'n gofalu am eu plant yn yr un modd,
gyda'r un teimladau a dwyster.
Dyro i bob un ddoethineb, arweiniad a nerth.
Arglwydd cariad,
clyw ein gweddi.

Gweddïwn yn arbennig dros famau sengl –
y rhai sy'n wynebu her
o fagu plentyn neu blant ar eu pennau eu hunain,
heb unrhyw un i rannu galwadau na phleser bod yn rhiant.
Dyro i bob un amynedd, defosiwn ac ymroddiad.
Arglwydd cariad,
clyw ein gweddi.

Gweddïwn dros y sawl sydd wedi colli eu mamau
neu heb eu hadnabod,
y sawl sy'n amddifad neu wedi eu rhoi i'w mabwysiadu,
y sawl sydd â'u mamau wedi marw
a'r sawl sydd heddiw yn profi poen yn hytrach na phleser.
Dyro iddynt dy gysur, dy gefnogaeth,
a'r sicrwydd mae dy gariad o hyd yn ei roi iddynt.
Arglwydd cariad,
clyw ein gweddi.

Gweddïwn yn olaf dros y sawl sydd wedi cael eu gwahanu
oddi wrth eu plant –
y sawl sydd â'u plant wedi symud ymhell o'u cartref,
y sawl sydd wedi dioddef camesgoriad plentyn
neu wedi profi erthyliad,
neu'r sawl sydd wedi dioddef marwolaeth plentyn.
Dyro iddynt dy gymorth, dy gysur, a gobaith am y dyfodol.
Arglwydd cariad,
clyw ein gweddi.

Dduw grasol,
rwyt yn deall beth mae mamau yn ei wynebu,
beth a roddant,
beth a deimlant.
Derbyn ein diolch amdanynt heddiw,
a dyro iddynt dy fendith arbennig.
Arglwydd cariad,
clyw ein gweddi,
yn enw'r Crist.
Amen.

WYTHNOS CYMORTH CRISTNOGOL

108. DIOLCHGARWCH AC EIRIOLAETH

Grymus a holl gariadus Dduw,
daethom atat ar draws y blynyddoedd,
yn gofyn, yng ngeiriau Iesu, am ein bara beunyddiol.
Diolchwn am y ffordd ryfeddol
rwyt wedi ateb y weddi hon,
gan ddarparu mwy na'n gofyn.
Rhoddaist i ni fara a bwyd yn helaeth,
cymaint fel nad oes gennym y syniad lleiaf
beth yw llwgu.

Ond meddyliwn nawr am lawer o bobl yn ein byd
sy'n llai ffodus na ni –
sy'n wynebu newyn,
y digartref,
y sawl sy'n dioddef afiechyd a heintiau,
y sawl sy'n ddioddefwyr rhyfel a hil-laddiad,
y sawl sydd heb adnoddau addas i ddarparu drostynt eu hunain
na modd i wella eu hamgylchiadau,
y gwan, y claf, a'r gorthrymedig.
Arglwydd, yn dy drugaredd,
clyw ein gweddi.

Ymestyn tuag atynt yn eu hangen,
a dyro iddynt hyder a nerth,
sicrwydd bod rhywun yn meddwl amdanynt,
a rheswm i edrych ymlaen.
Arglwydd, yn dy drugaredd,
clyw ein gweddi.

Grymus a holl gariadus Dduw,
dyro dy fendith ar bawb, fel Cymorth Cristnogol,
sy'n brwydro i helpu'r anghenus,
ac yn ymgyrchu dros eu hachos,
sy'n darparu bwyd a dillad,
gofal nyrsio a meddygaeth,
addysg a hyfforddiant,
cnydau a pheirianwaith,
yr ewyllys a'r cyfle i gynorthwyo eu hunain.
Arglwydd, yn dy drugaredd,
clyw ein gweddi.

Dyro i'r sawl sy'n newynog fel y cânt fara'r bywyd,
ac addysga ni i wneud ein rhan i ddwyn hynny i fod,
yn gweithio dros dy deyrnas ar y ddaear
ac nid yn y nefoedd yn unig.
Arglwydd, yn dy drugaredd,
clyw ein gweddi,
yn enw'r Crist.
Amen.

109. CYFFES WYTHNOS CYMORTH CRISTNOGOL

Arglwydd popeth,
diolchwn am y byd rydym yn byw ynddo –
am etifeddiaeth gyfoethog y cenhedloedd,
yr adnoddau helaeth sydd i'r ddaear,
ac amrywiaeth anhygoel y greadigaeth ryfeddol.
Rhoddaist cymaint i ni,
addysga ni i'w ddefnyddio'n ddoeth.

Maddau i ni am gymryd yr hyn sydd mor hardd
a chreu o'i fewn cymaint o hylldra –
newyn,
anghyfiawnder,
ecsbloetio,
tlodi,
digartrefedd,
rhyfel.
Rhoddaist cymaint i ni,
addysga ni i'w ddefnyddio'n ddoeth.

Maddau i ni fod rhai yn bwyta'n fras
tra bod eraill yn llwgu;
bod adnoddau'r byd yn cael eu rhannu mewn ffordd mor anghyfartal.
Rhoddaist cymaint i ni,
addysga ni i'w ddefnyddio'n ddoeth.

Maddau i ni am ein stiwardiaeth wael
o'r oll a roddaist,
wrth ddwyn o drysorau'r ddaear
heb feddwl am y dyfodol.
Rhoddaist cymaint i ni,
addysga ni i'w ddefnyddio'n ddoeth.

Arglwydd popeth,
dyro dy fendith ar y sawl sy'n ceisio adeiladu
byd mwy teg a chyfiawn –
pobl fel Cymorth Cristnogol, sy'n gweithio i leihau
tlodi a newyn,
ac yn ymladd yn erbyn gormes,
ac yn ymdrechu i roi cyfle i bawb.
Rhoddaist cymaint i ni,
addysga ni i'w ddefnyddio'n ddoeth.

Ac yn olaf, dyro ddoethineb i'r sawl sy'n gorfod gwneud y
penderfyniadau
a fydd yn effeithio ar fywydau'r cenhedloedd –
addysga hwy i weithio o blaid cyfiawnder,
i geisio heddwch,
i ymgyrchu dros harmoni,
gan edrych nid at yr ychydig
ond at deulu'r ddynoliaeth gyfan.
Rhoddaist cymaint i ni,
addysga ni i'w ddefnyddio'n ddoeth.
Hyn a weddïwn yn enw Crist.
Amen.

110. EIRIOLAETH WYTHNOS CYMORTH CRISTNOGOL 1 – BYW FEL CYMDOGION

Bywiol Dduw,
rwyt wedi ein dysgu drwy Iesu
mai ein cymdogion yw nid yn unig y sawl sy'n byw drws nesaf,
neu yn byw gerllaw,
ond pawb ym mhobman.
Ac felly gweddïwn eto dros ein byw,
ein cymdogion agos a phell.
Arglwydd nef a daear,
clyw ein gweddi.

Gweddïwn dros y sawl sy'n ddioddefwyr anghyfiawnder –
y sawl sy'n byw mewn tlodi,
neu'n wynebu llwgu,
neu sydd heb do uwch eu pennau.
Arglwydd nef a daear,
clyw ein gweddi.

Gweddïwn dros y sawl sy'n ddioddefwyr trychinebau naturiol –
y sawl a gollodd gartrefi,
teulu,
a'u bywydau wedi'u chwalu drwy orlif dŵr,
daeargryn neu drychineb tebyg.
Arglwydd nef a daear,
clyw ein gweddi.

Gweddïwn dros ddioddefwyr rhyfel –
y sawl sy'n galaru am anwyliaid,
y sawl a gafodd eu niweidio neu eu clwyfo,
a'r sawl a ffôdd fel ffoaduriaid,
gan adael eiddo, bywiolaethau,
a phopeth oedd yn annwyl ganddynt.
Arglwydd nef a daear,
clyw ein gweddi.

Bywiol Dduw
addysga ni i ymateb –
i estyn allan at ein byd gofidus a rhanedig,
ac adnabod gwaedd ein cymydog
yng nghri'r anghenus;
a gweld, beth bynnag sy'n ein gwahaniaethu, bod mwy yn ein huno,
a thu hwnt i'r gwahaniaethau bod yna ddynoliaeth gyffredin.
Arglwydd nef a daear,
clyw ein gweddi.

Helpa ni i sicrhau bod cariad yn trechu casineb,
daioni yn trechu ddrygioni,
cyfiawnder yn trechu anghyfiawnder,
a heddwch yn trechu rhyfel.
Arglwydd nef a daear,
clyw ein gweddi.

Boed i'r amser ddod pan all unigolion a chenhedloedd
fyw ynghyd fel cymdogion –
holl aelodau teulu estynedig y ddynoliaeth,
wrth i ni ofyn hyn yn enw Crist.
Arglwydd nef a daear,
clyw ein gweddi, er mwyn ei enw.
Amen.

111. EIRIOLAETH WYTHNOS CYMORTH CRISTNOGOL 2

Arglwydd y cyfanfyd,
gweddïwn heddiw am bawb yn ein byd
sy'n brin o'r adnoddau i ymdopi gyda'r oll mewn bywyd –
y tlawd, y newynog a'r digartref,
y gorthrymedig, y gwan, y sawl a erlidiwyd.
Arglwydd, yn dy drugaredd,
clyw ein gweddi.

Gweddïwn dros y sawl sydd wedi eu hamddifadu
o hawliau dynol sylfaenol –
addysg sylfaenol,
gwaith,
rhyddid i lefaru a rhyddid cydwybod,
neu gydnabyddiaeth deg am eu llafur.
Clyw ein gweddi.

Gweddiwn dros y sawl sy'n byw mewn tiroedd lle mae rhyfel,
yn ddioddefwyr trais a chreulondeb,
a gweddïwn dros ffoaduriaid,
heb wlad i'w galw'n gartref.
Clyw ein gweddi.

Arglwydd y cyfanfyd,
diolchwn i ti am y sawl
sydd â'r dewrder i sefyll o blaid pobl fel hyn,
yr hyder i sefyll yn erbyn anghyfiawnder,
a ffydd i gredu bod modd gweithredu'n gadarnhaol –
mudiadau fel Cymorth Cristnogol, sy'n gweithio'n ddiflino,
yn wyneb gwrthwynebiad pwerus,
a chamddealltwriaeth cyson,
a phob math o rwystrau,
er mwyn adeiladu byd tecach.
Clyw ein gweddi.

Dyro iddynt nerth i barhau gyda'u gwaith,
a dyro i ni'r ewyllys i gefnogi eu hachos,
nid ar un dydd yn ystod wythnos Cymorth Cristnogol,
ond bob dydd,
drwy ein bywydau,
a boed i ni wneud yr aberth
a chyhoeddi'r ffydd.
Clyw ein gweddi,
yn enw Iesu Grist ein Harglwydd.
Amen.

DYDD Y TADAU

112. MOLIANT DYDD Y TADAU

Dduw cariadus,
deuwn ar Ddydd y Tadau
yn cael ein hatgoffa mai ti yw ein Tad ni oll.
Rwyt wedi bod gyda ni ers ein geni,
yn arwain, annog, a'n cynnal ni.
Dduw Dad,
molwn di.

Dysgaist ni a'n dwyn i aeddfedrwydd,
o hyd a chonsýrn dros ein lles,
yn gyson yn ceisio'r gorau drosom.
Dduw Dad,
molwn di.

Pryd bynnag roeddem dy angen, roeddet yno,
yn barod i wrando a chynghori,
ac eto yn caniatáu i ni ryddid i wneud ein dewisiadau
a dod o hyd i'n ffordd ein hunain.
Dduw Dad,
molwn di.

Gelwaist ni i fod yn deulu i ti,
yn bobl unedig drwy dy fab, Iesu Grist,
a thrwyddo datguddiaist dy gariad,
cariad sy'n rhuthro tuag atom yn ddyddiol,
er ein methiant i'th garu yn ôl.
Dduw Dad,
molwn di.

Addysga ni i fyw fel dy blant –
ac i glywed dy lais,
i ufuddhau i'th orchymyn,
ac i ymateb i'th ddaioni.
Dduw Dad,
molwn di.

Addysga ni i arddel dy enw gyda balchder,
i rannu gydag eraill,
drwy air a gweithred,
y llawenydd a roddaist i ni.
Dduw Dad,
molwn di.

Ac yn olaf, derbyn ein diolch
am y tadau a roddaist i ni,
a'r hyn maent wedi ei olygu i ni,
am bopeth a roddasant,
a phopeth a wnaethant mewn amrywiol ffyrdd.
Dduw Dad,
molwn di,
yn enw Crist.
Amen.

113. CYFFES DYDD Y TADAU

Dduw grasol,
ti yw creawdwr eithafoedd y ddaear,
ac eto rwyt yn ein galw'n blant.
Rwyt yn fwy na'r hyn y gallwn byth ei ddychmygu,
ac eto rwyt yn ein gwahodd i'th alw yn 'Ein Tad'.
Rwyt wedi ein caru'n wastadol:
maddau'n hymateb egwan.

Nid wyt yn ein cadw hyd braich oddi wrthyt,
ac yn bell yn dy sancteiddrwydd,
ond yn ymestyn dy law allan mewn cariad,
ac am i ni gysylltu gyda thi, yn uniongyrchol.
Rwyt wedi ein caru'n wastadol:
maddau'n hymateb egwan.

Dduw grasol,
maddau i ni ein bod yn dy alw yn 'Ein Tad',
ond yn methu byw fel dy blant.
Nid ydym yn ymddiried ynot fel y dylem,
ac yn dewis dilyn ein tueddiadau ein hunain.
Rydym yn araf i dderbyn dy ewyllys,
ac yn aml yn anufudd i'r cyfarwyddiadau.
Rydym yn araf i geisio dy arweiniad,
ac yn fuan yn dy anghofio ac yn crwydro oddi wrthyt.
Yn anaml y byddwn yn diolch am yr hyn sydd gennym,
ac rydym yn or-barod i gwyno
pan na fyddwn yn derbyn yr hyn a wnaethom ofyn amdano.
Rwyt wedi ein caru'n wastadol:
maddau'n hymateb egwan.

Dduw grasol,
rydym wedi dychwelyd dy gariad drwy ymddwyn
fel plant wedi eu difetha,
ac eto rwyt yn barod i gadw ffydd ynom.
Derbyn ein diolch dy fod yn dal i ddal gafael ynom
er ein hesgeulustod,
a'th fod yn gweithio tuag at ein dwyn yn agosach atat.
Rwyt o hyd yma er ein mwyn,
yn aros i'n croesawu yn ôl
a'n gosod ar ein traed ein hunain eto.
Rwyt wedi ein caru'n wastadol:
maddau'n hymateb egwan.

Dduw grasol, ein Tad,
molwn di a diolchwn i ti am dy ddaioni
ac ymrown heddiw
i fyw yn ffyddlonach fel dy blant.
Rwyt wedi ein caru'n wastadol:
maddau'n hymateb egwan,
yn enw Iesu Grist, dy Fab, ein Harglwydd.
Amen.

114. DEISYFIAD DYDD Y TADAU

Dduw cariadlon,
deuwn ynghyd heddiw ar Ddydd y Tadau hwn,
yn cael ein hatgoffa nid yn unig o'n tadau daearol ond ohonot ti.
Rwyt yn dweud bod pawb sy'n credu ynot
yn cael eu galw yn blant i ti,
ac rwyt yn ein gwahodd i'th gyfarch yn syml fel 'Ein Tad'.
Am ryfeddod dy gariad,
molwn di.

Molwn di dy fod er ein gwendid a'n hanufudd-dod
yn ein gweld ni, nid fel deiliaid
nac fel gweision,
ond fel plant.
Llawenhawn dy fod am i ni dy weld
nid fel rhyw fod dwyfol pellennig mewn ysblander
nac fel Duw eiddigeddus yn hawlio gwrogaeth,
ond fel tad, yn gwylio drosom
gyda gofal anfeidrol a thyner.
Am ryfeddod dy gariad,
molwn di.

Dduw cariadlon,
addysga ni i beidio'n syml â dweud 'Ein Tad',
ond i'w feddwl –
a sylweddoli dy fod yn ein caru'n ddwfn,
mor ddibynadwy
ac ymroddedig ag unrhyw dad dynol,
ond yn llawer mwy hefyd.
Am ryfeddod dy gariad,
molwn di.

Addysga ni ein bod yn bwysig i ti,
a'th fod â chonsýrn dros ein lles,
a'th fod yn ymhyfrydu wrth ein bendithio,
ac mai'r cyfan sydd gennym i'w wneud yw gofyn ac y byddi yno.
Am ryfeddod dy gariad,
molwn di.

Dysga ni mai oherwydd dy fod yn poeni drosom
yr wyt yn ein hyfforddi,
ein disgyblu
a'n cywiro.
Am ryfeddod dy gariad,
molwn di.

Addysga ni, pa mor bell bynnag y crwydrwn oddi wrthyt,
sut bynnag y byddwn yn gwrthod dy gariad
neu yn osgoi dy arweiniad,
dy fod o hyd yn ymestyn allan,
yn awyddus i'n dwyn yn agos eto.
Am ryfeddod dy gariad,
molwn di.

Dduw cariadlon,
ti yw 'Ein Tad', a molwn di.
Addysga ni i fod yn blant i ti,
yn enw Crist.
Amen.

115. EIRIOLAETH DYDD Y TADAU

Dduw grasol,
gwyddost am y llawenydd o fod yn dad, a hefyd y poen,
am i ti dystio i fywyd a marwolaeth dy Fab,
ac rwyt yn gweld ein buddugoliaethau a'n trasiedïau dyddiol ni,
dy blant.
Arglwydd ein Tad,
ymestyn allan yn dy gariad.

Yn Iesu, profaist yr hyfrydwch o fod yn dad –
wrth i ti ei wylio yn tyfu ac aeddfedu i fod yn ddyn,
wrth i ti ei weld yn cael ei fedyddio yn yr Iorddonen,
ac iddo o ddydd i ddydd ymateb i'th arweiniad,
yn ffyddlon hyd y diwedd –
yr annwyl fab a'th fodlonodd di.
Ac eto profaist boen –
yn erchylltra'r Groes,
y boen a'r darostyngiad,
a'r tristwch a ddioddefodd er ein mwyn.
Arglwydd ein Tad,
ymestyn allan yn dy gariad.

Rwyt yn darganfod boddhad ym mhob yr un ohonom –
wrth i ni geisio'r hyn sy'n dda,
a phan anrhydeddwn y gorchmynion,
pan ydym yn ceisio dy ewyllys ac yn ymateb i'th arweiniad.
Ond gallwn achosi cymaint o boen –
drwy ein gwendid,
ein hanufudd-dod diddiwedd,
ein byddardod i'th alwad a'n gwrthod o'th gariad.
Arglwydd ein Tad,
ymestyn allan yn dy gariad.

Dduw grasol,
gwyddost am ein llawenydd a'n poen yn y profiad o fod yn dad
ac yn awr fe weddïwn dros dadau ym mhobman.
Helpa hwy i werthfawrogi'r anrhydedd
a'r cyfrifoldeb sydd ganddynt,
a'u haddysgu i roi eu hunain yn rhwydd
fel y gallont ddarganfod llawenydd,
a'r bodlonrwydd,
a'r bendithion a ddaw yn sgil bod yn dadau.
Arglwydd ein Tad,
ymestyn allan yn dy gariad.

Dyro iddynt ddoethineb, amynedd ac ymroddiad,
a rho iddynt nerth i barhau
wrth i'r plant ddwyn dagrau ynghyd â chwerthin,
pryder gyda gobaith,
poen ynghyd â phleser.
Arglwydd ein Tad,
ymestyn allan yn dy gariad.

Rho i'r holl dadau mewn amgylchiadau felly –
sef y sawl sy'n holi beth yw eu gallu i'w hwynebu,
neu'r sawl sydd wedi methu;
y sawl sy'n ymdrechu i gynnig cefnogaeth,
a'r sawl sy'n teimlo nad oes ganddynt unrhyw beth ychwaneg i'w roi.
Arglwydd ein Tad,
ymestyn allan yn dy gariad.

Ac yn olaf clyw ein gweddi dros y plant
sydd ar Ddydd y Tadau yn profi poen yn lle llawenydd –
rhai â'u tadau wedi marw,
eraill yn blant amddifad,
y plant a gafodd eu cam-drin, eu gwrthod neu eu camddefnyddio,
a'r sawl sydd mewn cartrefi rhanedig,
ac sydd prin yn adnabod eu tadau.
Arglwydd ein Tad,
ymestyn allan yn dy gariad,
drwy Iesu Grist ein Harglwydd.
Amen.

GŴYL DIOLCHGARWCH

116. DATHLIAD DIOLCHGARWCH

Dduw cariadlon,
deuwn heddiw i'th foli di,
i ddathlu dy ddaioni helaeth.
Deuwn gyda diolchgarwch, llawenydd a rhyfeddod,
gan atgoffa'n gilydd o gyfoeth dy greadigaeth,
a chydnabod dy ffyddlondeb
wrth ddarparu ar gyfer ein hanghenion a llawer mwy!
Bendithiaist ni tu hwnt i'n haeddiant,
a dathlwn yn llawen.

Dduw cariadlon,
am harddwch y tymhorau,
a chylch cyson o ddydd a nos,
a'r rhoddion hanfodol o law a heulwen,
molwn di.
Bendithiaist ni tu hwnt i'n haeddiant,
a dathlwn yn llawen.

Am wyrth tyfiant
a rhyfeddod bywyd,
ac amrywiaeth anghredadwy'r cynhaeaf,
cyflwynwn ein diolchgarwch.
Bendithiaist ni tu hwnt i'n haeddiant,
a dathlwn yn llawen.

Derbyn ein haddoliad,
a'n hoffrymau,
bendithia ein dathliadau,
a llenwa ni gyda diolchgarwch am bopeth a roddaist.
Bendithiaist ni tu hwnt i'n haeddiant,
a dathlwn yn llawen,
yn enw Crist.
Amen.

117. MOLIANT A DIOLCHGARWCH Y CYNHAEAF

Hollalluog a thragwyddol Dduw,
llawenhawn heddiw ym mawredd dy gariad,
a llawnder dy ddarpariaeth.
Daethom ynghyd wedi ein hamgylchynu gyda ffrwyth dy greadigaeth,
ac amrywiaeth gyfoethog a digonol cynhaeaf arall.
Unwaith eto, rwyt wedi ein bendithio,
a diolchwn i ti.

Derbyn ein haddoliad –
am i ti roi a chynnal bywyd,
am gysondeb y tymhorau,
am batrymau rheolaidd dydd a nos,
am gyfoeth rhyfeddol ein byd.
Unwaith eto, rwyt wedi ein bendithio,
a diolchwn i ti.

Derbyn ein moliant am lafur dynol
sy'n rhan o'r cynhaeaf –
am y paratoi a'r hau,
am feithrin y planhigion a'r tyfiant,
am y cynaeafu a'r paratoi er mwyn dosbarthu,
am y cludo a'r gwerthu.
Unwaith eto, rwyt wedi ein bendithio,
a diolchwn i ti.

Dragwyddol Dduw,
diolchwn dy fod yn caniatáu i ni weithio law yn llaw â thi,
yn hyrwyddo ac yn casglu o ffrwythlondeb dy greadigaeth.
Helpa ni i adnabod y cyfrifoldeb sydd ynghlwm yn hyn,
ac i fod yn stiwardiaid ffyddlon o bopeth a roddaist.
Boed i'n bywydau ynghyd â'n geiriau
estyn i ti foliant llawen ac addoliad o'r galon.
Unwaith eto, rwyt wedi ein bendithio,
a diolchwn i ti,
yn enw Crist.
Amen.

118. CYNHAEAF I BAWB

Dduw'r bywyd,
creawdwr pob peth sy'n bod, ac a fu, ac a fydd,
diolchwn i ti am y tymor llon a'r dydd arbennig yma.
Bendithiaist ni yn helaeth:
helpa ni i ymateb.

Diolchwn am ein byd
gyda'i amrywiaeth cyfoethog a rhyfeddol,
am dy rodd o fywyd
yn cael ei adnewyddu'n gyson gan dy law gariadlon,
am bopeth a wnaethost i dyfu ac i ffynnu o'n cwmpas,
am bopeth sy'n rhoi bwyd a dillad,
ac adnoddau helaeth y blaned ryfeddol hon.
Bendithiaist ni yn helaeth:
helpa ni i ymateb.

Diolchwn i'r sawl rydym yn eu dyled am y cynhaeaf hwn–
y gweithwyr ar y ffermydd ac mewn amaethyddiaeth,
y morwyr a'r pysgotwyr
sy'n mentro eu bywydau ar y moroedd,
y glowyr a'r peirianwyr
sy'n sicrhau deunyddiau sylfaenol ar gyfer diwydiant,
y gwyddonwyr a'r technegwyr
sy'n helpu i ddatblygu gwell cnydau,
y sawl sy'n cael eu cyflogi mewn siopau a ffatrïoedd,
sy'n gweithio er mwyn bodloni ein gofynion.
Bendithiaist ni yn helaeth:
helpa ni i ymateb.

GŴYL DIOLCHGARWCH

Dduw'r bywyd,
helpa ni i werthfawrogi'r cyfan a wna cynifer
i ddwyn ffrwyth dy greadigaeth i ni,
ac addysga ni am y rhan sydd gennym i'w chyflawni
i sicrhau fod cenedlaethau'r dyfodol yn medru ei mwynhau yn eu tro.
Addysga ni i ddefnyddio dy roddion yn ddoeth,
yn gyfrifol,
yn effeithiol,
gan sicrhau na fydd gwastraffu dianghenraid
neu afradu ffôl.
Bendithiaist ni yn helaeth:
helpa ni i ymateb.

Helpa ni i gofio'r sawl nad oes iddynt ran gyfartal
ym mendithion y cynhaeaf –
y tlawd,
y newynog,
y digartref,
y gorthrymedig,
y sawl a gafodd eu goddiweddyd gan drychineb,
a'r sawl a welodd eu cydau yn methu.
Arbed ni rhag y trychineb hunanol,
yn ceisio ein cyfforddusrwydd ein hunain gan hepgor anghenion eraill.
ysbrydola ni i rannu o'n digonedd
gyda'r sawl sy'n galw allan am gymorth.
Bendithiaist ni yn helaeth:
helpa ni i ymateb.

Dduw'r bywyd,
darperaist tu hwnt i'n anghenion,
digon ar gyfer pawb ym mhobman
i gael digon a mwy na digon.
Maddau i ni fod rhai yn dal i lwgu,
a maddau i ni am ein rhan yn hynny.
Ysgoga ni fel y gallom herio
cydwybod llywodraethau a chenhedloedd,
hyd y daw'r amser
pan fydd dy holl roddion yn cael eu rhannu rhwng pawb.
Bendithiaist ni yn helaeth:
helpa ni i ymateb,
yn enw Crist.
Amen.

119. EIRIOLAETH Y CYNHAEAF

Arglwydd y cyfanfyd,
wrth i ni ddiolch am y cynhaeaf
cofiwn am y rhai nad ydynt yn dathlu –
y sawl sydd â chynhaeaf gwael neu heb gynhaeaf o gwbl,
y sawl sydd ag adnoddau annigonol i weithio eu tir,
y sawl sydd heb gydnabyddiaeth ddigonol am eu hymdrechion,
y sawl sydd â'u cynhaeaf wedi cael ei ddifetha.
Arglwydd, bendithiaist ni yn helaeth,
addysga ni i gofio eraill.

Helpa ni, wrth i ni ddathlu ein digonedd –
i gofio am y tlawd a'r anghenus yn ein byd,
yn cael eu gyrru gan newyn, trychineb neu ryfel cartref
at ymyl llwgu.
Helpa ni i ymateb gyda chariad a chonsŷrn,
gan gynnig pob cymorth posibl.
Arglwydd, bendithiaist ni yn helaeth,
addysga ni i gofio eraill.

Arglwydd y cyfanfyd,
llefara wrthym ar adeg y cynhaeaf hwn,
fel bod ein calonnau yn cael eu cyffroi
a'n cydwybod yn effro.
Addysga ni i rannu ein digonedd gyda'r sawl sydd heb unrhyw beth,
fel y daw adeg un dydd
pan fydd pawb â digon a neb â gormod.
Arglwydd, bendithiaist ni yn helaeth,
addysga ni i gofio eraill,
yn enw Crist.
Amen.

WYTHNOS UN BYD

120. CYFRIFOLDEB TUAG AT EIN HAMGYLCHEDD

Dduw'r Creawdwr,
rhoddaist i ni'r fraint o ymwneud
yng ngofal y byd hwn.
Gelwaist ni i weithio mewn partneriaeth gyda thi a gyda'n gilydd,
nid yn unig i wasanaethu ein hunain,
neu ystyried manteision y tymor byr,
ond i gael ymwybyddiaeth o'n cyfrifoldeb dros ein plant
a'r sawl a fydd yn eu dilyn.
Addysga ni i fod yn stiwardiaid ffyddlon o'r greadigaeth.

Maddau i ni am ddychmygu'n anghywir
y gallwn weithio'n annibynnol ohonot,
yn byw a gweithredu fel y mynnwn
heb ystyried y canlyniadau.
Addysga ni i fod yn stiwardiaid ffyddlon o'r greadigaeth.

Maddau i ni am ecsbloetio trysorfa'r ddaearen hon
fel pe bai yn eiddo i ni,
gan chwalu'n orffwyll yr amgylchedd gyda'n trachwant am elw.
Addysga ni i fod yn stiwardiaid ffyddlon o'r greadigaeth.

Maddau i ni am golli ein synnwyr o ryfeddod
ger bron mawredd dy greadigaeth,
gan gam-drin yr hyn a roddaist
yn hytrach na'i drafod gyda pharch.
Addysga ni i fod yn stiwardiaid ffyddlon o'r greadigaeth.

Maddau i ni ein bod yn byw heddiw fel pe na byddai yfory,
gan wastraffu'r adnoddau meidrol,
gan hepgor ein cyfrifoldebau tuag atat ti ac eraill.
Addysga ni i fod yn stiwardiaid ffyddlon o'r greadigaeth.

Maddau i ni ein bod yn chwilio am fwy
tra bod eraill heb unrhyw beth,
yn bodloni ein hanghenion tra bod lluoedd yn llwgu.
Addysga ni i fod yn stiwardiaid ffyddlon o'r greadigaeth.

Dduw'r Creawdwr,
addysga ni nid yn unig i weithio drosom ein hunain ond dros bawb,
i gydnabod mai stiwardiaid y greadigaeth ydym
ac nid ei meistri,
ac yn atebol yn y diwedd i ti am yr hyn a wnawn.
Addysga ni i ddiolch am bopeth a roddaist,
ac i wneud ein rhan i sicrhau
bydd y sawl a fyddo yn ein dilyn yn ei rannu hefyd.
Addysga ni i fod yn stiwardiaid ffyddlon o'r greadigaeth.
Gweddïwn yn enw Crist.
Amen.

121. TEULUOEDD A CHYMDEITHAS

Dduw cariadlon,
deuwn atat heddiw fel teulu o'th bobl,
y sawl a unaist yng Nghrist.
Wrth ddod, wedi ein hatgoffa o'r gwirionedd mawr hwn,
rhoddwn ddiolch am bob teulu p perthynwn iddo.
Arglwydd popeth,
una ni mewn cariad.

Meddyliwn am y teuluoedd a'n magodd ni –
y sawl a rannwn cymaint gyda hwy,
y rhai sy'n arbennig o agos i ni,
ac a fydd o hyd yn werthfawr yn ein golwg.
Arglwydd popeth,
una ni mewn cariad.

Meddyliwn am deulu'r eglwys hon –
y gymdeithas a brofwn yma,
y cyfeillion a wnaethom,
a'r anogaeth a rannwn gyda'n gilydd.
Arglwydd popeth,
una ni mewn cariad.

Meddyliwn am deulu'r eglwys gyfan –
ar draws y wlad,
ar draws y byd, ar draws y canrifoedd sy'n un â ni yng Nghrist.
Arglwydd popeth,
una ni mewn cariad.

Meddyliwn am deulu'r ddynoliaeth,
y rhwymyn sy'n ein plethu ynghyd,
amrywiaeth y bobloedd a'r cenhedloedd,
a ninnau yn rhan ohonynt,
yr amrywiaeth o ddiwylliannau, a thraddodiadau.
Arglwydd popeth,
una ni mewn cariad.

Dduw cariadlon,
diolchwn ein bod yn rhannu rhywbeth yn gyffredin
gyda phobloedd yn bell ac yn agos,
a'n bywydau ymhleth ac yn cyd-berthyn,
yn gyd-ddibynnol ac ynghlwm.
Helpa ni i adnabod yn llwyrach beth mae hyn yn ei olygu
ac i werthfawrogi'r cyfrifoldebau a ddaw yn ei sgil,
fel y gallwn ddysgu i garu ein cymdogion fel ein hunain.
Arglwydd popeth,
una ni mewn cariad,
er mwyn Iesu Grist ein Harglwydd.
Amen.

122. DIOLCHGARWCH – EIN DYNOLIAETH GYFFREDIN

Dduw grasol,
diolchwn am ein gwlad –
am ei hanes,
ei thraddodiadau,
ei diwylliant,
a llawer o agweddau da.
Rhoddaist lawer i ni i'w ddathlu:
derbyn ein moliant.

Diolchwn am y cyfoeth rydym yn ei fwynhau fel cymdeithas –
digonedd o fendithion materol,
rhyddid i lefaru ac i addoli,
diogelwch drwy'r gwasanaeth iechyd a'r gwasanaeth les,
cefn gwlad hardd a threfi a dinasoedd llewyrchus;
yr oll hyn, a llawer mwy.
Rhoddaist lawer i ni i'w ddathlu:
derbyn ein moliant.

Diolchwn fod gennym gymaint
i fod yn falch ac yn ddiolchgar amdano.
Ond diolchwn heddiw am ein byd –
amrywiaeth gyfoethog o genhedloedd,
eu hanes a'u traddodiadau rydym yn rhan ohonynt,
amrywiaeth eithriadol o wledydd a chyfandiroedd,
a'r holl ieithoedd sydd iddynt,
cymysgaeth ddiddorol o bobl, lleoedd, traddodiadau a diwylliannau,
sydd â chymaint i'n haddysgu ac i gynnig.
Rhoddaist lawer i ni i'w ddathlu:
derbyn ein moliant.

Diolchwn am bopeth sy'n cyfrannu
tuag at y gymdeithas fyd-eang –
dealltwriaeth y gwahanol grefyddau ac athroniaethau,
y rhannu o syniadau sydd rhwng hiliau a diwylliannau,
yn hyrwyddo trafodaeth yn ymwneud â phynciau byd-eang,
a'r awydd i sicrhau cyfiawnder a heddwch ar draws yr holl
genhedloedd.
Rhoddaist lawer i ni i'w ddathlu:
derbyn ein moliant.

Diolchwn fod gan bawb ohonom rywbeth i'w dderbyn o'r byd eang,
a rhywbeth i'w gynnig iddo,
fel bod ein gorwelion yn cael eu hymestyn,
a'n meddyliau yn cael eu lledu.
Rhoddaist cymaint i ni i'w ddathlu:
derbyn ein moliant.

Dduw grasol,
rhoddaist inni un byd.
Helpa ni i fyw ynddo fel dinasyddion cyfrifol,
wedi ein huno ynghyd gan ein dynoliaeth gyffredin,
a'n plethu ynghyd ynot ti.
Rhoddaist lawer i ni i'w ddathlu:
derbyn ein moliant,
drwy Iesu Grist ein Harglwydd.
Amen.

123. CYMHLETHDOD A THREFN Y BYD

Dduw cariadlon,
diolchwn am ryfeddod dy greadigaeth –
harddwch y byd,
enangder y cyfanfyd,
cyfoeth ein bywydau.
Ym mhob dim a roddaist,
addysga ni i weld dy law.

Molwn di am bopeth a greaist
a'r lle a roddaist i ni yn dy greadigaeth.
Amgylchynaist ni gyda chymaint sydd yn dda,
a rhyfeddwn ato –
y planhigion a'r anifeiliaid, coed ac adar,
mynyddoedd a dyffrynnoedd, cyfandiroedd a chefnforoedd,
trefi a dinasoedd, cenhedloedd a phobl:
byd o harddwch a rhyfeddod anfeidrol.
Ym mhob dim a roddaist,
addysga ni i weld dy law.

Diolchwn dy fod wedi dwyn trefn allan o anhrefn,
trefn sy'n ddibynadwy, y gallwn ei harchwilio a'i deall,
sy'n ffurfio patrwm dy gyfanfyd,
ac yn adlewyrchu dy sofraniaeth a chyfeiriad dy bwrpas.
Ym mhob dim a roddaist,
addysga ni i weld dy law.

Dduw cariadlon,
helpa ni i werthfawrogi rhyfeddod dy greadigaeth,
sy'n agored i ddarganfyddiadau newydd a ddaw o ymchwil dyddiol.
Arbed ni rhag cau ein meddyliau
i'r hyn sy'n herio ein hargyhoeddiadau,
rhag neilltuo i feddylfryd cul,
neu ragfarn ddall,
neu i ryw dŵr ifori ymhell o realaeth y byd.
Ym mhob dim a roddaist,
addysga ni i weld dy law.

Helpa ni i weld ein bod yn gweld mwy o'th fawredd
wrth i'n deall o'r greadigaeth gynyddu –
a bydd ein synnwyr o ddychryn, rhyfeddod a syndod
yn cael eu helaethu wrth werthfawrogi mwy ar wyddoniaeth gyfoes.
Helpa ni hefyd i sylweddoli cyfyngiadau astudiaethau gwyddonol –
a bod yn effro i'r hyn na all gwyddoniaeth ateb
a derbyn ei gwendidau ynghyd â'i chryfderau,
a bod yn agored i realiti ysbrydol ynghyd â gwirionedd dy greadigaeth.
Ym mhob dim a roddaist,
addysga ni i weld dy law.

Dduw cariadlon,
dyro ddoethineb i'r sawl sy'n ymwneud ag ymchwil,
a rhoi arweiniad i bawb sy'n ymdrechu
i wella ansawdd ein bywydau drwy eu hastudiaethau.
Addysga hwy a ninnau i ddefnyddio'r greadigaeth yn ddoeth,
gan ddefnyddio'r adnoddau yn adeiladol o blaid daioni,
yn hytrach na'u defnyddio i ddibenion drwg,
ac i beidio meddwl amdanom ein hunain yn unig
ond am bawb a fydd yn ein dilyn.
Ym mhob dim a roddaist,
addysga ni i weld dy law,
wrth i ni ofyn hyn yn enw'r Crist.
Amen.

DYDD Y COFIO

124. MYFYRDOD DYDD Y COFIO
I'R MILWR ANHYSBYS

Mae'n anodd i ni ddychmygu arswyd y sawl a fu drwy'r rhyfel, ond mae'n bwysig ein bod yn ymdrechu, gan mai ond wedyn y gallwn werthfawrogi ein dyled i'r miliynau a gofiwn heddiw, ac felly ddeall pwysigrwydd cynnal heddwch i genedlaethau'r dyfodol. Mae'r myfyrdod sy'n dilyn wedi ei lunio yn dilyn ymweliad â beddau rhyfel yn Fflandrys, ac yn gofyn beth oedd teimladau'r gwŷr ifanc di-rif a aeth i faes y gâd yn y 'Rhyfel Mawr'. Cynigir hwn fel cyflwyniad i'r ddwy funud o dawelwch a'r gweddïau cofio a fydd yn dilyn.

Sut deimlaist y bore hwnnw
pan ddaeth y dogfennau i'th law?
A oerodd dy waed, ynteu brwdfrydedd a ddaeth
I ymladd dros dy wlad yn y baw?

Sut deimlaist y bore hwnnw
pan adewaist dy gartref ar ôl?
A reolaist dy ofnau ynteu crio yn hir
gyda'th geraint a oedd yn dy gôl?

Sut deimlaist y bore hwnnw
a'th esgid yng nghrombil y ffos?
A oeddet yn eofn ynteu dewis lle cudd
rhag erchylldra ac arswyd y nos?

Sut deimlaist y bore hwnnw
pan chwalwyd dy ffrind wrth dy law?
Ai rhuthro i'w helpu ai sefyll yn stond
yn meddwl bod uffern gerllaw?

DYDD Y COFIO

Sut deimlaist y bore hwnnw
wrth dy anfon i fynd dros y top?
Ai gwaedd o ddihangfa, ai gweddi heb gred
i'r hunllef ofnadwy ddod i stop?

Sut deimlaist y bore hwnnw
a'r bwledi yn fflio drwy'r gwynt?
A dybiaist y gallet osgoi ing dy ffawd
ynteu wyddet mai'r bedd oedd dy hynt?

Sut deimlaist y bore hwnnw
wrth i'th waed fynd i'r gwter llaith?
A wnaethost ryw synnwyr o'r uffern ger bron
ynteu gweddio ar derfyn dy daith?

Sut deimlaf i bore heddiw
yn wyneb y lladd mewn maes pell?
Ai sefyll yn syn wrth feddwl am ddoe
ai brwydro am ddyfodol gwell?

125. MYFYRDOD DYDD Y COFIO – DAGRAU BUDDUGOLIAETH

Am dros hanner can mlynedd mae Prydain wedi mwynhau heddwch. Bu, wrth gwrs, wrthdaro rhwng byddinoedd Prydain, mewn sawl sefyllfa o ryfel, ond ni fu trigolion Prydain yn gorfod wynebu ymladd ar eu tiroedd eu hunain. Mae perygl y gallwn gymryd heddwch yn organiataol, gan anghofio bod pris am ei ennill, ac mor hawdd y gallem ei golli. Mae'r myfyrdod nesaf yn cael ei gynnig fel cyflwyniad i amser o dawelwch a gweddïau i gofio, ac yn ein hatgoffa o'r dathliad a fu yn dilyn cyhoeddi diwedd rhyfel, a hefyd yn ymwybodol o'r trasedïau personol sy'n gadael creithiau oesol ar yr heddwch hwnnw.

Roedd tyrfaoedd ar strydoedd Llundain ar ddydd diwedd y rhyfel byd
a phawb yn dawnsio a gwledda, yn dathlu yn llawen eu bryd,
bod y brwydro erchyll drosodd, a heddwch ar faes y gad,
y chwalfa wedi gorffen a chyfle i adfer drwy'r wlad.
Ond yng nghanol y dathliadau, a dychymyg pawb fel trên,
roedd lluoedd yno'n crio a'u llygaid bach llwm yn ddi-wên.
I'r rhain nid oedd achos dathlu, a'u camau di-ddawns ar y ffordd,
eu calonnau yn llawn galar, yn curo fel curiad trwm gordd.
Wrth i'r dyrfa orfoleddu a'u lleisiau yn dathlu bod hedd,
roedd eraill yn cofio y tadau, gwŷr priod a meibion mewn bedd.
Roedd galar yn y galon wrth feddwl na welent ar stryd
y sawl na ddôi adref eto wedi rhoi o'u haberth drud.

Wrth leisio ein canmoliaeth o'r dewrion wrth eu gwaith
meddyliwn am ddioddef y milwyr ar y daith;
wrth ddathlu buddugoliaeth ar ogoneddus awr
arhoswn i gydnabod y sawl na wêl y wawr.
Mae'n wir bod clwyfau'n gwella dros amser ar ein hynt,
a gwir fod modd cydweithio yng nghwmni gelyn gynt;
ond erys rhai â hunllef wrth gofio cyfaill cu,
yn brwydro ag emosiwn – a'r gost am hyn a fu.
Wrth dalu ein gwrogaeth i ddewrion faes y gad
trysorwn hawliau rhyddid, a hau'r heddychol had;
wrth anrhydeddu enwau a chofio'n dyled fawr,
ymrown i fynnu cofio bob dydd ar doriad gwawr.

126. MYFYRDOD DYDD Y COFIO

Anfeidrol Dduw,
deuwn heddiw i gofio a dysgu,
i gofio gwersi'r gorffennol –
beth yw cost rhyfel,
beth yw pris heddwch,
beth yw ystod creulondeb dyn,
a mesur yr hunanaberth dynol.
Atgoffa ni o faint ein dyled
rhag inni anghofio.

Cymorth ni i ddysgu'r gwersi –
i fyw a gweithio dros heddwch,
i ymladd yn erbyn y drwg a'r llygredig,
i wasanaethu heb gyfrif y gost,
i roi popeth er mwyn creu byd gwell.
Atgoffa ni o faint ein dyled
rhag inni anghofio.

Anfeidrol Dduw,
deuwn gan gofio popeth a wnaethost –
dy waith creadigol,
dy weithredoedd mawrion ar draws hanes,
dy ymwneud â phobl,
dy rodd yng Nghrist,
dy gariad a brofasom yn ein bywydau.
Atgoffa ni o faint ein dyled
rhag inni anghofio.

Maddau i ni mor aml ac mor hawdd rydym yn anghofio.
Methwn gofio dy rym brenhinol yn trawsnewid,
cofio'r amserau da ynghyd â'r drwg,
dy weld yng nghymdeithas yr eglwys,
i gyfrif ein bendithion,
i adnabod gwaith dy ddwylo ym mhob munud o'n bywydau.

Anfeidrol Dduw,
drwy'n holl amser, rwyt yn ein cofio –
helpa ni i'th gofio di.
Atgoffa ni o faint ein dyled
rhag inni anghofio.
Gofynnwn hyn yn enw Crist.
Amen.

127. CYFFES DYDD Y COFIO

Gweddi y gellir ei defnyddio yn dilyn yr adeg o dawelwch a geiriau'r cofio

Dduw cariadlon,
cawsom ein hatgoffa unwaith eto
o gost erchyll rhyfel,
dioddef ac aberth llaweroedd,
a dyfnder creulondeb annynol bu rhai yn gyfrifol amdano,
ac uchder y bu i rai ei ddringo mewn gwasanaeth i eraill.
Dysga ni i gofio,
nid yn unig heddiw ond yn wastadol.

Clywsom eto heddiw eiriau
a gafodd eu llefaru gynifer o weithiau ar draws y blynyddoedd,
geiriau y bu i ni eu rhannu dro ar ôl tro:
'Rhag i ni anghofio'.
Ac eto'r tristwch yw ein bod yn anghofio, yn rhyfeddol o rwydd –
a'r cofio blynyddol hwn yn medru bod megis arwydd,
i'w nodi'n ddidwyll ac yn barchus
ac yna ei roi heibio am flwyddyn arall.
Dysga ni i gofio,
nid yn unig heddiw ond yn wastadol.

Anghofiwn mor ffodus ydym i fyw mewn rhyddid,
mor lwcus i fwynhau heddwch.
Anghofiwn fel y bydd rhai yn dal i ddioddef clwyfau rhyfel,
ac eraill yn parhau i alaru eu hanwyliaid.
Dysga ni i gofio,
nid yn unig heddiw ond yn wastadol.

Dduw cariadlon,
maddau i ni, er ein geiriau a'n bwriadau gorau,
ein bod wedi anghofio gwersi'r gorffennol.
Llefara wrthym drwy bopeth a glywsom ac a ranasom heddiw,
fel y gallwn ddweud mewn gwirionedd
a'i olygu yn ddifrifol:
'Ni a'u cofiwn hwy'.
Dysga ni i gofio,
nid yn unig heddiw ond yn wastadol,
wrth i ni ofyn hyn yn enw Crist ein Harglwydd.
Amen.

128. DIOLCHGARWCH DYDD Y COFIO

Hollalluog Dduw,
diolchwn i ti heddiw am bawb
a fu'n esiamplau o ddewrder ar draws y cyfnodau,
â'u geiriau a'u gweithredoedd
yn ysbrydoli'r cenedlaethau a'u dilynodd.
Mewn diolchgarwch llawen
cofiwn hwy.

Diolchwn am y sawl a gafodd ddewrder
i sefyll dros eu hargyhoeddiadau, doed a ddelo;
i ymladd yn erbyn drygioni ac anghyfiawnder,
hyd at gost eu bywydau eu hunain;
i fyw eu ffydd a'i rhannu gydag eraill
yn wyneb gwrthwynebiad creulon.
Mewn diolchgarwch llawen
cofiwn hwy.

Ac yn arbennig heddiw diolchwn
am y sawl a ddangosodd ddewrder
yng nganol erchylltra rhyfel –
ac a ymladdodd mor ddewr,
a gwasanaethu mor ffyddlon,
ac a aberthodd yn helaeth
dros yr achos roeddent yn credu ynddo.
Mewn diolchgarwch llawen
cofiwn hwy.

Diolchwn am y rhyddid a fwynhawn
drwy eu haberth hwy,
cydnabyddwn eu dewrder,
cydnabyddwn eto ein dyled iddynt,
ac fe gofiwn, fel na fydd gwersi'r gorffennol
yn angof, na'r aberth yn wastraff.
Mewn diolchgarwch llawen
cofiwn hwy.
Diolch fyddo i Dduw.
Amen.

129. DEISYFIAD DYDD Y COFIO

Dduw y bywyd,
cawn ein galw heddiw i gofio'r gorffennol –
y sawl a gollodd eu bywyd yng nghwrs y rhyfeloedd,
yr arswyd a wynebwyd ganddynt,
y penderfyniad y bu iddynt ei ddangos
i amddiffyn y gwerthoedd sydd mor annwyl i ni heddiw,
yr aberth a wnaethant
fel y gallom fwynhau heddwch heddiw.
Arglwydd, yn dy drugaredd,
clyw ein gweddi.

Dduw y bywyd,
maddau i ni, er ein holl eiriau, ein bod yn anghofio mor hawdd –
ein methiant i ddysgu gwersi'r gorffennol,
ein hanghofrwydd o'r ddyled sydd arnom,
ein bod yn cymryd yn ganiataol y diogelwch a fwynhawn,
ein harafwch i weithio dros y math o fyd
y buont farw drosto.
Arglwydd, yn dy drugaredd,
clyw ein gweddi.

Dduw y bywyd,
dyro heddwch i'n byd lle mae rhyfel nawr,
a boed i'r amser ddod
pan fydd cenhedloedd yn byw ynghyd,
yn gyfiawn,
yn agored,
ac mewn harmoni,
gan rannu cymdeithas y ddynoliaeth.
Arglwydd, yn dy drugaredd,
clyw ein gweddi,
yn enw'r Un a ddaeth mewn heddwch,
Iesu Grist ein Harglwydd.
Amen.

130. EIRIOLAETH DYDD Y COFIO

Dduw'r bywyd,
deuwn gan gofio –
cofio eto gost erchyll rhyfel,
cofio'r miliynau
a roddodd eu bywyd dros ryddid,
cofio'r dewrder a'r arwriaeth,
yr ofn a'r boen, trasiedi a galar i lawer.
Ar fachlud haul ac yn y bore
fe'u cofiwn hwy.

Dduw'r bywyd,
rydym yma i gofio'r oll hyn, a llawer mwy hefyd –
y sawl sy'n parhau i alaru dros anwyliaid a gollwyd,
y sawl sydd â'u bywydau wedi eu creithio gan ryfel,
y cyrff, y meddyliau a'r ysbrydoedd briwedig,
y sawl y bydd rhyfel yn gyfrifol
am newid eu bywydau am byth.
Ar fachlud haul ac yn y bore
fe'u cofiwn hwy.

Cofiwn hefyd am y sawl sy'n brwydro
i sefydlu a chynnal heddwch –
llywodraethau ac arweinwyr amlwg y byd,
lluoedd y Cenhedloedd Unedig a'r diplomyddion,
grwpiau sy'n lobïo a phobl gyffredin;
pawb ym mhob dull a modd
yn hyrwyddo harmoni rhwng y cenhedloedd,
yn ceisio rhoi i'r sawl sy'n dioddef oherwydd rhyfel
fywyd normal eto.
Ar fachlud haul ac yn y bore
fe'u cofiwn hwy.

Dduw'r bywyd,
cofiwn heddiw gost rhyfel
a phris heddwch.
Cymorth ni i barhau i gofio, yfory a bob dydd,
ac i wneud popeth yn ein gallu i weithio dros dy deyrnas,
ar y ddaear.
Ar fachlud haul ac yn y bore
fe'u cofiwn hwy,
yn enw Crist.
Amen.

CANEUON MOLIANT / OEDFA GERDDOROL

131. OEDFA GERDDOROL – CREU CERDDORIAETH

Bywiol Dduw,
rwyt yn dweud wrthym am ganu moliant,
am greu cerddoriaeth yn ein calonnau,
am godi ein lleisiau mewn addoliad llawen.
Deuwn yn llon,
derbyn yr addoliad a gyflwynwn.

Cyflwynwn yr oedfa hon o ddathliad i ti –
ein hemynau,
ein caneuon,
ein cerddoriaeth –
a'i chynnig yn llawen i ti,
yn fynegiant o'n diolchgarwch,
yn arllwysiad o foliant,
yn arwydd o'n cariad.
Deuwn yn llon,
derbyn yr addoliad a gyflwynwn.

Bywiol Dduw,
dyrchafa ni yn ystod yr amser hwn ynghyd.
Boed iddo lefaru wrthym am bopeth a wnaethost
ac rwyt yn parhau i wneud drwy Grist,
fel bo cân moliant ar ein gwefus drwy'r amser,
a cherddoriaeth yn y galon.
Deuwn yn llon,
derbyn yr addoliad a gyflwynwn,
drwy Iesu Grist ein Harglwydd.
Amen.

132. CANEUON MOLIANT YN ESTYN EIN HADDOLIAD

Dduw cariadlon, deuwn heddiw gyda chân yn ein calon,
i ddathlu dy rodd o gerddoriaeth,
i godi ein lleisiau mewn diolchgarwch llon,
gan roi seiniau llawen i ti!
Gyda lluoedd nen,
canwn dy fawl.

Rhoddaist gymaint i ni i'w ddathlu,
cymaint i lawenhau o'i herwydd.
Mae'n braf i roi diolch,
yn iawn i lawenhau,
yn addas i ddangos y llawenydd mewn cerdd a chân.
Gyda lluocdd nen,
canwn dy fawl.

Cyflwynwn y gwasanaeth hwn o fawl –
fel gweithred o addoliad,
a mynegiant o'n diolchgarwch,
ac ymarllwys o'n cariad.
Gyda lluoedd nen,
canwn dy fawl.

Derbyn ein moliant,
derbyn ein caneuon,
a llenwa'n calonnau gyda llawenydd a diolchgarwch,
wrth i ni gofio rhyfeddod dy gariad,
a dathlu ym mhopeth a wnaethost drosom.
Gyda lluoedd nen,
canwn dy fawl,
drwy Iesu Grist ein Harglwydd.
Amen.

133. CANEUON MOLIANT – EIRIOLAETH DROS Y SAWL HEB UNRHYWBETH I'W DDATHLU

Dduw cariadlon,
deuwn ger dy fron mewn cân,
a mynegi ein llawenydd a'n diolchgarwch
am bopeth a wnaethost,
ac am bopeth a roddaist.
Ond deuwn nawr i weddïo dros bawb yn ein byd
sydd heb destun cân yn y galon,
dim achos i'w ddathlu nac i lawenhau –
y tlawd, y claf, a'r newynog,
y digartref, y di-waith, y rhai a wasgwyd dan draed eraill,
y gwan, y diamddiffyn a'r gorthrymedig,
yr unig, rhai sy'n amddifad o gariad, a neb yn holi amdanynt,
y trist, y claf a'r rhai sy'n marw.
Arglwydd, yn dy gariad, rho gân newydd yn eu calonnau –
cân o obaith yn lle cri sy'n anobeithio.

Gweddïwn dros y sawl sy'n cario beichiau bywyd –
sy'n wynebu newyn,
yn dianc fel ffoaduriaid,
yn dioddef erledigaeth,
yn goddef rhyfel,
yn brwydro yn erbyn anghyfiawnder,
yn arswydo am y dyfodol,
yn aflonydd wrth gofio'r gorffennol.
Arglwydd, yn dy gariad, rho gân newydd yn eu calonnau –
cân o obaith yn lle cri sy'n anobeithio.

Dduw cariadlon,
ymestyn allan yn dy drugaredd tuag at bawb mewn sefyllfaoedd felly,
a'u sicrhau dy fod wrth eu hochr er mor anodd yw hi arnynt,
a'th fod yn rhannu eu poen,
yn gofidio am eu lles,
ac yn awyddus i fendithio.
Arglwydd, yn dy gariad, rho gân newydd yn eu calonnau –
cân o obaith yn lle cri sy'n anobeithio.

Boed i'r dydd frysio dod pan gânt hwy
ymuno gyda ni i ganu caneuon moliant,
er gogoniant i'th enw.
Amen.

PEN-BLWYDD YR EGLWYS

134. MOLIANT PEN-BLWYDD YR EGLWYS

Dduw cariadlon,
ar y dydd hwn o ddathlu a diolch,
molwn di am yr hwn wyt ac am yr hyn a wnaethost.
Rhyfeddwn at dy ddaioni,
y cariad a'r gofal, y trugaredd a'r maddeuant
a ddangosaist mor ffyddlon tuag atom;
y nerth a'r gefnogaeth, yr arweiniad a'r ysbrydoliaeth
a roddaist mor rhad.
Dduw cariadlon,
am bob modd yr wyt yn dy amlygu dy hun,
molwn di!

Grasol Dduw,
ar y dydd hwn o atgofion o'r gorffennol,
molwn di am bopeth a wnaethost drosom –
y gwersi a ddysgwyd,
y bendithion a dderbyniwyd,
y cyfeillion a garwyd,
a'r amcanion a gyflawnwyd,
y ffydd sydd wedi tyfu.
Grasol Dduw,
am yr holl fendithion a lawiodd arnom,
molwn di!

Bywiol Dduw,
ar y dydd hwn o edrych ymlaen yn ddisgwylgar i'r dyfodol,
molwn di am bopeth rwyt am ei wneud yn ein plith –
am bopeth sydd gan fywyd i'w gynnig,
am bopeth sydd gennym i'w ymdrechu a'i brofi,
am bawb a fydd ymhen y rhawg yn dod yn rhan o'r gymdeithas,
am bopeth a fydd yn ein profi a'n herio,
am bopeth a fydd yn dwyn llawenydd a bodlondeb i ni
yn y blynyddoedd sydd i ddod.
Bywiol Dduw,
am bopeth sydd gennyt ar ein cyfer,
molwn di!

Anfeidrol Dduw,
am bopeth yr wyt,
am bopeth a fuost,
am bopeth a fyddi,
molwn di,
yn enw Crist.
Amen.

135. PEN-BLWYDD YR EGLWYS – DIOLCH AM Y GORFFENNOL

Dduw cariadlon,
diolchwn am bopeth a wnaethost yn ein bywyd –
y ffyrdd rwyt wedi ein haddysgu,
ein cynorthwyo,
a darparu mor arbennig ar ein cyfer.
Cymer ni nawr,
ac arwain ni ymlaen.

Diolchwn am bopeth a wnaethost yn ein heglwys –
y gymdeithas a grëwyd,
y gwasanaeth a ysbrydolwyd,
y ffydd a feithrinwyd.
Cymer ni nawr,
ac arwain ni ymlaen.

Diolchwn am y sawl a gynorthwyodd i ffurfio ein bywydau –
am bawb a'n hysbrydolodd,
a'n heriodd,
ac a arweiniodd ni ar draws y blynyddoedd.
Cymer ni nawr,
ac arwain ni ymlaen.

Diolch am bawb a fu'n adeiladu'r eglwys –
ei sefydlwyr,
ei gweinidogion,
a chenedlaethau o gredinwyr.
Cymer ni nawr,
ac arwain ni ymlaen.

Dduw cariadlon,
diolchwn am ein gorffennol,
a gofynnwn am dy arweiniad i'r dyfodol.
Cymorth ni i ddysgu o'r gorffennol
ac i wneud y mwyaf o'r hyn sydd
ac i weithio'n ddoeth tuag at yr hyn a fydd.
Cymer ni nawr,
ac arwain ni ymlaen,
yn enw Crist.
Amen.

136. PEN-BLWYDD YR EGLWYS – FFYDDLONDEB DUW

Dduw grasol,
ar Sul Pen-blwydd arall
deuwn i ddathlu dy ffyddlondeb,
i gofio am bopeth a wnaethost drosom,
ac i edrych ymlaen gyda hyder
at bopeth sydd yng ngafael y dyfodol.
Am y sicrwydd sydd yn dy ddaioni parhaol,
molwn a diolchwn i ti, O Dduw.

Buost yn gyson gyda ni,
yn weledig neu yn anweledig, wedi dy gydnabod neu heb dy
gydnabod,
roedd dy ysbryd ar waith yn ein bywydau,
yn ein hamgylchu gyda'th gariad,
yn ein gwared rhag drygioni,
yn meithrin ein ffydd,
yn ein harwain i ymwybyddiaeth ddyfnach
o'th bwrpas tragwyddol yn Iesu Grist.
Am y sicrwydd sydd yn dy ddaioni parhaol,
molwn a diolchwn i ti, O Dduw.

Buost gyda ni fel eglwys o'r cychwyn,
yn ein galw i fod,
yn cyfeirio ein bywyd a'n tystiolaeth,
yn llefaru dy air,
yn adnewyddu dy ymrwymiad,
yn ein plethu ynghyd mewn cymdeithas,
a'n hanfon allan mewn ffydd.
Am y sicrwydd sydd yn dy ddaioni parhaol,
molwn a diolchwn i ti, O Dduw.

Ysbrydola ni heddiw drwy brofiad
y sawl a redodd yr yrfa o'n blaen.
Helpa ni i wneud ein rhan yn yr hyn a ddechreuwyd ganddynt.
Boed i'n cariad tuag atat fod yr un mor real,
a'n haddoliad yr un mor ddidwyll,
ein tystiolaeth yr un mor ffyddlon,
a'n ffydd yr un mor gryf.
Am y sicrwydd sydd yn dy ddaioni parhaol,
molwn a diolchwn i ti, O Dduw.

Dduw grasol,
safwn heddiw rhwng y gorffennol a'r dyfodol.
Cymorth ni i afael yn y presennol a'i fyw i'th ogoniant,
yn enw Crist.
Amen.

137. DATHLIAD PEN-BLWYDD

Dduw cariadlon,
rydym yma heddiw i ddathlu,
ac estyn ein diolchgarwch
am dy ddaioni anfesuradwy nad yw geiriau'n ddigon i'w fynegi.
Bendithiaist ni yn helaeth;
dathlwn yn llawen.

Am ein harwain ar hyd ein bywydau,
yn dadlennu dy ewyllys yn amyneddgar a datguddio dy gariad,
diolchwn i ti.
Bendithiaist ni yn helaeth;
dathlwn yn llawen.

Am arwain yr eglwys o'r dyddiau cynnar,
a chynorthwyo'r bobl yma i dyfu
mewn ffydd ac ymrwymiad,
diolchwn i ti.
Bendithiaist ni yn helaeth;
dathlwn yn llawen.

Am bawb a fu'n rhan o'n hanes,
pawb a wasanaethodd yr eglwys yn ffyddlon
yn y gorffennol a'r presennol,
diolchwn i ti.
Bendithiaist ni yn helaeth;
dathlwn yn llawen.

Am bawb a fu'n ysbrydoliaeth i ni,
yn estyn esiampl i'w ddilyn,
diolchwn i ti.
Bendithiaist ni yn helaeth;
dathlwn yn llawen.

Am y gymdeithas a rannwn yng Nghrist,
y llawenydd o dyfu a gweithio drwyddo ef,
diolchwn i ti.
Bendithiaist ni yn helaeth;
dathlwn yn llawen.

Am bopeth a roddodd y gorffennol ac sydd yn llaw'r dyfodol,
a'r sicrwydd na fydd unrhyw beth
yn ein gwahanu oddi wrth dy gariad,
diolchwn i ti.
Bendithiaist ni yn helaeth;
dathlwn yn llawen.

Dduw cariadlon,
helpa ni, wrth i ni ddathlu blwyddyn arall yn hanes ein heglwys,
i werthfawrogi popeth a wnaethost,
ac ymddiried ynot i'r dyfodol,
gan gydnabod beth yr wyt yn ei wneud yma, nawr.
Bendithiaist ni yn helaeth;
dathlwn yn llawen,
yn enw'r Crist.
Amen.

138. Y COFIO AR BEN-BLWYDD YR EGLWYS

Arglwydd Dduw ein Tad,
diolchwn i ti heddiw am bawb a gyfrannodd
i fywyd yr eglwys hon dros y blynyddoedd.

Cofiwn y sawl a wasanaethodd fel gweinidogion,
a diolchwn am eu cyfarwyddyd,
eu harweinyddiaeth a'r gofal bugeiliol
a estynnodd pob un yn ei dro mewn ffyrdd arbennig.
Dduw'r gorffennol, y presennol a'r dyfodol,
derbyn ein moliant.
Cofiwn y sawl a wasanaethodd mewn swyddi o gyfrifoldeb
oddi fewn y gymdeithas,
a diolchwn am eu gwaith ffyddlon
a wnaethant yn ein plith.
Dduw'r gorffennol, y presennol a'r dyfodol,
derbyn ein moliant.

Meddyliwn am y sawl a weithiodd yn y dirgel,
yn aml yn ddisylw,
a diolchwn am y cyfraniad hanfodol
a wnaethant i'n bywyd ynghyd.
Dduw'r gorffennol, y presennol a'r dyfodol,
derbyn ein moliant.

Meddyliwn am weledigaeth
y sawl sefydlodd yr eglwys hon,
a diolchwn am eu llafur a'u haberth
a wnaed i droi'r freuddwyd yn ffaith.
Dduw'r gorffennol, y presennol a'r dyfodol,
derbyn ein moliant.

Meddyliwn am y sawl mewn amrywiol ffyrdd
a rannodd y ffydd gydag eraill,
ac fe ddiolchwn am bawb
a ddaeth i'th adnabod fel canlyniad.
Dduw'r gorffennol, y presennol a'r dyfodol,
derbyn ein moliant.

Meddyliwn am bawb rydym wedi eu hadnabod yn yr eglwys hon,
yn ein cyfoethogi gyda'u presenoldeb,
a diolchwn am eu hesiampl
o ffydd ac ymroddiad.
Dduw'r gorffennol, y presennol a'r dyfodol,
derbyn ein moliant.

Am bopeth a wnaed,
a'r cyfan a dderbyniwyd,
boed i ni fod yn wir ddiolchgar.
Dduw'r gorffennol, y presennol a'r dyfodol,
derbyn ein moliant,
yn enw'r Crist.
Amen.

139. DEISYFIAD PEN-BLWYDD YR EGLWYS

Dduw cariadlon,
diolchwn am yr adeilad hwn a neilltuwyd er ein mwyn,
y man hwn lle y gallwn gymdeithasu ynddo er mwyn addoli,
i ddathlu,
i rannu cymdeithas yng Nghrist.
Arglwydd yr Eglwys,
clyw ein gweddi.

Diolchwn am bopeth sy'n rhan o hanes yr adeilad –
yr aberth a wnaed er mwyn ei gynnal,
yr ymdrech dros y blynyddoedd i'w gadw a'i adnewyddu,
y bobl a roddodd o'u hamser, eu harian, a'u hegni
i'w wneud yr hyn yw heddiw.
Arglwydd yr Eglwys,
clyw ein gweddi.

Diolchwn am yr atgofion sydd yn yr adeilad,
yr achlysuron arbennig a gynhaliwyd yma,
y gweithgarwch a ddigwyddodd oddi fewn i'r muriau hyn,
yr adegau o foliant ac addoliad a rannwyd yma.
Arglwydd yr Eglwys,
clyw ein gweddi.

Dduw cariadlon,
addysga ni i wneud ein rhan yn edrych ar ôl y cysegr,
a sicrhau ei fod at wasanaeth y cenedlaethau i ddod
fel y bu yn ein gwasanaethu ni.
Addysga ni i roi'n hael pan ddaw'r angen o'n blaen,
fel modd o'th anrhydeddu di.
Arglwydd yr Eglwys,
clyw ein gweddi.

Ond dysga ni hefyd i gofio
nad adeilad yw dy Eglwys
am y brics a'r mortar,
ond am bobl –
y gymdeithas a rannwn,
y bobl yr ydym,
yr hyn a wnawn,
a'r modd yr ydym yn byw.
Arglwydd yr Eglwys,
clyw ein gweddi.

Uwchlaw popeth diolchwn i ti heddiw
am y sawl a fu'n rhan o'r eglwys hon –
yn aelodau,
yn addolwyr,
yn gynulleidfa,
a gyfrannodd
tuag at fywyd y gymdeithas yma.
Arglwydd yr Eglwys,
clyw ein gweddi.

Diolchwn am y sawl a'n hysbrydolodd yma,
yn cynnig esiampl i'w ddilyn,
a molwn di am yr ymgyfoethogi a gawsom
drwy rannu gyda'n gilydd,
mewn undeb cariad a ffydd.
Arglwydd yr Eglwys,
clyw ein gweddi.

Am bopeth a ymdrechwyd,
am bopeth a brofwyd,
am bopeth a gyflawnwyd,
rhown ein moliant i ti.
Arglwydd yr Eglwys,
clyw ein gweddi.

CYFARFODYDD EGLWYS

Dduw cariadlon,
helpa ni i fyw fel dy bobl –
a'n dwyn yn agosach atat ti ac at ein gilydd,
i werthfawrogi dy roddion i ni
ac i gydnabod yr hyn a'n gelwaist ni i fod,
a pham y gwnaethost hynny.
Arglwydd yr Eglwys,
clyw ein gweddi.

Helpa ni rhag caniatáu i frics a mortar
ein rhwystro rhag gweld pobl,
nac i'n consýrn am y deunydd
gysgodi ein consýrn dros dy deyrnas.
Ond helpa ni hefyd i gydnabod fod y gofal a rown i'r adeilad
yn dweud llawer am ein cariad tuag atat.
Derbyn felly ein haddoliad
a'n diolchgarwch,
bendithia ein rhoddion
fel y gallom ddefnyddio popeth a gyflwynir heddiw,
yn bobl ac yn adeilad,
tuag at dwf dy deyrnas.
Arglwydd yr Eglwys,
clyw ein gweddi,
yn enw Crist.
Amen.

CYFARFODYDD EGLWYS

140. CYFARFOD YNGHYD

Bywiol Dduw,
deuwn, fel y daeth dy bobl ar draws y blynyddoedd,
yn ceisio dy arweiniad,
yn awyddus i wybod beth yw dy ewyllys ac i ddeall y pwrpas.
Gelwaist ni i fod yn bobl i ti;
cymorth ni i glywed dy lais.

Deuwn gan ddwyn bywyd ein cymdeithas o'th flaen –
ein hanghenion ymarferol ac ysbrydol,
ein gobeithion a'n hofnau,
ein llawenydd a'n tristwch,
llwyddiannau a methiannau.
Gelwaist ni i fod yn bobl i ti;
cymorth ni i glywed dy lais.

Dyro i ni ffydd a doethineb i ddehongli dy ewyllys,
gweledigaeth a dewrder i ymateb iddo.
Dyro i ni amynedd a dealltwriaeth yn ein trafodaethau gyda'n gilydd,
a bod yn agored i opiniynau eraill,
ac ysbryd cariad pan fyddwn yn anghydweld gyda'n gilydd.
Gelwaist ni i fod yn bobl i ti;
cymorth ni i glywed dy lais.

Bywiol Dduw,
byddwn yn meddwl am eraill
wrth feddwl am ein gilydd ar adeg fel hon –
y sawl na ddaeth ynghyd oherwydd afiechyd,
henaint, gwendid, neu ymrwymiadau eraill;
y sawl a gollodd ffydd
neu eu synnwyr o berthyn i'r gymdeithas hon;
y sawl sy'n ansicr o'u hymrwymiad;
a'r sawl sydd eto i ddod i'r pwynt
o ddatgan eu ffydd.
Addysga ni i ymateb yn synhwyrol i bob un,
gan rannu i eraill gariad real Crist,
a dangos consýrn gwirioneddol tuag at bawb.
Gelwaist ni i fod yn bobl i ti;
cymorth ni i glywed dy lais.

Bywiol Dduw,
diolchwn am yr anrhydedd o gyfarfod gyda'n gilydd.
Agor ein calonnau tuag atat,
tuag at ein gilydd,
ac i bawb o'n cwmpas,
fel y byddwn yn cyfarfod mewn gwirionedd yn galon,
meddwl ac enaid.
Gelwaist ni i fod yn bobl i ti;
cymorth ni i glywed dy lais,
drwy Iesu Grist ein Harglwydd.
Amen.

141. CYFARFODYDD EGLWYS –
CEISIO ARWEINIAD DUW

Dduw grasol,
deuwn â bywyd yr eglwys ger dy fron.

Gofynnwn am dy arweiniad wrth i ni edrych i'r dyfodol –
cymorth ni i dyfu mewn ffydd,
mewn cymdeithas,
ac mewn niferoedd.
Arglwydd dy Eglwys,
clyw ein gweddi.

Gofynnwn am arweiniad i'n bywyd bob dydd–
helpa ni i fyw yn agosach i ti,
ac i ddysgu mwy bob dydd am dy gariad,
ac i ddangos y gwirionedd o'r hyn a gredwn yn ein bywydau.
Arglwydd dy Eglwys,
clyw ein gweddi.

Gofynnwn am arweiniad yn ein bywyd gyda'n gilydd –
helpa ni i agosáu at ein gilydd,
a dangos gwir ofal a chonsýrn ym mhob gwedd o'n byw,
ac i gefnogi ein gilydd ar bob cyfle posibl.
Arglwydd dy Eglwys,
clyw ein gweddi.

Gofynnwn am dy arweiniad yn ein tystiolaeth –
tynn ni yn agosach at y gymdeithas o gwmpas yr eglwys,
a gwasanaethu ble bynnag a welwn angen,
a chyhoeddi Newyddion Da y Crist
ar bob cyfle.
Arglwydd dy Eglwys,
clyw ein gweddi.

Gweddïwn dros y sawl sydd ag angen arbennig am dy arweiniad,
y sawl sy'n wynebu problemau na wyddom amdanynt,
y sawl sy'n heneiddio
ac yn profi salwch neu wendid,
y sawl sy'n cilio oddi wrthyt ti a ni,
y sawl sydd â'u bywydau yn dywyll ac anodd.
Arglwydd dy Eglwys,
clyw ein gweddi.

Boed i bawb yn eu hamgylchiadau amrywiol ymdeimlo â'th
bresenoldeb,
a phrofi dy gefnogaeth.
Boed iddynt wybod eu bod yn cael eu cofio ac yn dal yn werthfawr,
a phrofi anogaeth wrth wybod hynny.
Arglwydd dy Eglwys,
clyw ein gweddi.

Grasol Dduw,
diolchwn am y cyfle hwn i gyfarfod ynghyd
a thrafod pynciau mawr a bach.
Diolchwn am y sicrwydd fod Crist yma wrth i ni gyfarfod yn ei enw.
Llefara wrthym,
drwy dy air, dy ysbryd,
a'r gymdeithas a rannwn,
fel bod ein meddwl, ein siarad, ein cynllunio a'n penderfynu
yn gwybod dy ewyllys
ac yn gweithio yn fwy effeithiol i gyflawni dy bwrpas.
Arglwydd dy Eglwys,
clyw ein gweddi,
yn enw Crist.
Amen.

142. CYFARFODYDD EGLWYS – POBL DUW YNGHYD

Dduw cariadlon,
diolchwn am y fraint o gyfarfod ynghyd,
am y cyfan y gallwn ei dderbyn a'i rannu ar adegau fel hyn –
y llawenydd,
y gefnogaeth,
yr anogaeth,
yr ysbrydoliaeth a ddaw drwy rannu cymdeithas.
Deuwn yn enw Crist:
tyrd i'n cyfarfod nawr.

Diolchwn am bopeth a brofasom gyda'n gilydd –
yr adegau o addoliad,
o astudio ac ystyried y Gair,
o rannu'r ffydd,
ac yn syml o fwynhau cymdeithas ein gilydd.
Deuwn yn enw Crist:
tyrd i'n cyfarfod nawr.

Dduw cariadlon,
maddau i ni ein bod weithiau yn gwneud y camgymeriad
o gyfarfod
yn hytrach na chyfarfod gyda'n gilydd.
Maddau i ni ein bod weithiau
yn mynd drwy'r arfer o gymdeithas,
a mewn gwirionedd ein bod wedi colli ei gwir ystyr.
Maddau i ni ein bod weithiau
yn poeni mwy amdanom ein hunain neu'r eglwys,
ac wedi anghofio am ein gilydd.
Deuwn yn enw Crist:
tyrd i'n cyfarfod nawr.

Agor ein calonnau i ti ac i'n gilydd.
Dyro inni'r parodrwydd i ymddiried a derbyn ymddiriedaeth eraill,
yn barod i wrando ac i ddeall,
gyda meddwl ac ysbryd agored,
ac agwedd gariadlon a llawn cydymdeimlad.

Boed i ni fod yn ymwybodol fod Crist yn ein plith,
ac wrth ei gyfarfod ef
y gallwn ddod ynghyd gyda'n gilydd.
Deuwn yn enw Crist:
tyrd i'n cyfarfod nawr,
er mwyn ei enw.
Amen.

143. CYFARFOD BLYNYDDOL YR EGLWYS (DECHRAU)

Dduw grasol,
deuwn ynghyd heddiw yn cydnabod o'r newydd
dy fod wedi ein galw i gymdeithas,
a bod gan bob un ohonom le, a swyddogaeth,
a gweinidogaeth oddi fewn i gorff Crist,
gyda rhywbeth i'w gynnig i eraill,
a rhywbeth i'w dderbyn.
Arwain ni felly wrth i ni gyfarfod nawr
i ystyried y gorffennol ac i gynllunio am y dyfodol.
Agor ein calonnau i ti
ac agor ein meddyliau i'n gilydd.

Dyro i ni'r modd i glywed dy lais
a deall dy ewyllys,
ac adnabod dy roddion sydd gennyt ar ein cyfer,
a dangos ein gwerthfawrogiad
o'r holl waith a wnaed dros y flwyddyn ddiwethaf.
Agor ein calonnau i ti
ac agor ein meddyliau i'n gilydd.

Dyro i ni ddeall o'th ewyllys,
ac ysbrydoliaeth drwy dy Ysbryd Glân,
a chyfarwyddyd drwy dy Air.
Agor ein calonnau i ti
ac agor ein meddyliau i'n gilydd.

Dyro i ni ddoethineb i weld y cyfleoedd sydd o'n blaen,
a'r dewrder i afael ynddynt,
a'r ymroddiad amyneddgar i aros gyda hwy hyd at eu cyflawni.
Agor ein calonnau i ti
ac agor ein meddyliau i'n gilydd.

Grasol Dduw,
diolchwn am bopeth a gyflawnwyd
oddi fewn a thrwy'r eglwys hon,
am bawb a gyfrannodd i'w datblygiad,
a gweddïwn y byddi di yn ein hyrwyddo, yn ein gwahanol ffyrdd,
i adeiladu ynghyd i'r dyfodol,
a bod yn agored i anogaethau'r Ysbryd Glân,
a'n harwain gan gariad Crist,
a gweithio er dy ogoniant di.
Agor ein calonnau i ti
ac agor ein meddyliau i'n gilydd,
drwy Iesu Grist ein Harglwydd.
Amen.

144. CYFARFOD BLYNYDDOL YR EGLWYS (DIWEDD)

Dduw cariadlon,
unwaith eto diolchwn am ein heglwys
a'r gymdeithas a rannwn ynddi.
Molwn di am bawb sy'n cyfrannu i'n bywyd ynghyd â'r rhai
yr ydym wedi eu hadnabod a'u cydnabod yn y cyfarfod hwn –
pawb a wasanaethodd yr eglwys dros y blynyddoedd,
sydd wedi hyrwyddo ac annog ein ffydd,
sydd wedi bod â rhan yn ein bywyd a'n tystiolaeth.
Gelwaist ni i fod yn gorff Crist;
cynorthwya ni i anrhydeddu'r alwad.

Gweddïwn nawr dros bawb sydd wedi cynnig eu gwasanaeth heddiw:
y sawl a dderbyniodd gyfrifoldebau newydd yn y cyfarfod hwn –
arfoga hwy i gyflawni eu dyletswyddau yn ddoeth a ffyddlon;
y sawl a fydd yn parhau gyda'r gwaith
maent eisoes wedi ei gychwyn –
dyro iddynt ysbrydoliaeth newydd ac egni yn eu gwaith;
y sawl a gamodd yn ôl o swyddi gyda chyfrifoldeb –
boed iddynt wybod bod eu llafur wedi cael ei werthfawrogi
a darganfod ffyrdd newydd i wasanaethu;
ac yn olaf y sawl na chafodd wahoddiad i gyfrifoldebau
y buasent wedi ymgymryd â hwy yn barod –
boed iddynt beidio â theimlo'n llai gwerthfawr
neu eu bod yn cael eu gwrthod
ond dod o hyd i ffyrdd lle gallwn ddefnyddio eu doniau.
Gelwaist ni i fod yn gorff Crist;
cynorthwya ni i anrhydeddu'r alwad.

Dduw cariadlon,
gweddïwn nid yn unig dros y bobl hyn ond drosom oll.
Cymorth ni i adnabod
beth rwyt am i ni ei wneud yn y dyddiau sydd o'n blaen
a thyfu'n agosach i ti,
ac i chwilio am nerth ac arweiniad,
ac i'th wasanaethu'n ffyddlonach.
Gelwaist ni i fod yn gorff Crist;
cynorthwya ni i anrhydeddu'r alwad,
er mwyn ei enw.
Amen.

AELODAETH EGLWYS

145. PERTHYN

Ein Tad ni oll,
gelwaist ni i fod yn bobl i ti.
Drwy dy ras, croesawaist ni
i mewn i'th deulu, wedi cael ein huno gyda Christ.
Drwy ffydd y daethom yn aelodau ynghyd.
Addysga ni ein bod yn perthyn i'n gilydd.

Diolchwn am y gymdeithas fawr y perthynwn iddi,
ac yn arbennig am y gymdeithas yma,
lle y gallwn wireddu ein haelodaeth
mewn gair a gweithred.
Addysga ni ein bod yn perthyn i'n gilydd.

Cymorth ni,
drwy'r cariad a'r gwasanaeth
a gynigiwn i'n gilydd ac i'r byd,
i ddangos beth mae aelodaeth yn ei olygu.
Addysga ni ein bod yn perthyn i'n gilydd.

Cymorth ni i ddarganfod yn gyson
ffyrdd newydd o wasanaethu ein gilydd,
cyfleoedd newydd i hyrwyddo dy deyrnas,
ffyrdd newydd y gallwn rannu dy gariad.
Addysga ni ein bod yn perthyn i'n gilydd.

Arbed ni rhag aelodaeth arwynebol,
rhag ffydd hunanol,
rhag gweld yr Eglwys yn bodoli
yn unig er mwyn ein mantais ni.
Addysga ni ein bod yn perthyn i'n gilydd.

Cymorth ni i fedru rhoi, ynghyd â derbyn,
i gyfrannu yn gymaint ag a dderbyniwn,
i wasanaethu yn gymaint â derbyn gwasanaeth.
Addysga ni ein bod yn perthyn i'n gilydd.

Cymorth ni i fod yn dy bobl di ynghyd
yn y lle hwn,
wedi ein huno mewn cariad a ffydd.
Addysga ni ein bod yn perthyn i'n gilydd,
drwy Iesu Grist ein Harglwydd.
Amen.

146. GALWAD RHYFEDDOL CRIST

(Am AB rhowch enw'r ymgeisydd am aelodaeth)

Arglwydd Iesu Grist,
cofiwn heddiw sut y dewisaist
ddeuddeg person cyffredin i fod yn ddisgyblion i ti
a'u galw i'th ddilyn,
gan ymddiried iddynt newyddion yr Efengyl,
a disgwyl iddynt rannu gwybodaeth am dy gariad gydag eraill.
Arglwydd cariadlon,
molwn di am dy alwad.

Cofiwn sut y dewisaist un ohonynt, Seimon Pedr,
i fod yn graig ar yr hwn yr adeiladaist dy Eglwys –
dyn, fel ni, yn amlwg yn ddynol,
gwan a meidrol,
gydag ysbryd parod ond y cnawd yn wan.
Arglwydd cariadlon,
molwn di am dy alwad.

Cofiwn fel y dewisaist bobl
ar draws y canrifoedd i'th wasanaethu –
pobl o bob galwedigaeth mewn bywyd,
o ddiwylliannau a chefndiroedd gwahanol,
gyda chymeriad a nodweddion a doniau gwahanol.
Arglwydd cariadlon,
molwn di am dy alwad.

Dro ar ôl tro dewisaist y mwyaf annhebygol o bobl
i fod yn Eglwys i ti.
Arglwydd cariadlon,
molwn di am dy alwad.

Arglwydd Iesu Grist,
dathlwn heddiw dy fod wedi dewis ni yn ein tro –
i fod yn bobl i ti,
yn blant i ti,
yn ddisgyblion i ti.
Arglwydd cariadlon,
molwn di am dy alwad.

Ac yn arbennig llawenhawn dy fod wedi dewis AB
i mewn i fywyd y gymdeithas,
i fod yn rhan o gymdeithas fawr y saint
yn y nef ac ar y ddaear.
Llenwa ef/hi gyda'th Ysbryd Glân,
adnodda ef/hi gyda gweledigaeth,
meithrina ef/hi mewn ffydd
ac arwain ef/hi yn dy ffyrdd.
Arglwydd cariadlon,
molwn di am dy alwad,
yn enw Crist.
Amen.

147. DISGLEIRIO FEL SÊR

Anfeidrol Dduw, gelwaist ni i ddisgleirio fel sêr yn y byd,
i lewyrchu golau fel lamp.
Helpa ni, a'r holl Eglwys,
drwy ein geiriau a'n gweithredoedd,
ein byw a'n caru,
i rannu rhywbeth o'r hyn a dderbyniasom ohonot ti.
Lle mae tywyllwch,
boed i ni ddwyn golau.

Addysga ni i siarad yn agored a gonest am ein ffydd,
ac nid defnyddio iaith a fydd yn anodd i eraill ei deall,
ond dwyn tystiolaeth syml a dealladwy
am beth olyga Iesu i ni.
Lle mae tywyllwch,
boed i ni ddwyn golau.

Addysga ni i weithio gyda'n cyd-Gristnogion
o bob enwad a chefndir,
gan sylweddoli'r angen i ni ddysgu oddi wrth ein gilydd,
a gweithio gyda'n gilydd er hyrwyddo'r Efengyl.
Lle mae tywyllwch,
boed i ni ddwyn golau.

Addysga ni i garu'r sawl sydd o'n cwmpas,
nid yn unig y credinwyr eraill, nac ychwaith gyda geiriau yn unig,
ond caru pawb, a hynny drwy weithredoedd
sy'n llawn didwylledd.
Lle mae tywyllwch,
boed i ni ddwyn golau.

Anfeidrol Dduw,
mae'n hawdd sôn am fod yn bobl i ti,
ond llawer anoddach i fyw felly.
Arfoga ni a galluoga ni i ymateb i'r her,
ac estyn allan mewn cariad i'r byd.
Lle mae tywyllwch,
boed i ni ddwyn golau,
er gogoniant dy enw.
Amen.

OEDFAON CENHADOL

148. CENHADU A CHENHADON

Dduw cariadlon,
gelwaist ni oll i waith cenhadaeth,
i gyhoeddi'r Newyddion Da am Grist,
a hynny i bawb y byddwn yn eu cyfarfod
mewn gair a gweithred.
Addysga ni am oblygiadau hyn,
ac i fod yn barod i gyflawni'r alwad
pan gwyd y cyfle.
Dyro dy ddoethineb, dy arweiniad a'th ysbrydoliaeth,
fel y daw llawer i ymglywed ac ymateb.

Dduw cariadlon,
gelwaist ni i fod yn dystion i Grist,
ond rwyt yn galw rhai i waith neilltuol –
efengylwyr,
gweinidogion,
pregethwyr ac athrawon dy Air,
pob un gyda chyfrifoldeb arbennig i arwain eraill atat.
Dyro dy ddoethineb, dy arweiniad a'th ysbrydoliaeth,
fel y daw llawer i ymglywed ac ymateb.

Rwyt wedi galw eraill i weinidogaethau arbenigol –
gweithio mewn diwydiant, siopau, carchardai neu ysbytai,
y lluoedd arfog, chwaraeon, gwaith ieuenctid, gwaith gwirfoddol
neu brosiectau eciwmenaidd.
Dyro dy ddoethineb, dy arweiniad a'th ysbrydoliaeth,
fel y daw llawer i ymglywed ac ymateb.

Gelwaist eraill i wasanaeth cenhadol,
dramor neu dros y môr,
i rannu'r Efengyl drwy eu pregethu a'u haddysgu,
a thrwy gynnig sgiliau ymarferol
fel tystiolaeth o gariad a gofal Crist.
Dyro dy ddoethineb, dy arweiniad a'th ysbrydoliaeth,
fel y daw llawer i ymglywed ac ymateb.

Dduw cariadlon,
diolchwn am bawb sydd mewn gwahanol ffyrdd
yn ymdrechu i gyflawni'r comisiwn mawr,
yn dwyn yr Efengyl hyd eithaf y ddaear.
Addysga ni i weld eu gwaith hwy fel ein gwaith ni,
eu cyfleoedd hwy fel ein cyfleoedd ni;
ac felly heria ni a phawb arall ym mhobman
i'w cefnogi'n wastadol,
drwy ein gweddïau, ein harian a'n cefnogaeth
a'n consýrn dros dy deyrnas.
Dyro dy ddoethineb, dy arweiniad a'th ysbrydoliaeth,
fel y daw llawer i ymglywed ac ymateb,
yn enw Crist.
Amen.

149. GWASANAETH CENHADOL – GWELEDIGAETH EHANGACH

Dduw cariadlon,
gelwaist ni i'r eglwys hon
i rannu cymdeithas gyda'n gilydd,
i fod yn deulu yn y lle hwn,
i fod yn bobl ynghyd wedi ein huno mewn cariad.
Gyda'n gilydd rydym yn gorff Crist;
pletha ni ynghyd mewn cariad.

Deuwn heddiw gan gydnabod
dy fod wedi ein galw i gymdeithas ehangach,
cymdeithas sy'n ymestyn dros y gwahaniaethau enwadol,
tu hwnt i ffiniau daearyddol,
ac allan i'r byd mawr.
Er efallai na fyddwn yn cyfarfod yn bersonol,
rydym yn un â Christnogion ym mhobman,
wedi ein huno mewn ffydd,
yn rhannu'r un amcanion,
yn siarad am Newyddion Da'r Crist
hyd eithaf y ddaear.
Gyda'n gilydd rydym yn gorff Crist;
pletha ni ynghyd mewn cariad.

Agor y gorwelion yn ystod yr amser hwn gyda'n gilydd,
gan ymestyn ein dealltwriaeth,
a'n helpu i weld yn llawnach
helaethrwydd dy bwrpas,
rhyfeddod dy gariad,
a chyfoeth y teulu Cristnogol
rydym yn perthyn iddo.
Gyda'n gilydd rydym yn gorff Crist;
pletha ni ynghyd mewn cariad,
drwy Iesu Grist ein Harglwydd.
Amen.

BEDYDD BABANOD / GWASANAETH CYFLWYNO

150. DIOLCH AM ENI PLENTYN

(Am A nodwch enw'r plentyn; ac am C a D nodwch enwau'r rhieni)

Dduw'r creawdwr,
addolwn di heddiw am y rhodd o fywyd newydd.
Deuwn gyda llawenydd yn ein calonnau,
i ddiolch am y plentyn yma,
molwn di am bopeth mae ei (g)enedigaeth yn ei olygu i ni,
a phopeth mae'n ei olygu i ti.
Arglwydd bywyd,
clyw ein gweddi.

Diolchwn am y cariad a ddaeth â A i fodolaeth,
y gofal sy'n ei (h)amgylchynu,
y cyffro a ddaeth yn sgil ei (g)enedigaeth,
y llawenydd a roddodd yn barod
i bawb sydd o'i gwmpas/o'i chwmpas.
Arglwydd bywyd,
clyw ein gweddi.

Dyro dy fendith ar A.
Gofala amdano/amdani,
Arwain ei gerddediad/ei cherddediad,
bendithia ef/hi gyda iechyd da,
llanw ef/hi gyda llawenydd.
Ac yng nghyflawnder amser
boed iddo/iddi ddod i adnabod dy gariad,
ac ymateb i ti mewn ffydd,
a dod o hyd i'r llawenydd a'r heddwch
sy'n unigryw ynot ti.
Arglwydd bywyd,
clyw ein gweddi.

Dduw'r creawdwr,
gweddïwn hefyd dros C a D,
rwyt wedi ymddiried iddynt
y cyfrifoldebau o fod yn rhieni –
dyro iddynt ddoethineb,
amynedd,
ymroddiad,
ac ymrwymiad.
Arglwydd bywyd,
clyw ein gweddi.

Boed i A gyfoethogi eu bywydau ym mhob ffordd,
a boed iddynt estyn i A ddiogelwch
cartref cariadlon, llawn gofal i dyfu ynddo.
Helpa hwy drwy eu geiriau a'u gweithredoedd
i hau hadau dy gariad yng nghalon A,
ac yna rhoi'r lle iddo/iddi
i wneud ei (h)ymateb yn ei (h)amser a'i ffordd ei hun.
Arglwydd bywyd,
clyw ein gweddi.

Dduw'r creawdwr,
diolchwn i ti heddiw am y dydd hwn, y plentyn yma,
a'r teulu yma.
Diolchwn am dy gariad sy'n ein hamgylchu i gyd,
heddiw a bob dydd.
Arglwydd bywyd,
clyw ein gweddi,
yn enw Crist.
Amen.

151. BENDITHIO PLENTYN

Grasol Dduw,
daethost â'r plentyn hwn/hon i fod –
bydd gydag ef/hi ar daith bywyd.
Boed iddo/iddi brofi llawenydd,
iechyd,
a heddwch.
Boed iddo/iddi dyfu mewn cariad,
doethineb,
a ffydd.
Cyfeiria ei draed/thraed,
cadw ef/hi rhag pob drygioni,
a helpa ef/hi i fyw bywyd cyflawn,
heddiw a hyd byth,
yn enw Crist.
Amen.

152. DIOLCHGARWCH AC EIRIOLAETH

Grasol Dduw,
diolchwn am dy rodd o blant,
am y llawenydd, y chwerthin,
a'r hwyl maent yn ei rannu.
Diolchwn am fwrlwm eu bywydau –
eu diddordeb, eu brwdfrydedd a'u chwilfrydedd
wrth ddarganfod yr hyn sy'n ymddangos yn gyffredin i ni.
Diolchwn am nodweddion arbennig –
eu diniweidrwydd, eu hymddiriedaeth, eu brwdfrydedd, eu hegni,
a'u hawydd i ddysgu.
Codwn hwy o'th flaen.
Agor dy galon i bawb.

Dduw grasol,
gweddïwn dros y plentyn hwn a gyflwynir yma heddiw,
ac am blant ym mhobman,
sydd mor werthfawr yn ein golwg
ac mor werthfawr i ti.
Gofala amdanynt,
amddiffynna hwy, arwain hwy, a bendithia hwy.
Codwn hwy o'th flaen.
Agor dy galon i bawb.

Clyw ein gweddi dros y sawl sy'n ddi-blant,
neu sy'n awyddus i feichiogi plentyn arall.
Estyn allan tuag atynt yn eu poen, eu rhwystredigaeth,
eu siom, eu dicter.
Helpa hwy i beidio colli gobaith hyd nes bod pob gobaith wedi mynd,
ac os daw'r amser hwnnw
dyro iddynt y cysur a ddaw oddi wrthyt ti yn unig,
a'r hyder i sianeli eu cariad tuag at y sawl sydd o'u cwmpas.
Codwn hwy o'th flaen.
Agor dy galon i bawb.

Yn olaf, gweddïwn dros blant dan anfantais –
y sawl sy'n dioddef anabledd, y sawl sydd wedi cael eu cam-drin,
yr amddifad,
y sawl sydd heb ddigon o fwyd maethlon, y sawl sydd â neb yn eu
caru, y sawl sydd â neb eu heisiau –
cymaint heb gael cyfleoedd gorau bywyd
ac angen gofal nawr.
Codwn hwy o'th flaen.
Agor dy galon i bawb.

Dduw cariadlon,
yng Nghrist, croesawaist blant bach,
gan ddangos eu pwysigrwydd i ti,
a'r lle arbennig sydd yn dy galon iddynt.
Dyro lwyddiant i waith pawb sy'n gweithio gyda phlant heddiw –
pawb sy'n brwydro i roi cyfleoedd da iddynt,
gyda dyfodol gwell,
a byd diogelach i dyfu ynddo.
Defnyddia hwy, a ni, i wireddu dy ofal dros bawb.
Codwn hwy o'th flaen.
Agor dy galon i bawb,
wrth i ni ofyn hyn yn enw'r Crist.
Amen.

BEDYDD CREDINWYR / CONFFYRMASIWN

153. MOLIANT BEDYDD CONFFYRMASIWN

(Am AB rhowch enw'r ymgeisydd)

Dduw brenhinol,
ti yw dechrau a diwedd popeth,
yn uwch na'n meddyliau uchaf,
yn fwy nag y gallwn byth ei ddychmygu,
y tu hwnt i eirfa dynion.
Does dim byd na elli ei gyflawni,
neb na elli ei newid –
rwyt o hyd yn gweithio ynom,
yn trawsnewid ein bywydau.
Derbyn ein moliant,
yn enw'r Crist.

Dduw'r cariad,
molwn di am bopeth a wnaethost ynom –
y pethau da a dderbyniasom o'th law,
yr arweiniad a roddaist mor gyson.
Er dy fod yn frenhinol ac yn gwbl wahanol i ni
gofalaist drosom i gyd,
yn ceisio'n barhaol ein dwyn yn agosach atat,
yn dyheu i'n bendithio gyda bywyd yn ei holl gyflawnder.
Derbyn ein moliant,
yn enw'r Crist.

Dduw'r gras,
molwn di am ddyfod yn Iesu Grist –
am lefaru mor gryf yn dy gariad
drwy ei eni a'i weinidogaeth,
ei farwolaeth a'i atgyfodiad,
ei esgyniad a'i ddyrchafiad mewn mawl.
Molwn di am ei bresenoldeb parhaol gyda ni nawr,
drwy ei Ysbryd Glân,
yn meithrin ein ffydd,
a'n galw i'w wasanaeth,
a'n llenwi gyda'i lawenydd.
Derbyn ein moliant,
yn enw'r Crist.

Dduw trugaredd,
molwn di am y maddeuant rwyt yn ei estyn i ni,
er ein methiant i fyw fel dy bobl.
Er ein bod yn anufuddhau mor aml,
ac yn aml yn dy anwybyddu
a'th anghofio'n ddyddiol,
rwyt yn parhau i ymestyn tuag atom,
ein galw yn ôl a'n hadnewyddu drwy dy ras.
Derbyn ein moliant,
yn enw'r Crist.

Dduw'r bywyd,
diolchwn i ti am ein derbyn fel yr ydym,
gyda'n holl feiau a'n gwendidau,
a diolchwn heddiw
dy fod wedi galw AB i ffydd ynot,
a'i arwain ef/hi i dystiolaeth gyhoeddus
i bopeth rwyt yn ei olygu yn ei fywyd/ei bywyd.
diolchwn wrth i ti ei croesawu/ei chroesawu
rwyt yn croesawu pawb ohonom.
Derbyn ein moliant,
yn enw'r Crist.

Dduw'r cariad,
cofleidia ni nawr yn yr oedfa hon.
Helpa ni i synhwyro dy agosrwydd ac i glywed dy lais,
ac ymateb yn barod mewn ffydd,
heb ddal yn ôl neu gadw draw,
ond derbyn dy gariad
a dathlu ym mhopeth a wnaethost drosom.
Derbyn ein moliant,
yn enw'r Crist.
Amen.

154. DIOLCHGARWCH BEDYDD / CONFFYRMASIWN

(Am AB nodwch enw llawn yr ymgeisydd; am A nodwch yr enw cyntaf yn unig)

Dduw cariadlon,
diolchwn i ti ddwyn AB i'r man hwn
I ddatgan yn gyhoeddus ei ffydd ynot ti.
Diolchwn am y llawenydd a'r bodlonrwydd
mae ef/hi wedi ei brofi yng Nghrist,
a darganfod y ffordd, y gwirionedd a'r bywyd drosto/drosto ei hunan.
Molwn di am bob ffordd rwyt wedi arwain, meithrin a siarad gyda A;
am yr holl nerth a roddaist, am y cariad a ddangosaist,
am y cymorth a gynigiaist.
Rwyt o hyd yn ymestyn allan yn dy gariad,
a molwn di am hynny.

Dduw cariadlon,
diolchwn am A,
ac am bopeth mae'r foment hon yn ei olygu iddo/iddi.
Diolchwn dy fod yn gwahodd pob un ohonom yn ein tro
i wneud ein hymateb personol.
Gelwaist ni, fel y gelwaist A,
nid drwy unrhyw ddaioni o'n rhan,
na bod gennym yr holl atebion a heb gwestiynau,
ond am dy fod yn ein caru
ac yn barod i'n derbyn fel yr ydym.
Rwyt o hyd yn ymestyn allan yn dy gariad,
a molwn di am hynny.

Dduw cariadlon,
llefara wrthym drwy'r gwasanaeth hwn,
fel y gallom glywed dy lais
ac ymateb i'th her.
Rwyt o hyd yn ymestyn allan yn dy gariad,
a molwn di am hynny,
yn enw Crist.
Amen.

PRIODAS GRISTNOGOL

155. GWEDDI AGORIADOL 1

(Cynhwyswch enwau'r priodfab a'r briodferch yn lle A a C)

Dduw'r bywyd,
molwn di am y dydd hwn o lawenydd a dathliad,
y cariad a'r ymroddiad,
y deheuad a'r disgwyliadau.
Am bopeth mae heddiw yn ei olygu,
diolchwn i ti.

Diolchwn am bopeth mae A a C wedi ei rannu,
a phopeth y byddant yn ei rannu –
am yr holl lawenydd maent wedi ei ddarganfod yn ei gilydd,
a'u hawydd heddiw i ddwyn tystiolaeth o'u llawenydd
o'th flaen dithau a ninnau.
Am bopeth mae heddiw yn ei olygu,
diolchwn i ti.

Diolchwn am y cariad mae'r oedfa hon yn sôn amdano –
am gariad A a C tuag at ei gilydd,
am gariad teulu a chyfeillion,
am dy gariad tuag atom.
Am bopeth mae heddiw yn ei olygu,
diolchwn i ti.

Dduw'r bywyd,
agor ein calonnau i bopeth rwyt am ei ddweud wrthym.
Boed i'r dydd hwn fod yn un i A a C ei gofio gyda diolchgarwch,
y cyntaf o ddyddiau a blynyddoedd lawer a fydd yn llawn o
fodlonrwydd parhaol.
A boed i heddiw fod i bawb sy'n bresennol
yn ddydd i adnabod yn gliriach
ehangder dy gariad,
ac i ninnau ymateb mewn diolchgarwch.
Am bopeth mae heddiw yn ei olygu,
diolchwn i ti,
yn enw Crist.
Amen

156. GWEDDI AGORIADOL 2

(Cynhwyswch enwau'r priodfab a'r briodferch yn lle A a C)

Dduw'r cariad,
deuwn ynghyd ar y dydd arbennig hwn
i ddiolch i ti,
i ddathlu
ac i addoli.
Grasol Dduw,
clyw ein gweddi.

Deuwn gan gofio popeth
a wnaeth y dydd hwn yn bosibl –
y cariad sy'n amgylchu A a C ers eu geni,
y profiadau a ffurfiodd eu cymeriadau,
y digwyddiadau a ddaeth â hwy ynghyd
a sefydlu eu perthynas.
Grasol Dduw,
clyw ein gweddi.

Deuwn gan edrych ymlaen at bopeth sydd yn eu haros yn y dyfodol –
y llawenydd bydd A a B yn ei rannu gyda'i gilydd,
y breuddwydion byddant yn ceisio eu gwireddu,
y cariad a fydd yn parhau i dyfu.
Grasol Dduw,
clyw ein gweddi.

Deuwn gan ddathlu popeth mae'r munudau hyn yn eu cynnig –
yr aduniad o deulu a chyfeillion,
yr hwyl, y chwerthin a'r llawenydd a rannwn,
a'r uniad o ŵr a gwraig a ddaw o'th flaen di.
Grasol Dduw,
clyw ein gweddi.

Duw'r cariad,
mae'r dydd hwn yn dra gwerthfawr –
yn amser diolchgarwch, dathliad ac addoliad.
Derbyn ein moliant am bopeth a wnaethost,
ac am bopeth rydym yn cael ein hanrhydeddu o dystio iddo heddiw.
A chaniatâ dy fendith ar bopeth sydd yn nwylo'r yfory,
fel y bydd popeth rydym yn ei obeithio a mwy fyth
yn cael ei wireddu dros y blynyddoedd a ddaw.
Grasol Dduw,
clyw ein gweddi,
drwy Iesu Grist ein Harglwydd.
Amen.

157. DIOLCHGARWCH

(Cynhwyswch enwau'r priodfab a'r briodferch yn lle A a B)

Dduw cariadlon,
diolchwn am y dydd arbennig hwn –
dydd o lawenhau a dathlu,
dydd o ddisgwyliadau mawr a dechreuadau newydd.
Arglwydd cariad,
clyw ein gweddi.

Diolchwn am y deuddyn hyn –
am bopeth a olygant i ni,
am bopeth a olygant i'w gilydd,
am bopeth a olygant i ti.
Arglwydd cariad,
clyw ein gweddi.

Diolchwn am i ti eu dwyn at ei gilydd,
am y cariad maent yn ei rannu,
a'r bywyd sydd o'u blaen.
Arglwydd cariad,
clyw ein gweddi.

Cyfoethoga hwy a ninnau sydd yma heddiw.
Wrth iddynt wneud eu haddunedau
a chyfnewid modrwyon,
cyfoethoga hwy.
Wrth ddarllen yr ysgrythur
a chyflwyno ein haddoliad,
cyfoethoga ni.
Arglwydd cariad,
clyw ein gweddi.

Dduw cariadlon,
dyro dy fendith ar A a C,
fel bod popeth sydd o'u blaen yn y dyfodol,
er gwell ac er gwaeth,
yn glaf ac yn iach,
yn eu cynnal i ofalu am ei gilydd
a pheri i'w cariad gynyddu.
Boed i'th agosrwydd y maent yn ei brofi nawr
fod mor real a sicr ac arbennig,
yfory ac yn y blynyddoedd sydd i ddod, ag y mae heddiw.
Arglwydd cariad,
clyw ein gweddi,
yn enw Crist.
Amen.

158. RHODD CARIAD
(wedi ei seilio ar 1 Cor. 13)

(Cynhwyswch enwau'r priodasfab a'r briodferch yn lle A a B)

Dduw cariadlon,
mae cymaint i'w fwynhau heddiw,
nid yn unig y gwasanaeth hwn, er mor ganolog yw,
ond popeth arall sy'n rhan o'r achlysur:
rhoi a derbyn anrhegion,
tynnu lluniau,
yr areithiau,
hwyl y neithior,
cynnwrf teulu a chyfeillion,
yr amser rhydd ar y mis mêl,
cymaint o hapusrwydd,
cymaint o chwerthin,
cymaint i'w ddathlu.
A diolchwn am y cyfan gyda chalonnau llawen.
Arglwydd, yn dy gariad,
clyw ein gweddi.

Ond gweddïwn drwy'r cyfan, y byddi'n ein cadw rhag colli golwg
o'r hyn sy'n ganolbwynt y dydd hwn,
sef dy rodd o gariad;
ac nid yn unig yr ystyr sentimental sydd i'r gair,
ond y modd mae'r Apostol Paul yn ei ddefnyddio
wrth gyfarch y Corinthiaid –
yn amyneddgar ac yn gymwynasgar,
byth yn mynnu ei ffordd ei hun,
byth yn haerllug, yn cenfigennu, yn ymffrostio nac yn ymchwyddo
ond yn cydlawenhau gyda'r gwirionedd,
yn goddef i'r eithaf,
yn credu i'r eithaf,
yn gobeithio i'r eithaf,
yn dal ati i'r eithaf.
Arglwydd, yn dy gariad,
clyw ein gweddi.

Bywiol Dduw,
helpa ni i fwynhau'r dydd hwn,
a dathlu pob gwedd ohono gyda brwdfrydedd
fel rhodd oddi wrthyt ti.
Helpa ni i gofio na fyddai'r dydd yn ddim byd o gwbl
heb fod cariad yn ei ganol.
Ac felly dyro i A a C,
ac i bob un o'n perthnasau ni,
fel bod ein cariad yn cynyddu,
beth bynnag a wynebwn,
heddiw a hyd byth.
Arglwydd yn dy gariad,
clyw ein gweddi,
yn enw Iesu Grist ein Harglwydd.
Amen.

159. ADNEWYDDU ADDUNEDAU PRIODAS
GWEDDI AGORIADOL

*(Nodwch enwau llawn y priodfab a'r briodferch yn lle AB ac CD ac
enwau cyntaf yn unig yn lle A ac C.)*

Grasol Dduw,
rydym yma i ddathlu dy gariad
ac i orfoleddu yn dy ffyddlondeb mawr.
Rwyt wedi bod yn dda wrthym,
o hyd yn gywir,
o hyd wrth ein hochr,
a molwn di am hyn.
Derbyn ein moliant,
yn enw Crist.

Deliaist ni yn agos, o ddydd i ddydd,
yn rhannu gyda ni yr amseroedd da a drwg,
ein cyfaill sicraf a chywiraf,
a diolchwn i ti am hyn.
Derbyn ein moliant,
yn enw Crist.

Dduw grasol,
rydym yma i ddathlu dy rodd o gariad,
y cariad mae AB a CD wedi ei rannu dros y blynyddoedd,
y ffyddlondeb a ddangosant i'w gilydd,
yr agosrwydd a ddatblygodd rhyngddynt.
Derbyn ein moliant,
yn enw Crist.

Rydym yma i ddathlu sut rwyt wedi eu cynnal,
drwy lawenydd a thristwch,
gobeithion ac ofnau,
treialon a themtasiynau,
da a drwg.
Derbyn ein moliant,
yn enw Crist.

Dduw grasol,
rydym yma i ddathlu, gyda thi,
a gyda A a C,
a gyda'n gilydd.
Llefara wrthym, drwy'r addunedau a adnewyddwyd
yn y gwasanaeth hwn,
am y cariad sydd gennyt ar ein cyfer,
a helpa ni i addo ein cariad yn ôl i ti.
Derbyn ein moliant,
yn enw Crist.
Amen.

160. ADNEWYDDU ADDUNEDAU PRIODAS – GWEDDI DIOLCHGARWCH

(Yn lle A a C nodwch enwau cyntaf enwau'r priodfab a'r briodferch)

Dragwyddol Dduw,
deuwn ger dy fron i ddathlu y rhodd o gariad –
dy gariad tuag atom,
a chariad A a C tuag at ei gilydd.
Bendithiaist ni,
a diolchwn i ti.

Diolchwn i ti, beth bynnag arall a fydd yn newid,
pe bai nef a daear yn mynd heibio,
y bydd dy gariad yn ddigyfnewid,
yn gyson ac yn ddibynadwy,
o hyd yr un fath,
o hyd yn sicr.
Bendithiaist ni,
a diolchwn i ti.

Diolchwn i ti am eu hymroddiad i'w gilydd,
i'w teuluoedd,
i ni,
ac i Grist.
Bendithiaist ni,
a diolchwn i ti.

ANGLADD GRISTNOGOL

Dos gyda hwy nawr,
gwylia drostynt,
a dyro iddynt flynyddoedd lawer
o iechyd a llawenydd gyda'i gilydd,
hyd y dydd y byddi yn eu huno hwy a'th holl bobl
yn dy deyrnas dragwyddol
â llawenydd dy bresenoldeb digyfnewid.
Bendithiaist ni,
a diolchwn i ti,
yn enw Crist.
Amen.

ANGLADD GRISTNOGOL

161. GALWAD I ADDOLI

(Nodwch enw'r ymadawedig yn lle AB)

Rydym yma i rannu cydymdeimlad ar derfyn bywyd
ac i ddiolch am fywyd cyflawn a da.
Rydym yma i alaru am yr hyn a ddaeth i ben
ond yn dathlu bod bywyd tragwyddol wedi dechrau.
Rydym yma yn ymwybodol o wahanu,
ond yn hyderus y cawn gwrdd eto.
Rydym yma yn cofio yr hyn a fu
ac yn edrych ymlaen at yr hyn a fydd.
Rydym yma i dalu teyrnged am bopeth yr oedd AB yn ei olygu i ni,
ac i atgoffa'n gilydd o bopeth roedd ef/hi yn ei olygu i Dduw.
Rydym yma gan ymddiried un rydym wedi ei garu/ei charu'n fawr
i'w ofal tragwyddol,
ac i ymddiried ein hunain i'r un Duw
a'n carodd cymaint.
Gwrandawn felly ar eiriau'r ysgrythur a'r deyrnged,
dygwch eich poen, eich sioc a'ch tristwch,
gan gynnig i Dduw ar yr amser hwn o addoliad,
a derbyn y cysur mae'n awyddus i'w roi i chi,
yn enw Crist.
Amen.

162. AGOSÁU

(Nodwch enw'r ymadawedig yn lle AB, a'r enw cyntaf yn lle A)

Dduw cariadlon,
deuwn heddiw a'i chael yn anodd i roi geiriau i'n teimladau,
heb eiriau addas i fynegi ein diolchgarwch
am bopeth roedd AB yn ei olygu i ni.
Deuwn gyda thristwch wrth feddwl am y golled,
gyda diolchgarwch am y person roedd A,
gyda moliant wrth i ni gofio
popeth a wnaethost drwyddo/drwyddi,
mewn ffydd wrth i ni gyflwyno A a ninnau
i'th ofal tragwyddol.

Dduw cariadlon,
tynn ni atat wrth i ni agosáu atat ti.
Llefara wrthym drwy eiriau'r ysgrythur,
drwy ein gweddïau,
drwy bopeth a rannwn gyda'n gilydd,
fel, drwy gredu yn yr Efengyl ac ymddiried yng Nghrist,
y byddwn yn derbyn cysur, heddwch a nerth
rwyt yn awyddus i'w rhoi i ni,
ac y gallwn gael gobaith yn y bywyd hwn,
ac yn y byd a ddaw,
drwy Iesu Grist ein Harglwydd.
Amen.

163. GWEDDI AGORIADOL 1

Arglwydd,
mae rhywun annwyl i ni wedi marw,
un arbennig i ni,
gwerthfawr,
na ellir llenwi ei le/ei lle.
Gwyddom nad oes geiriau y gallwn eu defnyddio nawr
i fynegi ein teimladau,
ac nad oes geiriau a fydd yn dileu'r tristwch
na chymryd ein poen.

Deuwn heddiw i ddwyn y galar,
y sioc a'r boen,
y gwacter, y dicter a'r ansicrwydd
sy'n ein goddiweddyd ar adeg fel hon.
Deuwn â'r cyfan hyn ger dy fron
gan ofyn am nerth yn y cyfnod tywyll hwn.
Dal afael ynom
hyd yn oed pan na allwn ddal gafael ynot ti.
Bydd yn agos,
hyd yn oed pan fyddwn yn meddwl dy fod ymhell i ffwrdd.
Cynnal ni yn y dyddiau sydd o'n blaen,
a dyro i ni y cysur a addewaist,
hyd nes y daw'r dydd y gallwn edrych yn ôl,
nid yn unig gyda phoen ond gyda diolchgarwch,
nid yn unig gyda thristwch ond gyda llawenydd,
drwy Iesu Grist ein Harglwydd,
yr Atgyfodiad a'r Bywyd!
Amen.

164. GWEDDI AGORIADOL 2

(Nodwch enw'r ymadawedig yn lle AB, a'r enw cyntaf yn lle A)

Dduw cariadlon,
deuwn heddiw i fynegi ein tristwch a hefyd ein llawenydd,
i gofio ac eto i ddisgwyl,
i alaru ac eto i ddiolch.
Arglwydd yn dy drugaredd,
clyw ein gweddi.

Deuwn gyda diolchgarwch yn ein calonnau
am bopeth roedd AB yn ei olygu i ni,
am bopeth mae ef/hi yn parhau i'w olygu i ni,
ac am bopeth mae ef/hi yn ei olygu i ti.
Arglwydd yn dy drugaredd,
clyw ein gweddi.

Deuwn er mwyn cydnabod bywyd cyflawn a da,
ac mewn ffydd yn cyflwyno A a ninnau
i'th ofal tragwyddol.
Arglwydd yn dy drugaredd,
clyw ein gweddi.

Dduw cariadlon,
tynn ni atat wrth i ni nesáu atat.
Llefara wrthym drwy eiriau'r Ysgrythur a'r deyrnged,
drwy'r emynau a'r gweddïau,
drwy bopeth a rannwn;
a thrwy gredu yn Newyddion Da'r Crist,
ac ymddiried ynddo,
y derbyniwn y diddanwch a addawodd,
yr hedd sydd y tu hwnt i bob deall,
a'r sicrwydd o fywyd tragwyddol,
drwy Iesu Grist ein Harglwydd.
Arglwydd yn dy drugaredd,
clyw ein gweddi,
wrth i ni ofyn hyn yn ei enw.
Amen.

165. DIOLCHGARWCH 1

(Nodwch enw'r ymadawedig yn lle AB, a'r enw cyntaf yn lle A)

Dduw grasol,
diolchwn i ti am y person y bu AB i ni.
Diolchwn am ei gariad/ei chariad, a'i gyfeillgarwch, ei chyfeillgarwch,
ei (g)onestrwydd a'i (d)didwylledd,
ei (g)aredigrwydd/ei charedigrwydd, a'i feddylgarwch/a'i meddylgarwch,
ei (d)doethineb a'i (g)wyleidd-dra.

Diolchwn am ei (g)wasanaeth ffyddlon mewn sawl gwedd,
ei (h)ymroddiad mewn gwaith,
i'w deulu/i'w theulu
i'n heglwys,
i Grist.
Diolchwn am ei ffydd,
ei (h)ymroddiad,
ei d(d)isgyblaeth,
i'w dystiolaeth/i'w thystiolaeth i gariad Crist.

Dduw grasol,
diolchwn i ti am y modd y cyfoethogodd A ein bywydau,
a'r llawenydd a rannodd i gynifer,
y parch a'r cariad a enillodd,
a'r tristwch dwfn a deimlwn nawr.

Ond yn bennaf oll, diolchwn bod ein hyder,
ein gobaith a'n hymddiriedaeth yn real,
bod A wedi rhedeg yr yrfa a chadw'r ffydd
ac yn awr yn ddiogel gyda thi a'th bobl
yn dy deyrnas nefol.
Gwylia dros A a bendithia ef/hi, hyd nes cawn eto gwrdd,
a byw ynghyd yng ngoleuni dy gariad tragwyddol,
drwy Iesu Grist ein Harglwydd.
Amen.

166. DIOLCHGARWCH 2

(Nodwch enw'r ymadawedig yn lle AB, a'r enw cyntaf yn lle A)

Dduw'r bywyd,
deuwn â'n diolch am fywyd AB,
am y person y bu ef/hi,
am bopeth y bu iddo ef/iddi hi ei olygu mewn cymaint o ffyrdd.

Diolchwn am ei agosrwydd/ei hagosrwydd a'i gariad / a'i chariad,
ei frwdfrydedd/ei brwdfrydedd dros fywyd,
ei d(d)ewrder a'i serchowgrwydd,
ei (h)amrywiol ddiddordebau a'i d(d)oniau.

Diolchwn am yr holl hapusrwydd a ddaeth drwy A
i bawb o'i gwmpas/o'i chwmpas
ac yn arbennig ei deulu/ei theulu.
Diolchwn am yr amserau arbennig a rannwyd gyda hwy;
yr adegau a fydd yn aros yn ein meddyliau
fel atgofion parhaol,
sy'n dwyn poen a llawenydd wrth eu cofio.
Diolch am yr argyhoeddiadau a oedd yn bwysig i A,
ar hyd ei fywyd/ei bywyd,
a'r cyfan y bu iddo/iddi gredu ynddo a gweithio drosto.
A diolchwn am y ffydd
a roddodd iddo/iddi'r fath gynhaliaeth,
ac sy'n cynnig yr un gefnogaeth i ni nawr.

Dyro i ni'r sicrwydd yn y fuddugoliaeth dros farwolaeth
a enillaist drwy Grist,
a'r sicrwydd am ddyfodiad dy deyrnas,
a'r argyhoeddiad na fydd unrhyw beth
yn ein gwahanu oddi wrth dy gariad di,
fel y gallom ddarganfod y ffydd, nid yn unig er mwyn heddiw,
ond ar gyfer yfory a'r cyfan sydd yn ein disgwyl i'r dyfodol.
Gofynnwn hyn yn enw Crist.
Amen.

167. GWEDDI DROS Y SAWL SY'N GALARU 1

(Nodwch enw'r ymadawedig yn lle A)

Dduw'r cariad,
addewaist y bydd y sawl sy'n caru yn cael eu diddanu.
Felly gweddïwn nawr dros bawb sy'n bresennol yma heddiw,
gan ddwyn o'th flaen y galar a deimlwn nawr.
Arglwydd yn dy drugaredd,
clyw ein gweddi.

Gweddïwn yn arbennig dros deulu A,
yn eu sioc a'u galar,
eu poen a'u hunigrwydd,
yng nghymhlethdod yr emosiynau a ddaw i'r sawl a adewir ar ôl
yn sgil marwolaeth.
Arglwydd yn dy drugaredd,
clyw ein gweddi.

Gweddïwn dros y sawl a ystyriodd A fel cyfeillion,
oddi fewn i'r eglwys hon,
cydweithwyr A,
cymdogion i A,
y sawl a rannodd ddiddordebau,
pobl, mewn amrywiol ffyrdd,
y bu A yn ddylanwad arnynt.
Arglwydd yn dy drugaredd,
clyw ein gweddi.

Dduw'r cariad,
rhannwn gyda thi ein profiad o wacter,
o wahanu, o dristwch.
Dyro i ni'r gefnogaeth wrth i ni ymgiprys
gyda'n colled.
Dyro i ni'r nerth i wynebu'r dyddiau o'n blaen.
Dyro i ni'r dewrder pan fydd bywyd yn ymddangos yn dywyll.
Dyro i ni obaith pan fydd y dyfodol yn ymddangos yn ddibwrpas.
Arglwydd yn dy drugaredd,
clyw ein gweddi,
yn enw Crist.
Amen.

168. GWEDDI DROS Y SAWL SY'N GALARU 2

(Nodwch enw'r ymadawedig yn lle A)

Dduw cariadus,
rwyt yn dweud wrthym am edrych ymlaen at ddydd
pan ddaw dy deyrnas,
a'th ewyllys yn cael ei chyflawni;
ac oes newydd lle na fydd dioddefaint,
tristwch na marwolaeth;
man lle na fydd galar na dagrau,
a phob deigryn wedi cael ei sychu.
Cymorth ni i ddarganfod cysur yn dy gariad.

Diolchwn am yr addewid yna
ac edrychwn ymlaen at yr adeg honno,
ond gweddïwn hefyd am dy help nawr,
am fod ein galar heddiw yn hynod boenus,
a bod y ffaith o farwolaeth yn erchyll o real.
Cymorth ni i ddarganfod cysur yn dy gariad.

Felly gofynnwn i ti ymestyn tuag atom
ac at bawb sy'n dweud wrthym i'w bywydau gael eu cyfoethogi
yng nghwmni A –
teulu,
cyfeillion,
cymdogion,
cydweithwyr,
a phawb sy'n dlotach oherwydd marw A.
Cymorth ni i ddarganfod cysur yn dy gariad.

Dduw cariadlon,
ymestyn tuag atom i dywyllwch y funud,
a düwch ein trallod,
a dyro dy oleuni na all gael ei drechu,
a'th heddwch sydd y tu hwnt i bob deall,
a'th obaith na ellir ei ddiffodd.
Cymorth ni i ddarganfod cysur yn dy gariad,
drwy Iesu Grist ein Harglwydd.
Amen.

RHAN TRI
Suliau Cyffredin

GWEDDÏAU O NESÂD

169. YN ONEST GER BRON DUW

Dduw grasol, Arglwydd pob peth,
diolchwn i ti am gael dod ger dy fron mewn gweddi,
ac er mai ti yw'r mwyaf, yn un i ryfeddu ato ac yn un sanctaidd,
y gallwn siarad â thi megis cyfaill.
Clyw ein gweddi nawr.

Diolchwn y gallwn agor ein calonnau ger dy fron,
ac y gallwn ymarllwys ein meddyliau dyfnaf o'th flaen,
gan wybod dy fod yno,
o hyd yn barod i wrando a deall.
Clyw ein gweddi nawr.

Felly, o'r newydd, ymostyngwn yn agored o'th flaen,
yn agored i ti ein gweld.
Gwêl ein drygioni ynghyd â'n daioni,
ein hamheuon ynghyd â'n ffydd,
ein tristwch ynghyd â'n llawenydd,
ein hanobaith ynghyd â'n gobaith.
Clyw ein gweddi nawr.

Cyflwynwn ein dicter ynghyd â'n heddwch,
ein casineb ynghyd â'n cariad,
ein hansicrwydd ynghyd â'n sicrwydd,
ein hofn ynghyd â'n hymddiriedaeth.
Clyw ein gweddi nawr.

Grasol Dduw,

323

cyflwynwn y deisyfiadau hyn,
nid gyda balchder nac unrhyw syniad o haerllugrwydd
ond yn onest,
yn sylweddoli dy fod yn ein hadnabod yn gyfan gwbl.
Clyw ein gweddi nawr.

Helpa ni i fod yn onest â ni ein hunain a gyda thi,
fel y medrwn ddarganfod y cariad adnewyddol
sy'n unigryw i ti –
cariad sy'n ein rhyddhau i fyw fel rwyt am i ni fyw,
ac yn ein gadael i fod y bobl rwyt am i ni fod.
Clyw ein gweddi nawr,
yn enw Crist.
Amen.

170. ELFENNAU ADDOLIAD

Anfeidrol a chariadlon Dduw,
mewn arswyd a pharch y deuwn i'th addoli –
i gyhoeddi dy fawredd,
i gydnabod dy rym,
i sylweddoli dy frenhiniaeth,
i ddatgan dy ddaioni.
Arglwydd yr oll, clyw ein gweddi.

Dduw pob gofal a thosturi,
deuwn i'th foli gyda chalonnau diolchgar –
am dy gariad sy'n ein hamgylchynu drwy'r amser,
am holl fendithion ein bywydau,
am ryfeddod ein byd,
am obaith ein ffydd yng Nghrist.
Arglwydd yr oll, clyw ein gweddi.

Dduw trugaredd a maddeuant,
deuwn ger dy fron mewn tristwch a chywilydd –
i gyffesu ein hannheilyngdod o'th ddaioni,
i gyffesu na wnaethom dy garu di
na'n gilydd fel y dylem;
cyffeswn i ni fethu gwerthfawrogi dy roddion,
a thorri dy orchmynion.
Arglwydd yr oll, clyw ein gweddi.

Bywiol Dduw, a rhoddwr bywyd,
deisyfwn di, mewn ffydd ac ymddiriedaeth –
drwy weddïo drosom ein hunain, dros ein gilydd a thros dy fyd,
drwy ddod â'n consýrn am faterion bywyd bob dydd ger dy fron,
drwy ddwyn bywyd ein hanwyliaid o'th flaen,
drwy gyflwyno materion y byd i'th ofal.
Arglwydd yr oll, clyw ein gweddi.

Arglwydd yr oll,
offrymwn i ti yn yr amser hwn o addoliad
ein moliant,
ein diolchgarwch,
ein cyffes,
ein deisyfiad.
Arglwydd yr oll, clyw ein gweddi.

Ymateb i ni, os gweli'n dda –
drwy gyffwrdd â'n calonnau gyda'th bresenoldeb bywiol,
a llenwi ein bywydau gyda'th ras,
fel y gall ein cariad gynyddu,
a'n ffydd ddyfnhau,
a'n gwasanaeth gael ei atgyfnerthu.
Arglwydd yr oll, clyw ein gweddi,
yn enw Crist.
Amen.

171. YN DYHEU I ADDOLI

Anfeidrol a chariadlon Dduw,
deuwn â'n moliant i ti,
a dwyn ein haddoliad,
gan agor ein calonnau.
Dymunwn ddweud am bopeth rwyt yn ei olygu i ni,
a chyhoeddi dy enw
mewn modd sy'n gwneud cyfiawnder â'th fawredd.
Clyw ein gweddi.

Dragwyddol a holl rymus Dduw,
rydym yn dyheu am dy gyfarfod,
am glywed dy lais,
am wybod dy ewyllys,
am ddysgu mwy amdanat,
am gynnig ein hymrwymiad,
sy'n gwneud cyfiawnder â'th gariad.
Clyw ein gweddi.

Grasol a maddeugar Dduw,
helpa ni i gyfaddef ein beiau,
i gyffesu ein pechodau,
i gydnabod ein gwendidau,
i weld popeth sydd yn anghywir yn ein bywydau,
ac i fod yn bobl sy'n gwneud cyfiawnder â'th drugaredd.
Clyw ein gweddi.

Dduw mawr sy'n trawsnewid popeth,
helpa ni i'th wasanaethu'n ffyddlonach,
i'th garu'n ddyfnach,
i'th adnabod yn llwyrach,
i ufuddhau yn llwyr,
a byw mewn modd
a fydd yn gwneud cyfiawnder â'th rym adnewyddol.
Clyw ein gweddi.

Dragwyddol Dduw,
gwyddost beth ydym, a gwyddost beth rwyt am i ni fod.
Clyw ein gweddi,
derbyn ein haddoliad,
a helpa ni i ddod yn bobl
rwyt am i ni fod,
er gogoniant dy enw.
Amen.

172. ADNABOD CRIST YN EIN PLITH

Dduw cariadlon,
wele ni yn enw Crist.

**Deuwn i grymu pen,
a chodi ein calonnau,
ac i estyn ein moliant.**

Deuwn i gyffesu Iesu Grist yn Arglwydd,
a'i roi ar orsedd ein bywydau,
ac i gyflwyno iddo ein hymrwymiad.

**Deuwn gan geisio ei ewyllys,
i glywed ei air,
ac i dderbyn ei fendith.**

Dduw cariadlon,
molwn di am bopeth a wnaethost drwy Grist –
ei ddatguddiad o'th gariad a'th ogoniant,
ei ufudd-dod a'i ffyddlondeb hyd at y Groes,
ei fuddugoliaeth dros angau a'i esgyniad i'th bresenoldeb,
ei addewid i ddod eto,
fel Brenin y brenhinoedd ac Arglwydd yr arglwyddi.

**Helpa ni wrth i ni addoli
i gydnabod Crist yma yn ein mysg.**
Helpa ni i gael cipolwg ar dy ogoniant drwyddo,
i ymdeimlo â'i gariad drwy ein cymdeithas,
a gweld yn gliriach sut y gallwn ei wasanaethu
yn anghenion ein byd.

**Helpa ni i arddel ei enw yn ffyddlon,
a byw bob dydd
er gogoniant ei enw.
Amen.**

173. BOD YN HY GER BRON DUW

Dragwyddol Dduw,
deuwn eto i'r man cyfarwydd hwn,
ar yr adeg arferol,
yng nghwmni bobl cyfarwydd.
Deuwn fel y daethom droeon o'r blaen,
i ganu emynau cyfarwydd,
i gyfarfod cyfeillion annwyl,
ac i wrando ar eiriau hoff o'r Ysgrythur.
Llefara wrthym drwy y cyfan a wyddom ac a garwn cymaint.

Dragwyddol Dduw,
diolchwn am bopeth sy'n gyfarwydd,
popeth a ddaeth yn gymaint rhan o'n bywydau.
Ond achub ni rhag dod yn orgyfarwydd –
yn orgyfarwydd â thi, fel ein bod yn colli'r synnwyr o barchedig ofn
y dylem ei brofi yn dy gwmni;
yn orgyfarwydd gyda'n gilydd,
fel ein bod yn colli'r syniad o werth yn ein gilydd;
yn orgyfarwydd gyda'n ffydd,
fel ein bod ond yn gweld yr hyn a ddewiswn ei weld
yn hytrach na phopeth rwyt am ei ddangos i ni;
yn orgyfarwydd gyda'r byd o'n cwmpas,
fel ein bod yn methu gweld ôl dy law
yn rhyfeddod y greadigaeth.
Llefara wrthym drwy y cyfan a wyddom ac a garwn cymaint.

Dragwyddol Dduw,
agor ein llygaid i weld dy fawredd,
ein calonnau i'n gilydd,
ein bywydau i'th holl bobl ym mhob man,
a'n heneidiau i waith y deyrnas ar draws y byd.
Dyfnha ein deall mewnol,
cynydda ein cariad,
ehanga ein gweld,
lledaena ein gorwelion.
Llefara wrthym drwy y cyfan a wyddom ac a garwn cymaint.

Ac felly ysbrydola ni drwy bopeth a wnaethost,
popeth rwyt yn ei wneud,
a phopeth sydd ar ôl i'w wneud.
Boed i ni dy addoli yn gywirach,
a'th wasanaethu'n ffyddlonach,
er gogoniant dy enw.
Amen.

174. GER BRON DUW

Dduw mawr a rhyfeddol,
deuwn yn wylaidd ger dy fron,
mewn parchedig ofn,
mewn ffydd,
mewn gobaith, mewn cariad,
mewn addoliad.
Yn dy drugaredd, clyw ein gweddi.

Deuwn i'th foli di,
i'th ganmol,
i'th fawrhau,
i'th gydnabod,
i'th gyfarch,
i ddiolch.
Yn dy drugaredd, clyw ein gweddi.

Deuwn gan gydnabod dy rym,
dy awdurdod,
dy ddoethineb,
dy ffyddlondeb,
dy ddaioni,
dy gariad.
Yn dy drugaredd, clyw ein gweddi.

Deuwn gan gyffesu ein gwendid,
ein hannheilyngdod,
ein beiau,
ein methiannau,
ein hanffyddlondeb,
ein diffyg cariad.
Yn dy drugaredd, clyw ein gweddi.

Deuwn gan geisio dy drugaredd,
dy arweiniad,
dy nerth,
dy rym adnewyddol,
dy ysbrydoliaeth,
dy air.
Yn dy drugaredd, clyw ein gweddi.

Deuwn gan ymrwymo ein hunain i'th wasanaeth,
i'th bwrpas,
i'th deyrnas,
i'th ewyllys,
i'th bobl,
i'th fyd.
Yn dy drugaredd, clyw ein gweddi.

Dduw mawr a rhyfeddol,
deuwn atat nawr, yn enw Crist.
Derbyn ein haddoliad heddiw.
Yn dy drugaredd, clyw ein gweddi.
Amen.

175. DWYN EIN HUNAIN

Dduw cariadlon,
ymunwn ynghyd yn dy dŷ i'th addoli.

Deuwn unwaith eto yn cael ein hatgoffa am bopeth yr wyt ti
ac am bopeth a wnaethost –
ac am y cariad sy'n ein hamgylchu,
y gras a ddangosaist drwy Iesu Grist,
a'r pwrpas sydd gennyt ar ein cyfer.

Deuwn gan estyn i ti ein moliant,
i gyhoeddi eto am dy fawrion weithredoedd,
i ryfeddu at dy fawredd,
ac ymrwymwn ein hunain i'th wasanaeth.

Deuwn i ddiolch,
a llawenhau ym mhopeth a roddaist,
i ymateb i'th ddaioni,
ac i gynnig ein cariad i ti.

Deuwn gan ddwyn ein cyffes,
a chyfaddef ein beiau a'n methiannau,
i gydnabod ein gwendidau,
ac i ofyn am dy faddeuant.

Deuwn gan weddïo drosom ein hunain,
gan geisio dy arweiniad,
a darganfod dy ewyllys,
a dod o hyd i'r nerth sydd ei angen arnom i fyw fel dy bobl.

Deuwn gan weddïo dros eraill,
ein hanwyliaid gyda'u holl lawenydd a thristwch,
ein byd a'i holl ddioddefaint,
a'th Eglwys wrth iddi geisio mynegi dy dosturi
mewn modd gweithredol.

Deuwn gan ddwyn ein hoffrwm,
i roi ein hamser,
ein harian,
ein doniau,
ein gwasanaeth,
ein hunain.

Dduw cariadlon,
deuwn i'th addoli yn y sicrwydd
dy fod yn ein plith nawr,
ac y byddi'n wastadol wrth ein hymyl,
a'th fod yn dal pob dim a'r holl bobl yn dy ddwylo.
Wrth i ni ymestyn tuag atat,
gweddïwn y byddi'n ymestyn tuag atom,
a llenwi pob eiliad o bob dydd
yng ngoleuni dy gariad,
ac y bydd heddwch dy bresenoldeb,
drwy Iesu Grist ein Harglwydd.
Amen.

176. DOD I ADDOLI

Bywiol Dduw,
daethom ynghyd i'th addoli di,
i gyfarfod gyda Christ yma,
nid am ein bod yn credu y dylem wneud
nac am ei fod yn ddisgwyliedig ohonom,
ond am ein bod yn dymuno dy addoli di.
Cyfarfydda gyda ni nawr, O Dduw.

Daethom, nid yn unig i rannu cymdeithas
gyda'n gilydd,
nac ond i gyfarfod ffrindiau,
ond i'th gyfarfod di.
Cyfarfydda gyda ni nawr, O Dduw.

Helpa ni i ddwyn addoliad didwyll ger dy fron –
i fyfyrio arnat ac nid ar ein hunain,
i feddwl am dy gariad yn hytrach nag am ein problemau,
i geisio dy ewyllys drosom, yn hytrach na'n disgwyliadau ohonot.
Cyfarfydda gyda ni nawr, O Dduw.

Helpa ni i agosáu atat,
i lawenhau yn dy bresenoldeb,
i dderbyn dy gariad,
i adnewyddu ein ffydd.
Cyfarfydda gyda ni nawr, O Dduw.

Helpa ni i roi heibio popeth sy'n dod rhyngom â thi–
ein gweithredoedd ffôl,
ein pryderon arwynebol,
ein dyheadau drygionus.
Cyfarfydda gyda ni nawr, O Dduw.

Bywiol Dduw,
mae cymaint yn ein bywyd nad yw fel y dylai fod,
neu fel y gallai fod,
ac nid fel y byddai
pe baem ond yn cerdded yn agosach atat ti.
Cyfarfydda gyda ni nawr, O Dduw.

Maddau i ni eiriau angharedig,
gweithredoedd difeddwl,
sy'n gwadu ein ffydd.
Cyfarfydda gyda ni nawr, O Dduw.

Maddau i ni ein ffordd o fyw hunanganolog,
ein hymroddiad llugoer,
ein hymrwymiad di-hid,
sy'n tanseilio ein tystiolaeth.
Cyfarfydda gyda ni nawr, O Dduw.

Maddau i ni ein diffyg defosiwn,
ein diffyg ffydd,
ein diffyg cariad,
sy'n dibrisio dy enw.
Cyfarfydda gyda ni nawr, O Dduw.

Bywiol Dduw,
ymgasglwn yn enw Crist.
Wrth i ni dy addoli sicrha ni
o'r maddeuant, yr arweiniad,
y cariad,
a'r bywyd rwyt yn ei gynnig drwyddo.
Cyfarfydda gyda ni nawr, O Dduw.

Boed i ni dy addoli
nid gyda geiriau ond gyda'n bywydau,
nid yn unig nawr ond am byth,
nid yn unig yma, ond ym mhobman.
Er gogoniant i'th enw.
Amen.

177. AGOSHÁU

Dduw cariadlon,
Tad Iesu Grist, y Gair a wnaethpwyd yn gnawd,
Arglwydd yr holl ddaear,
cyfaill ac arweinydd dy bobl ar draws yr oesoedd,
molwn di gyda llawenydd a gorfoledd.

Adferaist dy bobl,
dangosaist dy drugaredd,
datguddiaist dy gariad.
Lleferaist drwy'r proffwydi,
buost fyw yn ein mysg.
rhennaist ein byw a'n marw.
Cynigiaist i bawb sy'n dy geisio mewn gwirionedd
y sicrwydd am fywyd tragwyddol.

Dduw cariadlon,
wrth i ni agosáu atat,
tyrd atom ni.
Wrth i ni lefaru dy air,
llefara wrthym.
Wrth i ni gyffesu ein beiau a'n methiannau,
bydd drugarog wrthym.
Ac wrth i ni gyfaddef gwendid a diffyg ffydd
yn ein pererindod fel disgyblion,
glanha ni drwy gariad achubol Crist.
Wrth i ni gael ein hatgoffa o bopeth a wnaethost drosom,
heria ni i ymateb.
Wrth i ni gydnabod ein diffyg gweledigaeth ac argyhoeddiad,
ysbrydola ni drwy'r Ysbryd Glân.

Dduw cariadlon,
deuwn i astudio dy Air,
ac i ddarganfod dy ewyllys.
Arwain ni yn ein darllen, ein gwrando a'n meddwl,
fel bo'r neges dros y canrifoedd
yn fythol newydd yn ein calonnau,
drwy Iesu Grist ein Harglwydd.
Amen.

178. FFYDDLONDEB DUW

Anfeidrol a chariadlon Dduw,
diolchwn am y sicrwydd sydd gennym
dy fod yn wastadol gyda ni,
ac ynot ti y cawn gymorth a nerth
mewn adegau o drafferth,
a beth bynnag a wynebwn
y byddi yno yn ymestyn tuag atom a'n hachub ni.
Mae dy ffyddlondeb yn fawr
o genhedlaeth i genhedlaeth.

Diolchwn dy fod yn bresennol
nid yn unig yma ond ym mhobman,
ac nad oes neb tu allan i'th gariad,
ac nad oes unlle tu hwnt i'th gonsýrn.
Mae dy ffyddlondeb yn fawr
o genhedlaeth i genhedlaeth.

Diolchwn dy fod yn gafael yn dynn ynom,
hyd yn oed pan fyddwn yn ceisio dianc o'th afael.
Mae dy ffyddlondeb yn fawr
o genhedlaeth i genhedlaeth.

Diolchwn nad yw dy drugaredd yn darfod,
er ein diffyg ffyddlondeb.
Mae dy ffyddlondeb yn fawr
o genhedlaeth i genhedlaeth.

Diolchwn nad yw dy amynedd yn diffygio
pa mor aml bynnag y byddwn yn dy siomi.
Mae dy ffyddlondeb yn fawr
o genhedlaeth i genhedlaeth.

Felly, deuwn i'th addoli.
Ti yn unig sydd Dduw,
yn deilwng o'r holl foliant a'r anrhydedd.
Mae dy ffyddlondeb yn fawr
o genhedlaeth i genhedlaeth.

Deuwn yn llawen ac yn ddiolchgar,
er mwyn dathlu.
Mae dy ffyddlondeb yn fawr
o genhedlaeth i genhedlaeth.

Daethom mewn parchedig ofn a rhyfeddod,
gobaith a ffydd.
Mae dy ffyddlondeb yn fawr
o genhedlaeth i genhedlaeth.

Deuwn gan ddwyn ein cyffes,
a chynnig ein deisyfiad a dwyn ein heiriolaeth.
Mae dy ffyddlondeb yn fawr
o genhedlaeth i genhedlaeth.

Anfeidrol a chariadlon Dduw,
cymer ein ffydd, er ei fod yn wan.
Adnewydda wreichionen y bywyd o'n mewn
a bywha fflam y ffydd yn ein calonnau,
fel y gallom fentro allan i'r wythnos newydd
gyda phwrpas newydd,
wedi ymroi i fyw a gweithio drosot,
yn y sicrwydd dy fod gyda ni,
nawr a byth bythoedd.
Mae dy ffyddlondeb yn fawr
o genhedlaeth i genhedlaeth.
Diolch fo i Dduw.
Amen.

GWEDDÏAU O FAWL

179. YMATEB I RYFEDDOD DUW

Dduw cariadlon,
yn holl dda,
holl wir,
holl alluog,
anfeidrol,
addolwn di.

Dduw grasol,
holl gariadlon,
holl drugarog,
hollol ffyddlon,
yn llawn cydymdeimlad,
diolchwn i ti.

Dduw pob mawredd,
sydd o hyd yn weithredol,
o hyd yn arwain,
o hyd yn galw,
o hyd yn gwybod,
ymrown ein hunain i ti.

Dduw'r achub,
sydd o hyd yn maddau,
o hyd yn adfer,
o hyd yn addysgu,
o hyd yn hyrwyddo,
cyffeswn ddiffyg ein ffydd i ti.

Frenhinol Dduw,
sydd oll yn oll,
nawr a hyd byth,
molwn di,
addolwn di,
dyrchafwn ein calonnau ger dy fron.

Dduw'r Tad,
dathlwn dy ddaioni,
gorfoleddwn yn dy fendithion,
rhyfeddwn at dy drugaredd,
diolchwn am dy arweiniad,
estynnwn ein bywydau wrth ymateb i ti.

Dduw'r bywyd,
cymer y gwasanaeth hwn,
y dydd hwn,
yr eglwys hon,
ein bywydau.
**Defnyddia hwy i'th bwrpas ac i'th deyrnas,
drwy Grist ein Harglwydd.
Amen.**

180. BUDDUGOLIAETH CARIAD

Dduw cariadlon,
molwn di eto am bopeth a wnaethost yng Nghrist,
am dy fuddugoliaeth drwyddo yn erbyn pechod a drygioni,
tywyllwch a marwolaeth.
Boed i'r fuddugoliaeth honno ffurfio ein byw a'n meddwl.

Molwn di am y cariad na ellir ei drechu,
beth bynnag a wyneba,
beth bynnag a allai gynllwynio yn ei erbyn.
Boed i'r sicrwydd ein hysbrydoli i'th ddilyn di,
drwy sefyllfaoedd y da a'r drwg.

Pan fydd bywyd yn ymddangos yn galed,
a daioni yn profi rhwystredigaeth,
pan deimlwn ein hunain mewn perygl
o'n goddiweddyd gan dreialon a themtasiynau bywyd,
sicrha ni unwaith eto o'th rym
na ellir ei drechu.

Pan fydd ein bywydau yn ymddangos yn ddiffrwyth,
a'n hymdrechion yn mynd heb eu gwobrwyo,
pan fydd ein gobeithion yn ymddangos fel pe baent heb eu cyflawni,
addysga ni i ymddiried yn dy bwrpas
sy'n arwain tuag at lwyddiant.

Pan fydd y diniwed yn dioddef,
a drygioni yn elwa,
pan fydd casineb yn llywodraethu,
helpa ni i barhau i gredu
y bydd daioni yn ennill ryw ddydd.

Dyro i ni'r hyder dwfn diwyro,
beth bynnag a ddaw mewn bywyd,
beth bynnag a wynebwn,
sut bynnag bydd pethau'n ymddangos,
y bydd dy ewyllys yn cael ei chyflawni ac y daw dy deyrnas,
drwy Iesu Grist ein Harglwydd.
Amen.

181. RHYFEDDOD Y GREADIGAETH

Dduw cariadlon,
creawdwr eithafoedd y ddaear,
ffynhonnell popeth sydd ac a fu ac a fydd,
rhoddwr bywyd,
Dduw cariadlon,
ymunwn i'th addoli di.

Molwn di am ryfeddod ein byd,
ac am ehangder y bydysawd,
am bopeth a wnaethost,
ac am y lle a roddaist i ni oddi fewn i'th greadigaeth.
Dduw cariadlon,
ymunwn i'th addoli di.

Rhyfeddwn at harddwch ac amrywiaeth y byd hwn –
yr amrywiaeth rhyfeddol o blanhigion, anifeiliaid, coed ac adar,
mynyddoedd, dyffrynnoedd, nentydd a chefnforoedd,
a chymaint mwy hefyd.
Dduw cariadlon,
ymunwn i'th addoli di.

Diolchwn am bopeth sy'n codi'n hysbryd,
sy'n ein cyffroi i ryfeddu,
sy'n dal ein sylw,
sy'n cynnal ein diddordeb.
Dduw cariadlon,
ymunwn i'th addoli di.

Llawenhawn fod trefn wedi ymddangos allan o anhrefn –
trefn a welwn yn y bydysawd,
y gallwn ddibynnu arno, ei ymchwilio a'i ddeall;
trefn sy'n adlewyrchu dy bwrpas brenhinol
a datguddio dy law sy'n llywio'r cyfan.
Dduw cariadlon,
ymunwn i'th addoli di.

Dduw cariadlon,
creawdwr bywyd yn ei holl gyflawnder,
deuwn â'n moliant i ti,
a chynnig ein haddoliad,
a dwyn ein hymateb
mewn dathliad llawen.
Dduw cariadlon,
ymunwn i'th addoli di,
yn enw Crist.
Amen.

182. CYNNIG EIN HADDOLIAD

Dduw tragwyddol a graslon,
deuwn ger dy fron yn enw Crist,
gan neilltuo amser a lle yn ein bywydau
i fyfyrio ar dy fawredd,
i ddathlu yn dy ddaioni,
ac i ymateb i ti mewn llawenydd.
Derbyn o'r newydd ein haddoliad.

Deuwn mewn parchedig ofn,
mewn rhyfeddod,
mewn parch,
ac mewn gwyleidd-dra.
Derbyn o'r newydd ein haddoliad.

Deuwn â'n moliant,
gyda diolchgarwch,
llawenydd a gorfoledd.
Derbyn o'r newydd ein haddoliad.

Deuwn i rannu cymdeithas,
i wneud cyffes ger dy fron ac yng nghwmni'n gilydd,
i weddïo drosom ein hunain, ein byd a'n hanwyliaid,
i estyn ein rhoddion a'n gwasanaeth.
Derbyn o'r newydd ein haddoliad.

Deuwn yn llon,
yn ufudd,
yn awyddus,
yn hyderus.
Derbyn o'r newydd ein haddoliad.

Deuwn gan geisio dy bresenoldeb,
dy arweiniad,
dy nerth,
dy drugaredd.
Derbyn o'r newydd ein haddoliad.

Dduw cariadlon,
deuwn o'th flaen yn enw Crist.
Derbyn ein haddoliad,
derbyn ein ffydd,
derbyn ni.
A helpa ni i dderbyn popeth sydd gennyt ar ein cyfer,
drwy Iesu Grist ein Harglwydd.
Amen.

183. MAWREDD DUW

Dduw cariadlon,
deuwn mewn llawenydd i'th addoli,
gan sefyll yn llon o'th flaen,
gan roi i ti pob anrhydedd sy'n ddyledus i'th enw.
Ti sy'n teilyngu pob mawl a gogoniant,
diolchgarwch ac addoliad.

Rwyt yn fwy na'n meddwl mwyaf aruchel,
rhyfeddwn at dy rym,
llawenhawn yn dy gariad,
dathlwn dy fendithion,
a molwn di am y trugaredd a ddangosaist i ni,
ar hyd ein hoes.
Ti sy'n teilyngu pob mawl a gogoniant,
diolchgarwch ac addoliad.

Derbyn ein caneuon o fawl,
a'n geiriau o weddi,
a meddyliau ein calonnau,
yn y weithred hon o addoliad.
Ti sy'n teilyngu pob mawl a gogoniant,
diolchgarwch ac addoliad.

Dysga ni fwy am bopeth a wnaethost
ac y byddi'n parhau i'w wneud,
a helpa ni i ddangos didwylledd yn ein gwasanaeth,
yn y modd rydym yn byw bob dydd
ac yn yr amser sydd i ddod.
Ti sy'n teilyngu pob mawl a gogoniant,
diolchgarwch ac addoliad,
nawr a hyd byth.
Amen.

184. POPETH A WNAETH DUW

Canwch i'r Arglwydd ganiad newydd
oherwydd gwnaeth ryfeddodau. (Salm 98.1)

Anfeidrol a thragwyddol Dduw,
ymunwn gyda'r Salmydd, oesoedd yn ôl,
gan estyn i ti ein moliant a'n haddoliad.
Gwnaethost ryfeddodau drosom ni
a llawenhawn am hynny.
Ti yw ffynhonnell a chynhaliwr ein bywydau,
daw popeth ohonot
ac mae popeth yn arwain tuag atat!
Ble bynnag a phwy bynnag yr ydym,
rwyt yn wastadol gyda ni,
ac yn ein hamgylchynu gyda'th gariad.
Er i ni dy adael,
nid wyt yn ein gadael ni.
Er i ni dy siomi,
nid wyt yn ein siomi ni.
Er ein hanffyddlondeb cyson,
mae dy ffyddlondeb di yn parhau,
yn ddigyfnewid ac yn oesol.

Anfeidrol a thragwyddol Dduw,
diolchwn am dy garedigrwydd cyson,
dy gariad di-feth,
dy ddarpariaeth ddiddiwedd ar gyfer ein holl reidiau.
Diolchwn am dy drugaredd,
dy faddeuant,
dy ryfeddol ras a gynigir i ni yn Iesu Grist.
Diolchwn am y llawenydd,
y gobaith,
a'r bywyd a roddaist i ni drwyddo.

Ac felly estynnwn i ti yn y gwasanaeth hwn
ein canu,
ein gweddïo,
ein darllen,
ein meddwl,
fel arwydd o'n diolchgarwch,
ac fel symbol o'n gorfoledd
a roddaist i ni drwy Grist.

Dduw cariadlon,
gwnaethost bethau rhyfedd drosom ni
a'n gwneud yn llon.
Rhoddwn ein hymddiriedaeth ynot,
nawr ac am byth.
Amen.

185. BOED I'R BYD CYFAN GANU

Anfeidrol Dduw,
deuwn ger dy fron gyda'n haddoliad i ti,
deuwn gyda'th holl bobl yn y nef ac ar y ddaear,
i godi ein calonnau a'n lleisiau,
a rhoi i ti bob mawl ac anrhydedd,
ein Brenin a'n Duw.

Gwyddom na all ein geiriau fyth gyfleu'r cyfan o'th fawredd,
na all ein meddyliau ond dechrau
cydnabod rhan o'th ryfeddod,
ond deuwn gan ddwyn ein hunain i ti,
wrth gyflwyno'r amser hwn i addoli,
a chynnig y cyfan fel arwydd o'n cariad,
a mynegiant syml o'n moliant.

Molwn di eto am ein byd –
a holl harddwch y greadigaeth.
Molwn di am y bywyd a roddaist i ni,
yn llawn o fendithion.
Molwn di am bopeth a wnaethost yng Nghrist –
a chyfoeth y bywyd rwyt yn ei gynnig drwyddo.
Molwn di am dy gariad y gallwn ddibynnu arno –
y cariad sydd gyda ni yn wastadol.

Anfeidrol Dduw,
derbyn ein moliant.
Cyffwrdd â'n calonnau gydag agosrwydd dy bresenoldeb,
dyfnha ein ffydd,
cryfha ein hymrwymiad,
a lleda'n golygon,
fel y gallom dyfu megis dy bobl,
a chwarae'n rhan yng ngweithgarwch dy deyrnas,
drwy Iesu Grist ein Harglwydd.
Amen.

186. BRENHINIAETH DUW

Anfeidrol a brenhinol Dduw,
ymunwn o'r newydd i'th addoli.
Dy law a luniodd y bydysawd.
Dy gariad sy'n llywio a rheoli'r cenhedloedd.
Dy gariad sy'n symud ac yn gweithio drwy bopeth.
Dy bwrpas di a'n galwodd ynghyd.
Dyna a'n hadferodd o'n pechodau,
dyna a agorodd y ffordd i fywyd,
ac a gafodd ei ddatguddio mewn modd perffaith a rhyfeddol yng Nghrist.

Dduw pob mawredd,
addolwn di.
Estynnwn i ti ein moliant.
Deuwn â'n diolchgarwch llon i ti,
cydnabyddwn di fel Arglwydd a meistr ein bywydau.
Tyrd i'n plith heddiw gyda grym newydd,
ysbrydola ni gyda gweledigaeth newydd,
llenwa ni gyda gobaith newydd,
ac anfon ni allan yn dy wasanaeth gyda phwrpas newydd,
fel y gallom fyw a gweithio drosot ti a'th deyrnas mewn gwirionedd,
yn enw Crist ein Harglwydd.
Amen.

187. DWYN Y CYFAN AT DDUW

Anfeidrol a thragwyddol Dduw,
daethom yma i'th addoli.
Tyrd atom ni o'r newydd heddiw.

Deuwn i fyfyrio ar dy fawredd,
dy natur gwbl arall di,
dy gyfiawnder,
dy sancteiddrwydd.
Tyrd atom ni o'r newydd heddiw.

Deuwn i'th foli am dy ffyddlondeb,
dy ddaioni, dy garedigrwydd,
a'th faddeuant.
Tyrd atom ni o'r newydd heddiw.

Deuwn drwy ras Crist,
ac yng ngrym yr Ysbryd Glân,
yn dy gydnabod di fel ein Duw,
ein Tad,
a'n Creawdwr.
Tyrd atom ni o'r newydd heddiw.

Deuwn gan ddwyn ein hunain, popeth yr ydym ac a wnawn,
yn dwyn ein hanwyliaid, a phopeth maent yn ei olygu i ni ac i eraill,
yn dwyn ein cymdeithas, yn ei amrywiaeth a'i gyfoeth,
i ddwyn ein byw, gyda'i lawenydd a'i dristwch.
Tyrd atom ni o'r newydd heddiw.

Anfeidrol a thragwyddol Dduw,
deuwn i lefaru,
i wrando,
ac i ddarganfod.
Tyrd atom ni o'r newydd heddiw,
a'n llenwi gyda gwybodaeth am dy bresenoldeb,
a'n helpu i gerdded bob dydd
yng ngoleuni dy gariad,
drwy Iesu Grist ein Harglwydd.
Amen.

188. Y DUW SY'N GWNEUD MWY NAG Y GALLWN OFYN NEU FEDDWL AMDANO

Frenhinol Dduw,
molwn di dy fod yn medru gwneud mwy
nag y gallwn ofyn amdano na'i ddychmygu –
lle gallwn ni wneud cyn lleied, a thithau wneud cymaint,
lle gallwn ni wneud dim, a thi yn gallu gwneud popeth.
Addysga ni i gredu,
nid yn unig gyda'n deall ond gyda'n teimladau hefyd.

Pan fydd bywyd yn ymddangos yn dywyll,
a'r dyfodol yn frawychus,
a'n hadnoddau i'w trafod yn brin,
molwn di
dy fod yn gallu ein cyfarwyddo drwyddynt.

Pan fydd bywyd yn braf,
a'r dyfodol yn llawn addewid,
a'n gofidiau yn anaml
a'n llawenydd yn llawer,
molwn di
dy fod yn medru cynnig mwy o lawer eto.

Pan fydd caru'n anodd,
a gofalu yn golygu poen,
a rhannu yn golygu aberth,
a chredu yn llawn cost,
molwn di
dy fod yn estyn i ni nerth.

Pan fydd caru'n hawdd
a phob perthynas yn dwyn llawenydd,
ein ffrindiau yn rhannu pleser,
a'n ffydd yn dwyn ei fendithion,
molwn di
dy fod yn medru dwyn mwy o lawenydd.

Pan fydd gobeithion yn cael eu sarnu,
a breuddwydion wedi eu chwalu,
a gweledigaeth yn pylu,
a chynlluniau yn methu,
molwn di
dy fod yn medru estyn pwrpas newydd.

Pan fydd cyfleoedd yn ein cynhyrfu,
a chyfleoedd yn galw,
y posibiliadau yn cael eu dadlennu,
a her newydd yn ein hwynebu,
molwn di
dy fod yn ein helpu i gydio ynddynt.

Dduw brenhinol,
·yn y pethau hyn a chymaint mwy,
rwyt nid yn unig yn cwrdd â'n gofynion,
ond yn trawsnewid ein bywydau –
ac yn medru ein bendithio tu hwnt i eiriau.

Derbyn ein moliant,
ac addysga ni y gallwn gyfarfod
â beth bynnag sydd o'n blaen,
boed da neu ddrwg.
Rwyt yn medru gwneud mwy
nag y gallwn byth ei ofyn neu ei ddychmygu.
Amen.

GWEDDÏAU O FOLIANT A CHYFFES

189. MAWREDD DUW

Anfeidrol a brenhinol Dduw,
holl rymus,
yn gariadlon,
yn ddaionus,
yn faddeugar,
deuwn o'r newydd i'th addoli di.

Deuwn i atgoffa'n hunain o bopeth a wnaethost –
dy weithredoedd dros y blynyddoedd,
dy ddyfod i'n byd yng Nghrist,
y modd y bu i ti drawsnewid llu o fywydau er ei fwyn.

Deuwn i ddathlu popeth rwyt yn parhau i'w wneud –
dy gariad ffyddlon yn ymestyn allan at bobl ym mhobman,
gyda'th drugaredd yn cynnig cyfle i ddechrau o'r newydd
pan nad oedd ond anobaith cyn hynny,
a'th bwrpas achubol o hyd yn llwyddo.

Anfeidrol Dduw,
maddau i ni am golli'r synnwyr o barchedig ofn
a oedd gennym unwaith.
Maddau i ni am anghofio mor fawr wyt ti.
Maddau i ni am ddod â thi i lawr i'n lefel ni,
yn hytrach na'n bod yn ceisio codi'n hunain at dy lefel di.
Maddau i ni mor fach yw ein gweledigaeth
ac mor eiddil yw'n haddoliad,
ac mor wan ein ffydd.

Helaetha ein gweledigaeth.
Dyfnha ein ffydd.
Adnewydda ein hymddiriedaeth.
Dychwela ein synnwyr o ryfeddod ger dy fron.
Addysga ni dy fod yn Dduw mawr, uwchlaw'r holl dduwiau,
Arglwydd y cenhedloedd,
yn llywodraethwr dros ofod ac amser.
Caniatâ i ni gynnig ein haddoliad,
gyda chalonnau llon a diolchgar,
yn enw Iesu.
Amen.

190. MAWRHYDI DUW

Anfeidrol a thra rhyfeddol Dduw,
un sydd tu hwnt i bob ymchwil,
un sy'n fwy na'n dychymyg llwyraf,
un sy'n uwch na'n meddyliau mwyaf,
un sydd ar orsedd mewn gogoniant ac ysblander,
daethom i gyflwyno i ti ein haddoliad,
a chynnig ein moliant,
ac i wneud ein cyffes,
yn cydnabod nad dy ffyrdd di yw ein ffyrdd ni,
na'n meddyliau ni yw dy feddyliau di.
Arglwydd, bydd drugarog wrthym.

Maddau i ni ein balchder a'n haerllugrwydd ffôl –
buom mor llawn o'n hunanbwysigrwydd,
yn dewis ein ffyrdd ni yn lle dy ffyrdd di,
yn dychmygu ein bod yn gwybod popeth sydd i'w wybod amdanat,
ac yn ymddiried yn ein doethineb ein hunain,
yn hytrach na'th ddoethineb di.
a'n rhoi ein hunain yn dy le di.
Ond nid dy ffyrdd di yw ein ffyrdd ni,
ac nid dy feddyliau di yw ein meddyliau ni.
Arglwydd, bydd drugarog wrthym.

Maddau i ni ein gweledigaeth gyfyng a'n meddyliau caeëdig –
ceisiom dy gyfyngu di i'n dealltwriaeth ni,
a chau ein calonnau i unrhyw beth
sy'n herio ein gorwelion cyfyng,
a cholli golwg ar dy fawredd,
yn methu clywed dy lais na lleisiau eraill,
yn gwrthod sylweddoli fod gan eraill ddeall o'th wirionedd
i'w rhannu ar wahân i ni.
Ond nid dy ffyrdd di yw ein ffyrdd ni,
ac nid dy feddyliau di yw ein meddyliau ni.
Arglwydd, bydd drugarog wrthym.

GWEDDÏAU O FOLIANT A CHYFFES

Anfeidrol a thra rhyfeddol Dduw,
atgoffa ni bod mwy gennyt i'w ddweud,
mwy i'w ddatguddio,
a mwy i'w wneud.
Agor ein llygaid,
ein meddyliau,
a'n calonnau i bwy a beth wyt ti.
Atgoffa ni nad dy ffyrdd di yw ein ffyrdd ni,
na'th feddyliau di yw ein meddyliau ni.
Arglwydd, bydd drugarog wrthym.

Ac felly llenwa ni gyda pharchedig ofn a rhyfeddod,
llawenydd a diolchgarwch, moliant ac addoliad,
nawr a hyd byth.
Amen.

191. CIP AR DDUW YN GWEITHIO

Bywiol a chariadlon Dduw,
deuwn eto gyda'n moliant a'n haddoliad.
Cydnabyddwn di fel ein Duw.
Sylweddolwn dy fawredd a'th rym.
Rhyfeddwn at dy gariad a'th dosturi.
Deuwn ger dy fron gyda pharchedig ofn a rhyfeddod.

Ti yw Arglwydd nef a daear,
lle ac amser,
y byd hwn a'r bydysawd cyfan,
bywyd a marwolaeth.

Bywiol a chariadlon Dduw,
tynn ni atat
a helpa ni i nesáu atat ti.
Tyrd atom drwy dy Ysbryd Glân
a helpa ni i agor ein calonnau i'r Crist atgyfodedig.
Llefara wrthym drwy'r addoliad a offrymwn heddiw,
fel y bydd ein ffydd yn dyfnhau.

Bywiol Dduw,
molwn di fod cymaint
sy'n tystio i'th gariad a'th bwrpas –
cymaint yn ein bywydau,
yn ein profiadau dyddiol,
yn y byd o'n cwmpas,
yn ehangder y bydysawd,
yn y gymdeithas a rannwn gyda'n gilydd,
yn y berthynas a fwynhawn gyda thi,
a thrwyddi, rwyt yn ein haddysgu, ein harwain a'n herio.
Maddau i ni nad ydym bob tro yn clywed dy lais,
ac weithiau heb ddymuno clywed.
Maddau i ni ein bod weithiau yn gwrthod gwrando
ac yn cau popeth allan
ond ein geiriau ein hunain.

Agor ein calonnau
at yr holl ffyrdd rwyt yn gweithredu.
Agor ein llygaid
fel y cawn gipolwg cliriach o'th bwrpas.
Agor ein clustiau
fel y clywn dy lais yn gliriach.
Agor ein meddyliau
i dderbyn dy wirionedd yn llwyrach.
Helpa ni i weld popeth sy'n cyfeirio at dy weithgarwch
yn ein bywydau,
yn ein cymdeithas,
yn dy Eglwys,
ac yn y byd.
A llefara drwom wrth i ni weithio a thystio drosot,
fel y bydd eraill yn dod i'th adnabod drostynt eu hunain.
Amen.

192. GWIR ADDOLIAD

Dduw cariadlon,
heddiw yw'r dydd a wnaethost
a diolchwn i ti amdano.
Diolchwn am bopeth da sy'n ein hamgylchu –
ein cartrefi,
ein teuluoedd,
ein cyfeillion,
ein heglwys,
ehangder y bydysawd,
harddwch y byd naturiol,
golygfeydd a synau bywyd beunyddiol.
Am bopeth a roddaist,
molwn ac addolwn di.

Diolchwn i ti am bob diddordeb,
a chyfleoedd,
a phleserau fydd yn dod gyda'r dydd hwn.
Am bopeth a roddaist,
molwn ac addolwn di.

Diolchwn am gariad Crist sy'n ein hamgylchu,
ei Ysbryd sy'n ein harwain,
a'th bwrpas tragwyddol sydd o hyd yn ein hysbrydoli.
Am bopeth a roddaist,
molwn ac addolwn di.

Diolchwn am y diwrnod hwn a neilltuwyd gennym
er mwyn dy foli di,
fel y gallem ddwyn ein bywydau o'th flaen
ac ymgysegru bob dydd i'th wasanaeth.
Am bopeth a roddaist,
molwn ac addolwn di.

Dduw cariadlon,
deuwn â'n moliant.
Cyflwynwn ein haddoliad yn llawen ac yn ddefosiynol –
datganwn dy fawredd,
cydnabyddwn dy ffyddlondeb,
dathlwn dy ddaioni,
rhyfeddwn at dy sancteiddrwydd.
Rydym yn ddyledus i ti am bopeth sydd gennym
a phob peth sy'n bod.
Am bopeth a roddaist,
molwn ac addolwn di.

Rwyt o hyd ar waith yn ein bywydau ac yn ein byd,
yn gweithio i helpu ac i gryfhau,
i iachau ac i gysuro,
i faddau ac i adfer,
i ddadwneud y camgymeriadau ac i sefydlu'r hyn sy'n iawn.
Am bopeth a roddaist,
molwn ac addolwn di.

Dduw cariadlon,
maddau i ni ein bod weithiau wedi colli golwg
ar dy gariad,
ein bod yn dy anghofio,
gan gyfarch rhai dyddiau mewn modd di-hid,
ac weithiau'n gwbl ddibris,
yn lle eu croesawu fel rhoddion oddi wrthyt.
Rydym wedi methu cyfrif ein bendithion
na gwerthfawrogi mor ffodus ydym mewn gwirionedd.
Rydym wedi hyd yn oed ystyried yr amser hwn o addoliad
fel dyletswydd neu draddodiad, yn lle fel braint.
Am ein holl feiau,
maddau i ni, O Dduw.

Dduw cariadlon, gwyddom ein bod wedi dy fethu mewn sawl ffordd –
ac na wnaethom roi'r gydnabyddiaeth deilwng i ti,
nac wedi dangos diolchgarwch yn ein calon,
nac wedi byw megis dy bobl.
Am ein holl feiau,
maddau i ni, O Dduw.

Bydd drugarog wrthym,
glanha ni o'n gwendidau,
maddau ein pechodau,
adnewydda ein ffydd ac adfer ni i fod wrth dy ymyl.
Am ein holl feiau,
maddau i ni, O Dduw.

Ac felly gyda'th gymorth,
drwy ras Iesu Grist,
ac yng ngrym yr Ysbryd Glân,
boed i ni fyw'n fwy ffyddlon
fel dy weision,
drwy Iesu Grist ein Harglwydd.
Amen.

193. GWEDD ARALL AR DDUW

Frenhinol Dduw,
mawr a rhyfeddol,
anfeidrol a holl rymus,
mewn moliant diolchgar cyflwynwn ein haddoliad.

Molwn di dy fod yn fwy na chwmpawd ein meddyliau –
yn uwch na'n meddyliau mwyaf aruchel,
a thu hwnt i fynegiant geiriau.
Mewn moliant diolchgar cyflwynwn ein haddoliad.

Molwn di mai ti yw ffynhonnell
popeth sydd ac a fu,
dy fod yn gweithio yn ein byd ac yn ein bywydau,
ac o hyd yn ceisio cyflawni dy bwrpas,
byth yn gorffwys nes y byddi wedi cyflawni.
Mewn moliant diolchgar cyflwynwn ein haddoliad.

Molwn di am i ti ddod i'r byd yng Nghrist,
a thrwyddo ef y daethost atom eto,
i ddatguddio dy gariad,
adnewyddu ein ffydd,
dangos dy gariad,
rhoi i ni fywyd.
Mewn moliant diolchgar cyflwynwn ein haddoliad.

Maddau i ni nad ydym wedi gwerthfawrogi popeth a wnaethost –
ac na wnaethom ddal gafael ar y synnwyr cyntaf o ryfeddod
wrth feddwl am dy fawredd;
na wnaethom roi i ti'r moliant
rwyt yn ei deilyngu.
Tybiwn i ni gyfyngu dy faint
i fesur ein disgwyliadau.
Rydym wedi bod yn gaeëdig i ddylanwadau'r Ysbryd Glân,
gan gadw Crist o hyd braich
pan oedd ei her yn ein haflonyddu.
Eto, dangosaist drugaredd tuag atom,
yn ymestyn allan i'n glanhau a'n hadnewyddu.
Mewn moliant diolchgar cyflwynwn ein haddoliad.

Tyrd atom nawr wrth i ni dy addoli,
a thrwy dy drugaredd cariadlon
rho i ni arweiniad i'r dyddiau sydd o'n blaen.
Helpa ni i dyfu'n gryfach mewn ffydd,
a bod yn ddisgyblion mwy ymroddedig,
yn ffyddlonach yn ein gwasanaeth i Grist,
hyd y dydd pan fydd ef yn llenwi popeth.
Mewn moliant diolchgar, cyflwynwn ein haddoliad,
er gogoniant dy enw.
Amen.

194. METHIANT I FYW MEGIS POBL DUW

Frenhinol Dduw,
deuwn eto fel rhan o dyrfa dy bobl
yn estyn ein haddoliad,
i roi i ti'r moliant a'r gogoniant,
yr anrhydedd a'r diolch,
yr wyt ti a thi yn unig yn deilwng ohono.
Arglwydd yr oll, clyw ein gweddi.

Deuwn mewn parchedig ofn a rhyfeddod,
mewn gwyleidd-dra a pharch,
llawenydd a gorfoledd,
am dy fod yn Dduw uwchlaw'r holl dduwiau,
yn rasol a chariadlon,
creawdwr y bydysawd,
yr hwn a roddodd fywyd yn ei holl gyflawnder.
Arglwydd yr oll, clyw ein gweddi.

Nid yn unig yr ydym yn dwyn ein moliant,
ond deuwn hefyd â'n cyffes
fel y bu i ni dy siomi cymaint.
Ni wnaethom dy addoli fel y dylem.
Nid ydym wedi dangos y gwerthfawrogiad dyladwy
am bopeth a roddaist i ni.
Ni wnaethom droi atat am arweiniad,
na'i ddilyn yn wastad, pan gawsom dy gyfarwyddyd.
Ni wnaethom garu ein gilydd, na'n cymdogion,
cymaint ag rydym wedi caru ein hunain.
Rydym wedi bod yn ddifeddwl, esgeulus, hunanol,
ac yn euog o lawer mwy.
Arglwydd yr oll, clyw ein gweddi.

Deuwn mewn tristwch ac ymdeimlad o warth,
gan daflu ein hunain unwaith eto ar dy drugaredd,
gan ddibynnu ar dy ras i'n codi
a'n hadnewyddu eto.
Dyro i ni faddeuant,
a phaid â dal ein beiau yn ein herbyn.
Dyro i ni amser i edifarhau,
a nerth i droi'n ôl oddi wrth bechod a throi tuag atat ti.
Defnyddia'r amser hwn o addoliad i gyffwrdd â'n calonnau,
llefara wrth ein meddyliau,
trawsnewidia ein bywydau.
Arglwydd yr oll, clyw ein cri,
drwy Iesu Grist ein Harglwydd.
Amen.

195. DATHLU RHODDION DUW

Dduw cariadlon,
diolchwn i ti am y dydd newydd hwn a roddaist i ni –
am y cyfleoedd a ddaw
a'r hyn a fwynhawn ynddo,
yr amserau a rannwn gyda'n teulu,
gyda chyfeillion a gyda thi,
yr harddwch a welwn yn y byd o'n cwmpas,
y bobl cawn gyfarfod â hwy,
a'r bywyd y cawn ei fwynhau.
Dduw cariadlon, derbyn ein diolch.

Molwn di fod cymaint gennym i ddiolch amdano –
cymaint sy'n dda,
sy'n dwyn pleser,
ac yn achos dathlu.
Molwn di dy fod yn awyddus i'n bendithio,
a'n helpu i ddathlu bywyd yn ei holl gyflawnder.
Dduw cariadlon, derbyn ein diolch.

Maddau i ni ein bod weithiau yn methu cyfrif ein bendithion –
ac yn gadael i gynefindra ein dallu
rhag gweld mor ffodus ydym,
a ninnau'n methu cydnabod y llu bendithion.
Maddau i ni ein bod yn methu
â gwneud y gorau o bopeth a dderbyniasom,
ac o hyn yn ceisio mwy a mwy
yn hytrach na gwerthfawrogi'r hyn sydd gennym;
gwastraffwn ein hetifeddiaeth
yn hytrach na'i defnyddio'n ddoeth.
Dduw cariadlon, derbyn ein cyffes.

Arglwydd yr oll,
sicrha ni, unwaith yn rhagor, o'th drugaredd cariadlon,
dy faddeuant cyson,
dy gariad parhaol,
ac addysga ni i dderbyn popeth a roddaist i ni
gyda chalonnau diolchgar,
gan ddangos ein gwerthfawrogiad nid yn unig gyda'r geiriau hyn,
ond yn ein byw bob dydd –
drwy ddathlu a rhannu rhyfeddod y bywyd!
Dduw cariadlon, derbyn ein haddoliad,
yn enw Crist.
Amen.

196. DIFFYG FFYDD YN EIN HYMDDISGYBLAETH GRISTNOGOL

Arglwydd y cyfan, deuwn gan gyhoeddi dy fawredd,
i ganu am dy rym, i ddatgan dy frenhiniaeth,
ac i lawenhau ym mhopeth a wnaethost.
Rwyt yn Dduw cariad a thrugaredd,
a molwn di.

Deuwn i glywed eto am dy weithredoedd mawr ar hyd hanes,
dy waith rhyfeddol ymysg dy bobl,
am bopeth a gyflawnaist yng Nghrist.
Rwyt yn Dduw cariad a thrugaredd,
a molwn di.

Deuwn i godi ein calonnau
ac i godi ein lleisiau,
ac i ddathlu'r Efengyl eto.
Rwyt yn Dduw cariad a thrugaredd,
a molwn di.

Ond wrth i ni ddod â'n moliant deuwn hefyd gyda'n cyffes,
cyffes bod ein moliant wedi bod yn wag mor aml,
bod ein haddoliad wedi ei gyfyngu i'r Suliau
ac i'r pedair wal yma.
Pan ddaeth cyfle i siarad drosot
buom yn dawedog,
pan ddaeth cyfle i'th wasanaethu
gwnaethom ymatal.
Gwyddom beth y dylasem fod wedi ei wneud
ond methasom wneud,
a phan wyddem beth i ymatal rhag ei wneud,
aethom ati i'w gyflawni.
Gwyddom ein bod wedi anghofio dy fod o hyd yn barod
i faddau i ni a'n hadnewyddu,
ac fel canlyniad wedi rhoi baich
euogrwydd ar ein hysgwyddau ac anobeithio.
Rwyt yn Dduw cariad a thrugaredd,
a molwn di.

Dduw trugarog,
maddau i ni am fethu gweithredu'r hyn a bregethwn,
am wadu ein bod yn cyhoeddi drwy'r modd rydym yn byw,
am dy siomi di mewn sawl ffordd
drwy ein hymddisgyblaeth wan a llipa.
Rwyt yn Dduw cariad a thrugaredd,
a molwn di.

Helpa ni i fyw mewn modd
fel y bydd ein geiriau a'n gweithredoedd yn un,
ac y gwelir ein ffydd fel rhywbeth real.
Felly boed i'r hyn a ddywedwn,
ac a wnawn,
ac yr ydym,
dystio i ti a rhyfeddod dy gariad
a ddangoswyd drwy Iesu Grist ein Harglwydd.
Rwyt yn Dduw cariad a thrugaredd,
a molwn di,
yn ei enw.
Amen.

197. CYFRIFOLDEB TUAG AT DDUW AC ERAILL

Bywiol Dduw,
molwn di am y cariad a ddangosaist tuag atom yng Nghrist –
dy gariad sy'n parhau i chwilio amdanom,
dy ofal,
dy arweiniad,
dy ofal,
dy faddeuant,
serch tlodi ein cariad tuag atat,
a'n methiant i fyw megis disgyblion Iesu.
Addysga ni i ymateb drwy dy garu di ac eraill.

Bywiol Dduw,
maddau i ni am ein ffydd eiddil.
Maddau i ni am fethu bod yn ystyriol ohonot ti,
a meddwl cyn lleied am bobl eraill,
a chymaint ohonom ein hunain.
Maddau i ni am droi'r ffydd Gristnogol
yn rhywbeth a dderbyniwn,
yn hytrach na rhywbeth i'w rannu.
Addysga ni i ymateb drwy dy garu di ac eraill.

Bywiol Dduw,
helpa ni i fyw megis dy bobl mewn gwirionedd.
Dyro i ni'r synnwyr o gyfrifoldeb tuag at eraill –
y tlawd, y newynog, y claf a'r digartref,
y gorthrymedig, yr unig, y gwan, y trist.
Addysga ni i ymateb drwy dy garu di ac eraill.

Helpa ni i adnabod ein cyfrifoldebau
tuag atat ti a'r byd a ymddiriedaist i ni,
fel ein bod ym mhopeth a feddyliwn, a ddywedwn ac a wnawn
yn byw i'th ogoniant ac yn gweithio er mwyn dy deyrnas.
Addysga ni i ymateb drwy dy garu di ac eraill,
yn enw Iesu Grist ein Harglwydd.
Amen.

198. CREADIGAETH DUW

Arglwydd y cyfan oll,
molwn di am dy fydysawd
sydd â'i ddiddordeb diddiwedd,
am ein byd sy'n llawn rhyfeddod,
am ein cefn gwlad gyda'i holl harddwch,
am fywyd ei hun a'i holl amrywiaeth.
Arglwydd cariadlon,
clyw ein gweddi.

Mae yna gymaint sy'n rhoi pleser i ni,
ac yn cynnig boddhad,
yn dal ein dychymyg,
yn herio ac ysbrydoli,
sy'n rhoi achos i ni edrych ymlaen gydag eiddgarwch,
ac yn tystio i'th gariad.
Arglwydd cariadlon,
clyw ein gweddi.

Maddau i ni am gamddefnyddio'r oll a roddaist –
am anharddu'r byd,
am fethu â'i werthfawrogi fel y dylasem,
am golli'r synnwyr o ryfeddod fel sydd gan blant,
a'i drin fel pe bai yn eiddo i ni drwy hawlfraint
yn hytrach na rhodd wedi ei hymddiried gennyt ti,
am fod yn ddall i'th law gariadlon yn symud tu ôl i bopeth.
Arglwydd cariadlon,
clyw ein gweddi.

Agor ein llygaid at y bendithion di-rif
a'r cyfoeth diddiwedd a roddaist mor hael i ni,
a helpa ni i'w werthfawrogi
drwy fod yn stiwardiaid ffyddlon o'th greadigaeth.
Arglwydd cariadlon,
clyw ein gweddi,
yn enw Crist.
Amen.

GWEDDÏAU O GYFFES

199. BWRIADAU NAS CYFLAWNWYD HWY

Dduw grasol,
gelwaist ni i ymwadu ein hunain,
a rhoi ein hunain yn olaf yn hytrach nag yn gyntaf.
Maddau i ni ein bod yn ei chael mor galed,
fel ein bod yn methu mor aml.
Arglwydd, yn dy drugaredd
clyw ein gweddi.

Maddau i ni am y pethau na wnaethom
a'u gadael heb eu cyflawni –
a'r cymwynasau hynny na wnaethom amser er mwyn eu cyflawni,
a'r geiriau caredig nas llefarwyd,
y geiriau o anogaeth neu gefnogaeth nas hanfonwyd hwy,
y weithred gefnogol nas gwnaed.
Arglwydd, yn dy drugaredd
clyw ein gweddi.

Maddau i ni am y cyfleoedd a gollwyd gennym –
y cynlluniau nas gwnaed,
y breuddwydion nas gwireddwyd,
y posibiliadau na wnaethom eu dychmygu,
y rhoddion na wnaethom eu defnyddio.
Arglwydd, yn dy drugaredd
clyw ein gweddi.

Maddau ein methiant i'th wasanaethu fel y gwnaethom addo –
y gweddïau nas offrymwyd,
yr aberth nas gwnaed,
y ffydd na fu,
yr ymroddiad nas rhoddwyd.
Arglwydd, yn dy drugaredd
clyw ein gweddi.

Maddau i ni am wneud amser i ni'n hunain yn unig –
am ein bod mor hunanganolog,
hunanbwysig,
hunangyfiawn,
â diddordeb yn neb arall,
yn farus,
yn meddwl gormod o'n hunain.
Arglwydd, yn dy drugaredd,
clyw ein gweddi.

Dduw grasol,
arbed ni rhag bod yn bobl gydag amcanion heb eu cyflawni.
Helpa ni i gyfieithu ein syniadau i fod yn weithredoedd,
ac i ymarfer ein pregethu,
gan droi'r bwriadau da i fod yn weithredoedd da.
Arglwydd, yn dy drugaredd
clyw ein gweddi.

Helpa ni i ddysgu oddi wrth Iesu
a roddodd ei fywyd er mwyn eraill,
ac wrth agosáu ato,
boed i'n bywydau siarad nid yn unig amdanom ein hunain,
ond amdanat ti.
Arglwydd, yn dy drugaredd,
clyw ein gweddi,
wrth i ni ofyn hyn yn enw Crist.
Amen.

200. TIR HESB

Anfeidrol a chariadlon Dduw,
diolchwn i ti am bob ffordd
rwyt wedi hau had dy wirionedd yn ein bywydau –
drwy ein perthynas byw gyda Iesu,
drwy weithgarwch yr Ysbryd Glân yn ein calonnau,
drwy bregethu a darllen yr Ysgrythur,
drwy gymdeithas yr Eglwys,
drwy brofiad dyddiol o'th gariad
yn y byd o'n cwmpas.

Maddau i ni am yr adegau hynny
pan na wnaeth dy air ymwreiddio.
Maddau i ni bod ein ffydd mor arwynebol
a ninnau'n amharod i dyrchu'n ddyfnach.
Maddau i ni ein methiant i baratoi ein hunain ar gyfer addoliad,
a'n hesgeulustod rhag rhoi amser i ti,
ein hymddisgyblaeth ddiog,
ein sêl dros yr hyn sy'n tynnu ein sylw
oddi wrth ein gwir alwedigaeth.

Dduw cariadlon,
maddau i ni bod ein bywydau wedi bod mor hesb
pan ddylent fod wedi dwyn ffrwyth parhaol.
Bwrw had dy air i'n bywydau o'r newydd
a meithrin dy wirionedd o'n mewn,
fel y gallom dyfu mewn gras
a dwyn cynhaeaf dy Ysbryd yn ein bywyd,
drwy Iesu Grist ein Harglwydd.
Amen.

201. MEDDYLIAU CAEËDIG

Dduw grasol,
rwyt yn siarad gyda ni mewn amrywiol ffyrdd,
drwy bob math o bobl –
maddau i ni ein bod weithiau wedi cau ein meddyliau
i'r hyn sydd gennyt i'w ddweud wrthym.

Maddau i ni ein bod yn osgoi'r hyn sy'n ein herio,
yn ein haflonyddu ac yn ein hansefydlogi,
gan ddewis beirniadu a chondemnio
yn hytrach na wynebu'r pynciau a godwyd.
Maddau i ni ein bod yn gweld bai yn sydyn
gyda'r sawl rydym yn anghytuno gyda hwy,
yn fyddar yn hytrach na bod yn barod i wrando.
Maddau i ni ein bod mor amharod
i dderbyn syniadau newydd a dieithr,
gan gysgodi yn y traddodiadol a'r cyfarwydd.
Maddau i ni ein bod wedi ein clymu i lawr
gan ein rhagdybiaeth o'r hyn sy'n iawn,
ac mor sicr o'n hargyhoeddiadau ac yn gaeth i'n ffyrdd
fel ein bod yn ymwrthod â'r newydd.
Maddau i ni ein bod weithiau yn addoli o ran arfer yn unig
ac er ymddangos yn werthfawr – sy'n aml yn ddiwerth.

Dduw grasol,
agor ein calonnau heddiw i realaeth bywyd Crist.
Agor ein meddyliau i symudiadau'r Ysbryd Glân.
Agor ein heneidiau i bopeth sydd gennyt i'w ddweud a'i wneud.
Ac felly, yn ein cadarnhau,
helpa ni i fyw o ddifrif fel dy bobl,
yn enw Crist.
Amen.

202. TRUGAREDD DUW

Anfeidrol Dduw,
wrth i ni gofio dy ffyddlondeb
deuwn i sylweddoli'n fwyfwy ein hanffyddlondeb ni.
Maddau i ni, O Dduw.

Maddau i ni ein diffyg gweledigaeth,
ein methiant i'th addoli fel rwyt yn ei haeddu,
ac esgeulustod ein hymddisgyblaeth.

Maddau ein beiau a'n methiannau,
ein methiant i ddysgu o gamgymeriadau'r gorffennol,
yn dewis ein ffyrdd ni yn lle dy ffyrdd di.

Maddau i ni'r cyfleoedd a gollwyd i'th wasanaethu,
popeth y dylasem fod wedi cyflawni ond wedi methu,
y cyfleoedd i hyrwyddo'r deyrnas a wastraffwyd.

Anfeidrol Dduw,
deuwn â'n cyffes ger dy fron mewn tristwch a chywilydd,
ond hefyd gyda hyder,
gan y gwyddom dy fod yn Dduw graslon,
Duw trugaredd a thosturi,
yn araf i ddigio ac yn llawn o gariad cadarn.

Sicrha ni o'th faddeuant parhaol,
a helpa ni i addasu ein bywydau,
drwy Grist ein Harglwydd.
Amen.

203. TWYLLO'N HUNAIN

O Dduw, sy'n gweld a gwybod popeth,
maddau i ni am dwyllo'n hunain mor aml
a cheisio dy dwyllo di –
yn gwrthod cydnabod na derbyn ein camgymeriadau.
Maddau i ni'r esgusodion a wnawn am fethu dy ddilyn
na derbyn ffordd y Groes –
yn beio popeth ond ein hunain pan fyddwn yn dy siomi.
Maddau i ni am esgus ein bod yn well nag yr ydym mewn
gwirionedd,
ac osgoi'r hyn sy'n anodd ei dderbyn
neu ddewis peidio deall.
Maddau i ni am dderbyn yn rhwydd hanner y gwir,
ac am greu celwyddau yn fwriadol.

Anfeidrol Dduw,
cawn ni hi'n hawdd twyllo'n hunain,
ac mor anodd yw gweld ein hunain fel yr ydym mewn gwirionedd,
eto rwyt ti yn ein gweld yn ein holl bechod
ac yn dal i'n caru.
Helpa ni i dderbyn y rhyddid a ddaw yn dy gariad,
ac, wrth fod yn onest â ni ein hunain,
i fod yn onest â thi.
Helpa ni i ddod atat, fel ag yr ydym,
a darganfod gwir faddeuant, gwir heddwch,
a nerth i fyw megis dy bobl,
yn enw Crist,
Amen.

204. YMDDIRIED YN EIN NERTH EIN HUNAIN

Arglwydd nef a daear,
popeth sydd, ac a fu, ac a fydd –
maddau i ni am ymddiried yn ein nerth ein hunain
yn hytrach nag yn dy nerth di.

Maddau i ni am feddwl mai ein ffyrdd ni sydd orau,
a hawlio'r clod sy'n eiddo i ti mewn gwirionedd,
a cheisio ein dibenion ein hunain yn hytrach na'th deyrnas di,
a rhoi'n hyder mewn pethau
sydd heb y grym i achub na bodloni.
Maddau i ni am ymddiried yn ein nerth ein hunain
yn hytrach nag yn dy nerth di.

Maddau i ni am bob her rydym wedi ei hosgoi,
y cyfleoedd a gollwyd,
y gwaith na wnaethom ei gyflawni,
a'r cyfan am i ni fethu ymddiried ynot ti yn llwyr.
Maddau i ni am ymddiried yn ein nerth ein hunain
yn hytrach nag yn dy nerth di.

Maddau ni am y bobl rydym wedi eu siomi,
a'r amgylchiadau a wnaeth i ni anobeithio,
y cyfleoedd a wastraffwyd,
a'r cyfan am i ni ymddiried yn ein nerth ni ac nid yn dy nerth di.
Maddau i ni am ymddiried yn ein nerth ein hunain
yn hytrach nag yn dy nerth di.

Arglwydd y cyfan oll,
addysga ni i sylweddoli pan fyddwn yn gwbl wan a diymadferth
dy fod ti ar dy gryfaf,
bod yr hyn a dybia'r byd fel y di-rym
yn aml y mwyaf grymus.
Arbed ni rhag cau allan dy bresenoldeb nerthol o'n bywydau.
**Maddau i ni am ymddiried yn ein nerth ein hunain
yn hytrach nag yn dy nerth di.**

Dyro i ni ffydd newydd,
ac ymddiriedaeth gryfach,
a hyder dyfnach ym mhopeth rwyt yn abl i'w wneud.
**Addysga ni i ymddiried yn dy nerth
yn hytrach nag yn ein nerth ein hunain,**
a boed i ni ymdrechu o'r newydd yn dy enw
**a chyflawni yn dy ogoniant,
drwy Iesu Grist ein Harglwydd.
Amen.**

205. METHU GWRANDO

Bywiol Dduw,
diolchwn am ein byd
sy'n llawn o synau rhyfeddol –
sŵn plant yn chwerthin,
babanod yn crïo, pobl yn siarad,
sŵn adar yn trydar neu gerddorfa'n chwarae,
sŵn gwynt yn chwythu yn y coed
a thonnau yn taro ar y traeth,
sŵn bywyd bob dydd ar stryd brysur,
a sŵn y distawrwydd.
Arglwydd y cyfan oll,
addysga ni i wrando.

Ym mhob modd rwyt yn siarad gyda ni,
ond yn aml methwn â chlywed yr hyn rwyt yn ei ddweud.
Deuwn atat mewn gweddi,
ond ni wnawn aros i wrando.
Rhown glust i'r lli o leisiau sy'n galw am ein sylw,
ond ni wnawn glywed y llais distaw main oddi fewn.
Arglwydd y cyfan oll,
addysga ni i wrando.

Maddau i ni ein bod yn cau ein meddyliau
i'r hyn nad ydym am ei glywed,
neu ein bod yn rhy brysur i wrando,
neu ein bod ond yn clywed gyda'n clustiau ac nid gyda'n heneidiau.
Arglwydd y cyfan oll,
addysga ni i wrando.

Bywiol Dduw,
diolchwn dy fod yn siarad gyda ni.
Addysga ni i wrando
yn enw Crist.
Amen.

206. METHU GWELD

Grasol Dduw,
diolchwn am y rhodd fawr o fedru gweld
ac am bopeth sydd
i'w weld yn y byd rhyfeddol hwn.
Diolchwn y gallwn edrych o'n hamgylch
a gwerthfawrogi cymaint sy'n dda,
yn hudolus,
yn gofiadwy,
ac yn brydferth.
Grasol Dduw, agor ein llygaid.

Diolchwn fod yna weld ar wahân i hyn,
mathau gwahanol o weld –
gweld ymlaen,
gweld yn ôl,
gweld deallusol –
pob un yn gymorth i ni weld mwy na'r arwynebol
hyd at y realiti mewnol.
Grasol Dduw, agor ein llygaid.

Maddau i ni ein bod mor aml yn methu gweld tu hwnt i'r arwynebol,
am fethu gweld yr amrywiol ffyrdd rwyt ar waith yn ein bywydau,
am fod yn ddall i'r cyfan rwyt am ei ddatguddio i ni.
Grasol Dduw, agor ein llygaid,
a chymorth ni i weld!
Gweddïwn hyn yn enw Crist.
Amen.

207. METHIANT I GYFLWYNO CRIST

Arglwydd y cyfan oll,
rwyt yn ein galw i fynd allan i'r byd,
i rannu ein ffydd a dangos dy gariad.
Rwyt yn ein galw i fynd allan yn enw Crist,
i gyflwyno enw Crist a gwneud ei bresenoldeb yn real.
Rwyt yn ein hanfon allan drwy rym dy Ysbryd,
i fyw er dy fwyn ac er mwyn eraill.

Maddau i ni ein bod yn aml yn dod atat,
ond yn methu mynd drosot.
Maddau i ni ein bod yn medru bod yn fewnblyg
ond yn methu troi allan at eraill.
Maddau i ni ein bod yn rhoi cyn lleied
ar ôl derbyn cymaint.

Adnewydda ni drwy dy Ysbryd.
Adfera ni drwy gariad Crist.
Gwna ni o'r newydd yn debyg i ti.
Sicrha ni o'th faddeuant.
Ac anfon ni allan i fyw ac i weithio dros dy deyrnas,
ac er gogoniant dy enw.
Amen.

208. GWELD Y TU ALLAN YN UNIG

Dad cariadlon,
gofynnwn i ti faddau i ni
am fod mor aml â mwy o gonsýrn gyda'r allanol
na gyda'r mewnol –
am gymryd balchder yn yr ymddangosiadol
gan esgeuluso'r hyn sydd o'n mewn,
am roi sioe dda
a dim oddi fewn,
am ymddangos yn rhinweddol ar yr wyneb
tra bod llawer o hylltra yn guddiedig.
Dduw Dad, clyw ein gweddi.

Helpa ni i sylweddoli bod yna harddwch o dan y croen,
a bod ffydd yn fwy nag ymddangosiad,
a bod dy wasanaethu di yn fwy nag edrych y rhan.
Dduw Dad, clyw ein gweddi.

Helpa ni i ddeall dy fod yn ein gweld fel ag yr ydym,
yn hytrach nag fel y carem ddychmygu,
dy fod yn gweld o dan y masg a wisgwn er mwyn y byd
hyd at ein hunaniaeth fewnol,
ac na ellir cuddio dim rhagot.
Dduw Dad, clyw ein gweddi.

Dad cariadlon,
glanha ein calonnau,
trawsnewidia ein meddyliau,
adnewydda ein hysbrydoedd
a helpa ni i gerdded gyda Crist.
Dduw Dad, clyw ein gweddi.

Gwisga ni gyda llawenydd, tangnefedd, amynedd a charedigrwydd,
haelioni, ffyddlondeb, tynerwch a hunanreolaeth,
ac yn bennaf dim gyda chariad.
Felly arwain ni, drwy dy Ysbryd Glân,
i ffordd iachawdwriaeth.
Dduw Dad, clyw ein gweddi,
drwy Iesu Grist ein Harglwydd.
Amen.

209. GWENDID EIN HYMDDISGYBLAETH

Dduw grasol a thrugarog,
wrth i ni gofio cariad mawr ac aberth Crist,
deuwn gan geisio dy faddeuant a'th gymorth.
Mewn cymaint o ffyrdd, rydym wedi dy siomi:
Arglwydd, bydd drugarog wrthym.

Nid ydym wedi byw'n ffyddlon fel dy ddisgyblion,
nac ufuddhau i'th orchmynion.
Nid ydym wedi dy garu fel y ceraist ni,
na'n cymdogion fel ni ein hunain.
Ni wnaethom godi ein croes a dilyn Iesu.
Mewn cymaint o ffyrdd, rydym wedi dy siomi:
Arglwydd, bydd drugarog wrthym.

Buom yn gyfyng ein gorwelion,
a gwan ein hymrwymiad,
yn esgeulus yn ein haddoliad,
yn ddiymdrech yn ein gwasanaeth i ti.
Mewn cymaint o ffyrdd, rydym wedi dy siomi:
Arglwydd, bydd drugarog wrthym.

Bu'n well gennym ein ffyrdd ni na'th ffyrdd di,
a chrwydro oddi wrthyt.
Buom yn poeni mwy am ein llwyddiant
yn hytrach na lledaeniad dy deyrnas.
Mewn cymaint o ffyrdd, rydym wedi dy siomi:
Arglwydd, bydd drugarog wrthym.

Dduw grasol,
adnewydda'n hysbryd, cryfha ein hewyllys, dyfnha ein ffydd,
ac anfon ni allan wedi derbyn maddeuant ac wedi ein hadfer
i fyw a gweithio drosot.
Mewn cymaint o ffyrdd, rydym wedi dy siomi.
Yn enw Crist.
Amen.

210. GWRTHSEFYLL IESU

Dduw cariadlon,
daethost atom yn Iesu Grist,
yn cynnig bywyd drwy ei gariad,
yn ein galw i fyw fel disgyblion iddo,
a siarad gyda ni drwy ei fywyd a'i weinidogaeth,
ei farwolaeth a'i atgyfodiad.
Helpa ni i agor ein bywydau iddo.

Maddau i ni ein bod mor aml yn amharod i wrando.
Maddau i ni ein bod yn aml yn gwrthod gwrando.
Hawliwn ein bod yn ganlynwyr Iesu Grist,
ac mae cymaint yn ein denu tuag ato,
ond pan fydd ei neges yn hawlio gormod –
pan fydd yn gofyn i ni wynebu'r hyn na ddymunem ei wynebu,
pan fydd ei eiriau yn ein gwneud yn anghyfforddus
ac yn taro'n agos at yr asgwrn –
rydym yn ceisio ei wrthsefyll,
yn gwrthod gwrando a'i wthio i ffwrdd.
Helpa ni i agor ein bywyd iddo.

Dduw cariadlon,
maddau i ni am ddilyn ond pan fydd hynny'n gyfleus,
ond pan fydd yn plethu gyda'n rhagdybiaethau ein hunain,
ond pan na fydd yn gofyn gormod.
Dyro i ni ffydd real a gwir ymroddiad,
fel y byddwn yn barod i wrando yr hyn fydd yn boenus i'w glywed,
ac yn barod i glywed yr hyn fydd yn heriol ac yn anodd,
ac yn barod i ymateb pan fydd Iesu'n galw
hyd yn oed pan fydd pob greddf am gilio i ffwrdd.
Helpa ni i agor ein bywyd iddo.

Dduw cariadlon, daethost atom yng Nghrist.
Helpa ni i agor ein bywyd iddo.
Amen.

211. RHEDEG ODDI WRTH DDUW
(ysbrydolwyd gan stori Jona)

Bywiol Dduw,
diolchwn dy fod wedi ein galw i ffydd yn Iesu Grist,
i gymdeithas dy eglwys,
i ymddisgyblaeth Gristnogol.
Cymorth ni i glywed dy lais.

Diolchwn dy fod yn parhau i'n galw
i lwybrau newydd o wasanaeth,
i ffyrdd newydd o'th wasanaethu,
i ffyrdd newydd o weithio o blaid dy deyrnas.
Cymorth ni i glywed dy lais.

Maddau i ni ein bod weithiau yn araf
neu'n amharod i ymateb –
weithiau nid ydym yn siŵr o ddeall beth rwyt yn ei ddisgwyl gennym,
byddwn yn dal yn ôl pan fydd dy alwad yn anodd,
rhedwn i ffwrdd rhag yr hyn nad ydym am ei wneud,
mae'n well gennym ein ffyrdd ni na'th ffyrdd di.
Cymorth ni i glywed dy lais.

Bywiol Dduw,
molwn di dy fod, er ein bod yn dy osgoi neu yn anufudd i'th alwad,
yn dal i'n ceisio,
ac mewn ffordd dyner a chariadlon yn ein harwain yn ôl,
ac yn ymddiried ynom, er ein hanffyddlondeb,
neges fawr yr Efengyl.
Cymorth ni i glywed dy lais.

Molwn di dy fod yn ein trafod ninnau ac eraill mewn ffordd drugarog,
o hyd yn cynnig i ni'r ail gyfle,
yn arfer amynedd,
yn dangos o hyd faint dy ras,
dro ar ôl tro.
Cymorth ni i glywed dy lais.

Molwn di dy fod yn Dduw sy'n llawn o drugaredd,
yn araf i ddigio
ac yn llawn o gariad diwyro,
ac yn naturiol yn barod i faddau.
Cymorth ni i glywed dy lais.

Bywiol Dduw,
helpa ni i glywed dy lais yn glir,
ac i dderbyn dy ewyllys yn ddidwyll,
ac i ymateb iddi yn llawen
yn enw Crist.
Amen.

212. BARN A GRAS

Dduw graslon a chyfiawn,
molwn di am dy fod o hyd yn weithredol –
yn symud ar hyd hanes,
yn gweithio yn ein bywydau personol,
yn ymdrechu i weithio allan dy gynlluniau.
Nid wyt yn bell nac ar wahân i'th fyd,
yn dal dy hun ymhell oddi wrth gyflwr y ddynoliaeth,
nac yn ddi-gonsŷrn am ein hamgylchiadau dyddiol,
ond yn gyson yn ymwneud â phob gwedd o'n profiadau.
Dduw grasol a chyfiawn,
llawenhawn yn dy bwrpas tragwyddol.

Molwn di am dy gariad anfesuradwy,
o hyd yn gofalu drosom,
ac yn ymestyn allan i'n bendithio,
yn ddyddiol wrth ein hochr.
Rwyt yn Dduw sy'n llawn trugaredd,
o hyd yn barod i faddau,
o hyd yn barod i ystyried ein hamgylchiadau,
o hyd yn awyddus i estyn tudalen lân a dechreuad o'r newydd.
Dduw grasol a chyfiawn,
llawenhawn yn dy bwrpas tragwyddol.

Maddau i ni ein bod serch hynny
yn ymddangos weithiau yn orgyfarwydd â thi –
ac yn colli golwg ar dy sancteiddrwydd,
yn anghofio dy orchmynion,
ac yn esgeulus o'n hymddisgyblaeth.
Maddau i ni ein bod yn medru colli golwg ar ein synnwyr o ryfeddod –
yn cau allan yr hyn rwyt yn medru ei gyflawni yn ein plith,
heb fod yn agored i'r annisgwyliedig,
heb fod yn bobl sy'n breuddwydio.
Dduw grasol a chyfiawn,
llawenhawn yn dy bwrpas tragwyddol.

Rwyt yn gyfan gwbl dda ac yn gyfan gwbl gyfiawn,
yn ymestyn dy law allan mewn barn,
ac yn barod i gosbi'r drwgweithredwyr,
ac yn chwalu drygioni.
Rwyt yn gyfan gwbl gariadlon ac yn gyfan gwbl rymus,
yn ymestyn dy law allan i fendithio,
i gydnabod ffyddlondeb,
ac i gadarnhau'r gwirionedd.
Dduw grasol a chyfiawn,
llawenhawn yn dy bwrpas tragwyddol.

Arbed ni rhag ymfodloni mewn modd di-hid
o gylch barn a gras –
a thybied nad yw ein meddyliau a'n gweithredoedd
yn bwysig i ti,
rhag bod yn ddifeddwl neu'n orbarod i ildio,
rhag colli gobaith pan fydd daioni'n ymddangos
fel pe bai'n cael ei drechu gan ddrygioni.
Helpa ni i adnabod effaith ddinistriol
ein cyflwr pechadurus,
i weld ein beiau ac i'w cyffesu'n onest o'th flaen,
i ddarganfod y llawenydd a ddaw o fod yn dy gwmni di,
ac i edrych ymlaen at y dydd hwnnw
pan wneler dy ewyllys ac y daw dy deyrnas.
Dduw grasol a chyfiawn,
llawenhawn yn sicrwydd dy fuddugoliaeth derfynol,
drwy Iesu Grist ein Harglwydd.
Amen.

213. BALCHDER

Frenhinol Dduw,
cyffeswn gyda chywilydd
ein bod weithiau
yn euog o bechod balchder,
ein bod wedi synied amdanom ein hunain yn fwy nag y dylem,
ac yn edrych i lawr ar eraill o'n cwmpas.
Bydd drugarog wrthym.

Ni wnaethom wrando fel y dylasem ar dy lais
neu ar leisiau eraill,
yn credu ein bod yn gwybod orau,
a dewis ein ffyrdd ni,
ac ymddiried yn ein barn ni yn unig.
Bydd drugarog wrthym.

Buom euog o falchder mewn ffyrdd cyfrwys,
gan geisio bod yn annibynnol ar y bobl sydd o'n cwmpas,
yn cuddio ein breuder tu ôl i fasg yr hunangynhaliol,
yn gwadu ein hofnau ac yn gwrthod cefnogaeth
pan mae'n cael ei chynnig.
Bydd drugarog wrthym.

Frenhinol Dduw,
maddau i ni ein bod yn ceisio byw'n annibynnol ar eraill,
pan feddyliwn mwy am ein hunain nag amdanat ti,
pan rown flaenoriaeth i ni ein hunain dros bobl eraill.
Bydd drugarog wrthym.

GWEDDÏAU O GYFFES

Dyro i ni wir wyleidd-dra
a'r gallu i gymryd gwir falchder yn ein hunain
pan mae hynny'n weddus,
ac ewyllys hefyd i wrando ar dy lais
a lleisiau pobl eraill,
gan dderbyn ein beiau, a chydnabod ein cyfyngiadau,
a chyffesu ein camgymeriadau.

Frenhinol Dduw,
bydd drugarog wrthym,
drwy Iesu Grist ein Harglwydd.
Amen.

214. YR HYN A DDISGWYLIA DUW
(*ysbrydolwyd gan Micha 6:8*)

Dduw cariadlon,
gelwaist ni i fyw megis dy bobl –
i gerdded wrth dy ochr bob dydd,
gan geisio dy ewyllys,
a dilyn yr hyn sy'n iawn,
a dangos dy gariad yn ein hymagwedd tuag at eraill.
Addysga ni beth y caret i ni wneud.

Maddau i ni ein bod weithiau yn gwneud dy alwad i ymddangos yn
gymhleth,
a cholli golwg ar yr hyn rwyt yn ei ddisgwyl gennym.
Maddau i ni ein bod yn rhoi mwy o sylw i elfennau allanol ffydd,
yn hytrach na chanolbwyntio ar yr hanfodion.
Maddau i ni ein bod yn dda am fod yn grefyddol,
ond yn aflwyddiannus am wneud yr hyn sy'n iawn –
caru ffyddlondeb,
a rhodio'n ostyngedig gyda thi.
Addysga ni beth y caret i ni wneud.

Dduw cariadlon,
helpa ni i gynnig i ti y math o fywyd rwyt am ei weld,
ac i fod y bobl rwyt am i ni fod.
Addysga ni beth a ddisgwyli oddi wrthym,
ac y byddwn drwy ras yn byw fel dy bobl,
er gogoniant dy enw.
Amen.

215. BYW ER EIN MWYN EIN HUNAIN

Dduw trugarog,
deuwn o'r newydd gyda'n cyffes,
yn ymwybodol o'n beiau a'n methiannau niferus –
maddau i ni am fod mor anffyddlon i ti.
Rhown ormod o sylw i ni ein hunain,
a methu gweld yn bellach na'n buddiannau pitw ein hunain –
maddau i ni am fod mor anffyddlon i ti.
Buom yn byw heb feddwl am dy ewyllys
na meddwl am dy arweiniad –
maddau i ni am fod mor anffyddlon i ti.
Gwnaethom dorri dy orchmynion
a methu â dilyn ffordd y Crist –
maddau i ni am fod mor anffyddlon i ti.

Dduw trugarog,
buost ffyddlon i ni o ddydd i ddydd –
maddau i ni am fod mor anffyddlon i ti.
Maddeuaist i ni am ein hanffyddlondeb cyson –
maddau i ni am fod mor anffyddlon i ti.
Cynigiaist i ni o'th arweiniad yn holl benderfyniadau bywyd –
**maddau i ni am fod mor araf i ddilyn
lle yr wyt ti yn arwain.**

Dduw trugarog,
drwy dy ras, bydd drugarog wrthym ni.
Adnewydda ein ffydd, ac adfer ni i fod wrth dy ymyl,
addysga ni am dy ffyrdd,
**a helpa ni i fyw yn gywirach fel dy bobl,
yn enw Crist.
Amen.**

216. HUNAN FUDD

Dduw cariadlon
gelwaist ni i fod yn weision –
i gynnig ein gwasanaeth i Grist,
i'n gilydd,
i'th Eglwys,
ac i'th fyd.
Maddau i ni am dy siomi mor aml.

Maddau i ni ein bod a chonsýrn i wasanaethu ein hunain yn unig –
ein diddordebau,
ein hanghenion,
ein dyheadau,
ein dibenion ein hunain.
Maddau i ni am dy siomi mor aml.

Maddau i ni ein bod weithiau â mwy o gonsýrn
gyda'r hyn y gallwn ei dderbyn allan o'n ffydd
na'r hyn y gallwn ei gyfrannu;
mwy o gonsýrn gyda'r hyn y gelli di ei wneud drosom ni
na'r hyn a wnawn ni drosot ti;
mwy o gonsýrn gyda'r hyn y gallwn ei dderbyn o law eraill
na'r hyn y gallwn ei roi iddynt hwy.
Maddau i ni am dy siomi mor aml.

Addysga ni i wasanaethu heb ddisgwyl gwobr,
i garu heb ddisgwyl cariad yn ôl,
i roi heb gyfrif y gost,
i ddilyn heb ddal yn ôl,
i fyw bob dydd fel dy bobl di,
a chynnig ein hunain yn barod mewn gwasanaeth llawen.
Amen.

GWEDDÏAU O DDIOLCHGARWCH

217. DIOLCH AM FADDEUANT

Anfeidrol Dduw,
diolchwn ein bod yn medru dod ger dy fron,
a'th fod yn aros amdanom i'n cyfarfod.
Er nad oes gennym hawl ar dy gariad
na modd i ddisgwyl unrhyw drugaredd,
diolchwn dy fod o hyd yn ymestyn allan tuag atom,
ac yn awyddus i faddau ac anghofio.
Dduw grasol, agor ein calonnau i dderbyn dy gariad.

Serch ein bod yn dy siomi,
ac yn aml yn ymwrthod â'th ewyllys,
diolchwn dy fod yn maddau'n bai
ac yn rhoi cyfle newydd arall i ni.
Dduw grasol, agor ein calonnau i dderbyn dy gariad.

Diolchwn dy fod yn ein caru ac yn gofalu amdanom
serch ein beiau a'n gwendidau;
rwyt yn ein derbyn fel ag yr ydym.
Er mor dlawd yw'n ffydd
rwyt o hyd yn barod i arwain,
i helpu
ac i fendithio.
Dduw grasol, agor ein calonnau i dderbyn dy gariad.

Anfeidrol Dduw,
helpa ni i agor ein bywydau i ti,
i fod yn onest â thi, gyda'n hunain a gydag eraill.
Helpa ni i weld ein hunain fel ag yr ydym,
y da a'r drwg, y cryfderau a'r gwendidau,
yr hyfryd a'r annymunol.
Helpa ni i adnabod ein pechodau a'u cyffesu,
gan daflu ein hunain ar dy drugaredd.
Dduw grasol, agor ein calonnau i dderbyn dy gariad.

Boed i ni dderbyn y glanhad,
yr adnewyddiad
a'r maddeuant rwyt yn awyddus i ddangos i ni.
**Dduw grasol, agor ein calonnau i dderbyn dy gariad,
yn enw Crist.
Amen.**

218. RHYFEDDOD BYWYD

Dduw cariadlon,
diolchwn am y byd a roddaist i ni,
a phopeth sydd ynddo a dystia amdanat ti.
Bendithiaist ni mor helaeth
ac rydym yn llawenhau.

Diolchwn i ti am bopeth hardd,
popeth sy'n dal ein hanadl mewn rhyfeddod
ac yn cyfeirio at ôl dy law yn y greadigaeth.
Bendithiaist ni mor helaeth
ac rydym yn llawenhau.

Diolchwn am y rhodd o gariad, wrth ei roi a'i dderbyn,
sy'n ein hatgoffa o'th gariad helaeth di tuag atom.
Bendithiaist ni mor helaeth
ac rydym yn llawenhau.
Diolchwn am fywyd teuluol,
sy'n ein hatgoffa o'r teulu mawr sydd o'th bobl di
a ninnau'n aelodau ohono.
Bendithiaist ni mor helaeth
ac rydym yn llawenhau.

Diolchwn am ein bwyd, ein dillad, ein cartrefi,
a phob moethusrwydd a fwynhawn,
a'r ffyrdd di-rif rwyt wedi darparu drosom.
Bendithiaist ni mor helaeth
ac rydym yn llawenhau.

Diolchwn am y bore newydd hwn,
am wres yr haul a chyfoeth bywyd,
sy'n rhoi rhagflas i ni o fywyd tragwyddol.
Bendithiaist ni mor helaeth
ac rydym yn llawenhau.

Dduw cariadlon,
agor ein llygaid i weld dy bresenoldeb o'n cwmpas,
i'th gariad sy'n ein hamgylchu bob dydd,
i'th law sydd o hyd yn gweithio er ein mwyn.
Bendithiaist ni mor helaeth
ac rydym yn llawenhau.

Llefara wrthym drwy'r pethau cyffredin
a phethau arbennig bywyd,
a thrwyddynt y deuwn i'th adnabod yn llwyrach
a'th wasanaethu'n gywirach.
Bendithiaist ni mor helaeth
ac rydym yn llawenhau.

Derbyn felly ein moliant a'n diolchgarwch,
wrth i ni eu cynnig i ti
yn enw Crist ein harglwydd.
Amen.

219. DIOLCH AM GYMDEITHAS

Dduw cariadlon,
diolchwn i ti heddiw eto
am y gymdeithas a fwynhawn yn yr eglwys hon –
am bopeth mae'n ei gynnig, am bopeth mae'n ei olygu
a'r holl ffyrdd mae'n cyfoethogi ein bywydau,
ac yn helaethu ein profiad.
Diolchwn am yr undeb a ddarganfyddwn yng Nghrist,
am y cariad sy'n ein plethu ynghyd.
Diolchwn am y profiadau a ranasom dros y blynyddoedd,
a'r cwlwm a grëwyd rhyngom.
Diolchwn am y gofal a ddangoswyd yn ein plith,
a'r gofal a dderbyniasom hefyd.
Diolchwn am y cyfleoedd a gawsom i drafod ein ffydd,
a'r modd mae ein dealltwriaeth ohonot yn aeddfedu o'r herwydd.
Diolchwn am y ffyrdd y gallwn siarad yn onest ac yn agored,
gan wybod bydd ein cyfeillgarwch nid yn unig yn parhau ond yn
tyfu.

Dduw cariadlon,
nid ydym yn hawlio ein bod yn deulu perffaith,
am ein bod yn ymwybodol o'n gwendidau
fel unigolion ac fel teulu.
Ond molwn di dy fod wedi ein galw ynghyd yn un teulu,
mewn perthynas â thi a gyda'n gilydd,
drwy Iesu Grist ein Harglwydd.
Amen.

220. EIN DONIAU

Arglwydd bywyd,
diolchwn am y doniau a roddaist i ni –
yr hyn a allwn ei wneud yn dda
a mwynhau ei wneud,
yr hyn sy'n dwyn hapusrwydd i ni,
ac yn cyfrannu i hapusrwydd eraill.
Arglwydd bywyd, addysga ni i ddefnyddio'r doniau hyn a roddaist i ni,
i wneud ein rhan yn ein cymdeithas a'n cymuned.

Diolchwn am ddoniau pobl eraill –
yr hyn a allant ei wneud ac na allwn ni,
y talentau sydd ganddynt nad ydynt gennym ni,
y sgiliau y gallant eu cynnig sy'n cydblethu gyda'n sgiliau ni,
a'r safonau maent yn eu harddangos
sydd mewn sawl ffordd yn cyfoethogi ein bywydau.
Arglwydd bywyd, addysga ni i werthfawrogi'r doniau sydd o'n cwmpas,
ac i werthfawrogi eu cyfraniad i'n bywydau.

Arglwydd bywyd,
addysga ni i adnabod yr hyn y gallwn ei wneud yn dda,
a'r hyn y mae eraill yn ei wneud yn well na ni.
Addysga ni ein bod yn perthyn i'n gilydd,
bod gan bawb rywbeth i'w roi a rhywbeth i'w dderbyn.
Addysga ni i weld gwerth ym mhob person,
**ac i ddeall bod gennyt le arbennig ar gyfer pob un ohonom
yng nghorff Crist,**
wrth i ni ofyn hyn yn ei enw.
Amen.

221. GOBAITH MEWN ADFYD

Dduw grasol,
diolchwn dy fod yn wastadol gyda ni,
ar yr adegau drwg ynghyd â'r adegau da,
yr anodd ynghyd â'r hawdd,
y trist ynghyd â'r llawen.
Arglwydd pob gobaith,
clyw ein gweddi.

Diolchwn, er ein bod weithiau
yn ansicr o'r ffordd ymlaen,
dy fod wastad yno i'n cyfeirio;
er ein bod wedi teimlo'n ddigalon,
estynnaist i ni ysbrydoliaeth;
er ein bod wedi gwangalonni,
rhoddaist i ni obaith.
Arglwydd pob gobaith,
clyw ein gweddi.

Diolchwn am y sicrwydd a ddaw i ni
drwy dy gariad diogel sydd byth yn pallu,
drwy wybod bod dy drugareddau yn newydd bob dydd,
a bod dy ffyddlondeb mor fawr.
Arglwydd pob gobaith,
clyw ein gweddi.

Boed i'r argyhoeddiad roi hyder i ni i'r dyfodol,
a pha broblemau bynnag y byddwn yn eu hwynebu,
pa siom bynnag a brofwn,
pa dristwch bynnag a ddaw i'n rhan,
y gallwn fod â rheswm i edrych ymlaen,
a rheswm i obeithio.
Arglwydd pob gobaith,
clyw ein gweddi,
yn enw Crist.
Amen.

222. GOBAITH AR ÔL ANAWSTERAU

Dduw cariadlon,
diolchwn am dy gyfarwyddyd
yn ystod y dyddiau olaf anodd hyn,
am ein harwain yn ddiogel mewn cyfnod
pan oedd y dyfodol yn dywyll
a'r presennol yn ansicr.
Pryd bynnag roeddem dy angen,
roeddet yno.

Diolchwn am y gefnogaeth a roddaist
pan oeddem yn gwangalonni,
yr hyder i barhau i gredu
pan gawsom ein temtio i amau,
y nerth i ddyfalbarhau er ein hamgylchiadau trist.
Pryd bynnag roeddem dy angen,
roeddet yno.

Dad cariadlon,
boed i bopeth a brofasom adnewyddu ein hymddiriedaeth
yn dy bwrpas parhaol drosom.
Boed iddo gynnal ein ffydd
mewn adegau anodd yn y dyfodol.
Boed iddo ein hysbrydoli i'th wasanaethu
fel yr wyt wedi ein gwasanaethu ni.
Pryd bynnag roeddem dy angen,
roeddet yno.

Gweddïwn y byddi yn ein harwain ymlaen
a'n helpu i aros ar y llwybr rwyt wedi ei osod o'n blaen,
yn ddiogel yn y sicrwydd, beth bynnag a wynebwn,
y bydd dy ras yn ddigon i ni.
Pryd bynnag roeddem dy angen,
roeddet yno.

Diolch fo i Dduw.
Amen.

223. CHWERTHIN

Dduw cariadlon,
diolchwn am yr hyn mewn bywyd sy'n peri inni chwerthin,
yr hyn a ddaw â gwen i'n hwynebau.
Diolchwn am ein synnwyr digrifwch
sy'n fodd i weld yr ochr ddoniol mewn bywyd,
a'n cynorthwyo i rannu jôc
hyd yn oed pan fydd y jôc arnom ni.
Diolchwn am y sawl sydd â'r ddawn arbennig
i beri i eraill chwerthin,
a dwyn rhywfaint o ysgafnder
i mewn i ddifrifoldeb ein byd.

Dduw cariadlon,
mae yna amser i grïo ac amser i chwerthin,
mae yna le i ddwyster a lle i ddigrifwch.
Helpa ni i gael y cydbwysedd rhyngddynt yn ein bywyd.
Addysga ni i werthfawrogi'r ddawn i chwerthin,
ac i'w rhannu gyda'r sawl sydd o'n cwmpas,
yn enw Crist.
Amen.

224. ARWEINIAD DUW DRWY HANES

Anfeidrol Dduw,
cydnabyddwn di fel Arglwydd y cyfan sydd,
yr Alffa a'r Omega,
ffynhonnell a nod y greadigaeth.

Dy bwrpas di
a ddaeth â'r byd a'r bydysawd i fodolaeth,
a greodd y ddynoliaeth yn dy ddelw.
Dy bwrpas di
a arweiniodd Abraham allan i chwilio am wlad newydd,
a lywiodd y bobl drwy'r anialwch
i Wlad yr Addewid.
Dy bwrpas di
a gefnogodd ac a gynhaliodd y bobl ar draws yr oesau,
ac a gafodd ei gyflawni yng Nghrist
drwy'r hwn y cymodaist bopeth â thi dy hun.

Anfeidrol Dduw,
diolchwn am dy ymwneud gyda hanes y ddynoliaeth,
y pwrpas na fydd modd ei drechu.
Diolchwn ein bod â rhan yn y pwrpas hwnnw,
gyda phob un yn cael lle yn dy deyrnas,
ac yn ehangder gofod ac amser
ein bod *ni* yn bwysig i ti.
Helpa ni i ddeall ble rwyt yn ein harwain
a beth rwyt am i ni ei wneud,
a dyro i ni ffydd i ymddiried
yn dy fuddugoliaeth derfynol o'th ewyllys,
drwy Iesu Grist ein Harglwydd.
Amen.

225. GALWAD DUW

Anfeidrol Dduw,
ar hyd hanes gelwaist dy bobl
i ymateb i'th her ac i'th ddilyn.
Heddiw, diolchwn am y sawl a glywodd yr alwad ac a ymatebodd
mewn ffydd –
Abraham, a alwyd i gerdded i fyd dieithr,
gan ymddiried yn dy addewid;
Moses, a alwyd i arwain dy bobl allan o gaethwasiaeth
i Wlad yr Addewid, yn wyneb anawsterau;
Josua, a alwyd i ymddiried ynot ti ac ynot ti yn unig;
Samuel, a alwyd i oes o wasanaeth,
cyn iddo dy adnabod hyd yn oed;
y proffwydi, a alwyd i gyhoeddi barn
heb ystyried y gost iddynt eu hunain;
Ioan Fedyddiwr, a alwyd i fod yn negesydd yn yr anialwch,
yn paratoi ffordd Crist;
y deuddeg disgybl, a alwyd i adael diogelwch
eu bywoliaethau i ddilyn Iesu;
yr Apostol Paul, a alwyd i bregethu'r Efengyl i'r holl genhedloedd.
Anfeidrol Dduw,
helpa ni i glywed dy alwad,
ac i ymateb mewn ffydd.

Diolchwn amdanynt hwy a phob cenhedlaeth a'u dilynodd
a ymglywodd â'th lais ac ymateb mewn ffydd,
yn cynnig i ti eu gwasanaeth heb boeni am y gost.
Diolchwn am y bobl o fewn ein hadnabyddiaeth
y bu i'w hymddisgyblaeth i ti fod yn esiampl i ni,
pawb a estynnodd esiampl o'r hyn a olygodd
byw a cherdded mewn ffydd.
Anfeidrol Dduw,
helpa ni i glywed dy alwad,
ac i ymateb mewn ffydd.

Yn arbennig, diolchwn am dy Fab, Iesu Grist –
am ei ddatguddiad llwyr ohonot,
ei gariad cyflawn,
ei aberth lwyr!
Diolchwn am ei barodrwydd i gerdded Ffordd y Groes,
serch methiant ei gyfeillion mwyaf mynwesol
i aros yn ffyddlon,
serch iddo gael ei wrthod a'i wawdio
gan y byd y bu iddo farw er ei fwyn.
Anfeidrol Dduw,
helpa ni i glywed dy alwad,
ac i ymateb mewn ffydd.

Helpa ni i ddysgu o esiampl
y sawl a aeth o'n blaen,
ac i ymateb mor ffyddlon ac mor barod,
ac mor ddewr ag y gwnaethant hwy.
Dyro i ni glust i glywed pryd bynnag byddi'n galw
a'r ffydd i ddilyn ble bynnag y byddi'n arwain.
Cymer ni, a defnyddia ni, drwy rym dy Ysbryd Glân,
fel y gwneler dy ewyllys
ac y daw dy deyrnas drwy ein bywydau.
Anfeidrol Dduw,
helpa ni i glywed dy alwad,
ac i ymateb mewn ffydd,
drwy Iesu Grist ein Harglwydd.
Amen.

226. DIOLCH AM ALWAD

Arglwydd Iesu Grist,
diolchwn am dy alwad a ddaw i ni –
galwad i ymddisgyblaeth,
i wasanaeth,
i rannu yng ngwaith dy deyrnas.

Diolchwn dy fod wedi ein galw fel ag yr ydym –
gyda'n beiau,
ein hamheuon,
a'n holl bechod.

Diolchwn dy fod wedi ein dewis
nid drwy ein haeddiant,
ond drwy dy ras,
dy gariad,
a'th drugaredd.

Diolchwn dy fod yn dewis dy bobl Israel,
dy ddisgyblion,
dy Eglwys,
a hefyd wedi dewis pob yr un ohonom ni.

Diolchwn er ein bod yn syrthio yn brin o'r nod yn rheolaidd,
er ein bod yn anufudd i'th ewyllys,
ac yn troi i ffwrdd oddi wrthyt,
bod dy bwrpas yn parhau
a'th gariad yn gadarn.

Arglwydd Iesu Grist,
diolchwn dy fod wedi ein galw,
a gofynnwn yn syml,
ac yn ddidwyll,
i ti ein helpu i ymateb,
yn enw'r Crist.
Amen.

227. PRESENOLDEB CYSON DUW

Bywiol Dduw,
diolchwn am dy addewid,
pan ddown ynghyd yn enw Crist,
ei fod yn ein plith.
Diolchwn ei fod yma nawr,
yn barod i siarad, gwrando, maddau, addysgu a charu.

Mae ef yma ym mhob yr un ohonom,
yn y gymdeithas a rannwn gyda'n gilydd.
Mae'n bresennol yn yr Ysgrythur,
ac yn siarad gyda ni mewn ffyrdd newydd o hyd.
Mae'n bresennol wrth rannu'r bara a'r gwin,
**yr adegau hynny sy'n ein hatgofio o'i fywyd, ei farwolaeth
a'i atgyfodiad.**
Mae'n bresennol yn y byd o'n cwmpas,
yn harddwch y greadigaeth a'r bobl a gyfarfyddwn.
Mae'n bresennol ym mhob eiliad o'r dydd,
drwy ei ysbryd sy'n rhoi a thrawsnewid bywyd.

Bywiol Dduw,
diolchwn dy fod ti, pwy bynnag yr ydym, ble bynnag fyddwn,
beth bynnag sy'n digwydd,
gyda ni drwy Grist,
yn gyson wrth ein hymyl,
yn teithio gyda ni,
ac yn edrych ar ein harwain ymlaen
i brofiadau newydd o'th gariad.
Molwn di yn enw Crist.
Amen.

228. Y DUW SY'N MYND BOB CAM O'R DAITH

Dduw grasol,
diolch i ti mai Duw wyt,
a'th natur yn un drugarog,
Duw sydd ag amynedd, cariad a maddeuant cyson.
Dangosaist inni ras ar hyd ein bywydau,
yn maddau ac yn ein hadnewyddu ni
er ein hanufudd-dod a chaledwch ein calonnau.
Rwyt wedi ymestyn atom
hyd yn oed pan oeddem yn troi ein cefn atat.
Rwyt yn ein caru fel ag yr ydym,
ac nid am beth y gallem fod.
Aethost bob cam o'r daith er ein mwyn yn Iesu Grist,
yn cynnig dy fywyd di, ynddo ef, dros fywyd y byd.

Gweddïwn y byddi yn rhoi i ni'r modd i'th garu di ac i garu'n gilydd,
cariad a fydd yn parhau i lifo, doed a ddelo.
Helpa ni i'th garu heb ddal dim yn ôl,
gan geisio dim ond y llawenydd o'th adnabod.
Helpa ni i garu'n gilydd o ddyfnder calon,
hyd yn oed pan fydd eraill yn ein gwrthod.
Helpa ni i faddau i'r sawl sy'n achosi poen i ni,
hyd yn oed pan nad oes arwyddion edifeirwch.
Helpa ni i lyncu ein balchder
a chymryd y cam cyntaf tuag at gyfamodi,
hyd yn oed pan efallai mai ni sydd wedi cael ein brifo.
Helpa ni i fod fel tithau, ac nid mynd rhan o'r ffordd,
ond bob cam o'r daith,
yn enw Crist.
Amen.

229. Y DUW SYDD AG AMSER I NI

Bywiol Dduw,
diolchwn dy fod yn Dduw cariad a chydymdeimlad,
yn araf i ddigio ac yn llawn trugaredd,
Duw'r amynedd anfeidrol,
y daioni anfeidrol,
y gofal diddiwedd –
gydag amser diddiwedd ar gyfer pob un ohonom.
Helpa ni i wneud amser i ti.

Diolchwn, er ein bod yn methu â neilltuo amser i ti bob tro
ac yn aml yn methu gwneud amser i'th wasanaethu,
dy fod o hyd yn barod i roi amser i'n gwrando,
i'n derbyn,
i ymateb i ni,
ac i'n helpu yn ein hadeg o angen.
Helpa ni i wneud amser i ti.

Addysga ni i greu amser i ti yn ein bywydau,
amser i'n gilydd ac amser i ni ein hunain.
Helpa ni i fesur amser nid wrth ein safonau ni ond wrth dy safon di,
fel y gallom fyw ein bywydau
fel rwyt ti am i ni wneud,
yn enw Crist.
Amen.

230. CYFRIF EIN BENDITHION
(wedi ei seilio ar Philipiaid 4:11–13)

Dduw cariadlon,
diolchwn am y bendithion di-rif a dderbyniasom,
yr holl ddaioni sy'n ein hamgylchu
bob eiliad o bob dydd –
gyda chymaint o harddwch, o ran amrywiaeth a diddordeb,
i'n hysbrydoli a'n haddysgu.
Dduw cariadlon, am bopeth a roddaist
derbyn ein moliant.

Diolchwn am bopeth a roddwyd i ni
drwy Iesu Grist,
am bopeth a welwn drwyddo –
dy gariad cyson yn ymestyn tuag atom,
dy ofal a'r tosturi diddiwedd,
dy drugaredd diflino,
dy bwrpas tragwyddol sy'n bwyllog ond yn bendant
yn cyrraedd ei nod.
Dduw cariadlon, am bopeth a roddaist
derbyn ein moliant.

Dduw cariadlon,
maddau i ni ein bod mor anfodlon,
fel ein bod heb sylweddoli mor ffodus yr ydym,
fel ein bod yn colli golwg o'r hyn sydd gennym
drwy bendroni ar yr hyn y gallem fod wedi ei gael.
Dduw cariadlon, am bopeth a roddaist
derbyn ein moliant.

Addysga ni i gyfrif ein bendithion,
i gydnabod popeth sy'n dda o'n cwmpas,
a bod yn wir fodlon ym mhob amgylchiad,
a sylweddoli nad yw dy gariad byth yn ein siomi,
ac y bydd dy ras yn ddigon i gwrdd â'n holl angenrheidiau.
Dduw cariadlon, am bopeth a roddaist
derbyn ein moliant,
yn enw Crist.
Amen.

231. FFYDDLONDEB DUW

Dduw grasol a chariadlon,
diolchwn i ti am dy ffyddlondeb helaeth,
dy gariad rhyfeddol a chyson,
dy ofal diddiwedd,
dy bwrpas na ellir ei drechu.
Dduw cariadlon,
buost yn noddfa i ni
o genhedlaeth i genhedlaeth,
a diolchwn i ti.

Diolchwn am y modd y dewisaist
ac y gelwaist dy bobl ar hyd hanes –
Abraham, a elwaist i gerdded llwybr ffydd heb wybod i ble;
Moses, a elwaist i arwain dy bobl allan o'r Aifft;
y proffwydi, a elwaist i gyhoeddi dy air
a hysbysu dy ewyllys yn gyhoeddus;
y disgyblion a elwaist i adael popeth
a dilyn Iesu Grist;
a llu aneirif o unigolion,
a alwyd ar hyd y blynyddoedd ac ar draws y byd
i fod yn Eglwys i ti.
Dduw cariadlon,
buost yn noddfa i ni
o genhedlaeth i genhedlaeth,
a diolchwn i ti.

Dduw graslon a chariadlon,
diolchwn i ti, er bod dy ffyddlondeb
wedi ei ddychwelyd atat gydag anffyddlondeb,
dy gariad wedi ei ddychwelyd gyda gwrthodiad,
a'th bwrpas wedi profi rhwystredigaeth yn aml,
na wnaethost ein gollwng yn rhydd
ond parhau i'n galw yn blant i ti,
a llonni yn ein hymateb, er mor dlawd y gallai fod.
Dduw cariadlon,
buost yn noddfa i ni
o genhedlaeth i genhedlaeth,
a diolchwn i ti.

Dduw graslon a chariadlon,
derbyn ein diolch,
a helpa ni i ddilyn
ble bynnag rwyt am ein harwain,
Yn enw Crist.
Amen.

232. PWRPAS DI-FETH DUW

Dduw cariadlon,
diolchwn i ti
dy fod yn amgylchiadau cyfnewidiol ein bywydau
yn Dduw y gallwn ddibynnu arno –
o hyd yn ffyddlon,
o hyd yn gywir,
o hyd yn gariadlon,
o hyd yn drugarog.
Am dy holl drugareddau,
molwn a diolchwn i ti.

Diolchwn dy fod yn Dduw sydd yn gweithio'n gyson –
yn ein bywydau o ddydd i ddydd,
yn ein cymdeithas,
yn yr Eglwys,
yn y byd.
Am dy holl drugareddau,
molwn a diolchwn i ti.

O ddydd i ddydd,
o wythnos i wythnos,
o flwyddyn i flwyddyn,
rwyt yn gweithio allan dy bwrpas.
Am dy holl drugareddau,
molwn a diolchwn i ti.

Yn weledig neu yn anweledig,
yn cael dy adnabod neu heb dy adnabod,
yn cael dy werthfawrogi neu gael dy gymryd yn ganiataol,
rwyt yn ymsymud drwy dy ysbryd,
yn ymdrechu i adeiladu dy deyrnas a chyflawni dy ewyllys.
Am dy holl drugareddau,
molwn a diolchwn i ti.

Dduw cariadlon,
nid wyt yn gweithio ar dy ben dy hun,
ond dewisaist ein gwahodd i wneud ein rhan yn dy bwrpas.
Yn dy drugaredd
addysga ni i ymateb mewn ffydd.

Helpa ni i gadw ein hochr o'r fargen –
a gwneud ein rhan fel rwyt ti yn ei wneud,
i fod yn bobl sydd â'n bywydau yn tystio'n glir i'th gariad,
i fyw mewn ffordd sy'n gyson gyda'r hyn a gredwn
ac yn dy anrhydeddu di.
Yn dy drugaredd
addysga ni i ymateb mewn ffydd.

Helpa ni i wneud y mwyaf o bopeth a roddaist i ni,
i ddefnyddio ein doniau,
i afael yn ein cyfleoedd,
i gynnig ein hamser, ein harian, a'n doniau
yn wirfoddol yn dy wasanaeth.
Yn dy drugaredd
addysga ni i ymateb mewn ffydd.

Ac yn olaf, helpa ni
i chwarae ein rhan,
i adael popeth yn dy ddwylo,
gan wybod, er gall popeth arall siomi,
na fydd dy gariad yn siomi.
Diolch fo i Dduw.
Amen.

233. Y RHODD O GARIAD

Anfeidrol Dduw,
diolchwn am dy rodd fawr o gariad –
y cariad y gallwn ei rannu gyda'r sawl sydd o'n cwmpas,
sy'n rhoi i ni'r synnwyr o hunanwerth a'r synnwyr o berthyn,
sy'n cyfoethogi ein bywydau ym mhob modd.
Agoraist dy gariad i ni –
helpa ni i wneud yr un peth i ti.

Diolchwn fod dy gariad yn fwy na'r hyn y gallwn ei ddisgrifio,
yn gyson, yn gyfan gwbl, yn ddiddiwedd,
yn llifo allan tuag atom fel afon ddiddiwedd.
Agoraist dy gariad i ni –
helpa ni i wneud yr un peth i ti.

Anfeidrol Dduw,
diolchwn i ti am ein caru ymhell cyn i ni dy garu di,
ac am barhau i'n caru
hyd yn oed pan nad ydym yn dy garu yn ôl.
Agoraist dy gariad i ni –
helpa ni i wneud yr un peth i ti.

Dyfnha ein cariad tuag atat a thuag at ein gilydd.
Helpa ni i fod yn ffyddlon ac yn driw ym mhob perthynas,
ac yn arbennig yn ein perthynas â thi.
Agoraist dy gariad i ni –
helpa ni i wneud yr un peth i ti,
yn enw Crist.
Amen.

234. DEWISIADAU ANNHEBYGOL

Arglwydd Iesu Grist,
diolchwn i ti am y sawl
a glywodd dy alwad ar draws y cyfnodau –
pawb o alwedigaethau gwahanol
a ddaeth ynghyd,
ar adegau gwahanol,
ac mewn llefydd gwahanol,
i fod yn bobl i ti.
Arglwydd Iesu, am dy alwad annisgwyl,
derbyn ein diolch.

Diolchwn i ti am y ffordd
rwyt yn gyson yn ein dwyn ynghyd
yn unigolion annhebygol –
o wahanol genhedloedd,
gwahanol ddiwylliannau,
gyda nodweddion gwahanol,
a doniau gwahanol,
i ddod yn Eglwys.
Arglwydd Iesu, am dy alwad annisgwyl,
derbyn ein diolch.

Ac yn fwy na dim, diolchwn dy fod wedi ein galw yma,
gyda'n hagweddau gwahanol,
gyda'n hanianawd gwrthgyferbyniol,
ein cefndiroedd amrywiol
ac ystod eang o brofiadau,
i fod yn Eglwys i ti yn y lle hwn.
Arglwydd Iesu, am dy alwad annisgwyl,
derbyn ein diolch.

GWEDDÏAU'R OFFRWM

Arglwydd Iesu Grist,
addysga ni y gelli di ein defnyddio, pwy bynnag ydym –
a defnyddio unrhyw un a phob un er mwyn dy deyrnas.
Helpa ni i dderbyn ein gilydd a ni ein hunain
fel ag yr ydym –
wedi ein huno yn ein hamrywiadau gan yr un achos cyffredin.
Cymer ni a defnyddia ni fel ag yr ydym,
i arddangos dy gariad sy'n trawsnewid
ac i weithio er gwireddu dyfodiad dy deyrnas.
Arglwydd Iesu, am dy alwad annisgwyl,
derbyn ein diolch,
wrth i ni weddïo fel hyn yn dy enw.
Amen.

GWEDDÏAU'R OFFRWM

235.

Grasol Dduw,
bendithiaist ni y tu hwnt i'n haeddiant.
Rhoddaist mwy i ni
nag y gallem fentro gofyn amdano,
a'n caru gyda chariad sy'n gwrthod cyfrif y gost,
a'n bendithio gyda chymaint o bethau da na ellir eu rhifo.

Grasol Dduw,
am dy roddion haelionus a rhyfeddol, molwn di,
wrth i ni ddwyn ein hoffrwm
fel arwydd o'n diolchgarwch,
yn enw Crist.
Amen.

236.

Grasol Dduw,
ni allwn byth ad-dalu ein dyledion i ti,
na hyd yn oed y canran leiaf o'r hyn a dderbyniasom
o'th law gariadus.
Felly deuwn â'r rhoddion hyn,
nid fel unrhyw ad-dalu dyled
ond fel arwydd o werthfawrogiad
a mynegiant o gariad,
a offrymir i ti mewn addoliad llawen,
drwy Iesu Grist ein Harglwydd.
Amen.

237.

Dduw grasol,
diolchwn i ti dy fod yn Dduw
sy'n rhoi ac yn parhau i roi,
dydd ar ôl dydd;
a Duw a rannaist ein dynoliaeth
fel y gallom rannu dy dragwyddoldeb,
a gynigiaist dy Fab dy hun
fel y gallom ddod yn blant i ti,
fel y gallom fyw gyda thi.
Am y gwirionedd rhyfeddol hwn,
molwn di!

Maddau i ni ein bod yn ei chael mor anodd i roi
hyd yn oed yr ychydig yn ôl,
a hynny yn ofalus a grwgnachlyd
gan fesur ein hymateb,
yn rhoi'r hyn y gallwn ei fforddio ac nid yr hyn rwyt yn ei haeddu,
rhoi ein hunain yn gyntaf a thithau'n ail.
Diolch dy fod, er hyn,
yn dal i'n caru ac yn gofalu amdanom.
Am y gwirionedd rhyfeddol hwn,
molwn di!
Amen.

238.

Dduw grasol,
am bopeth a roddaist i ni,
am bopeth a fyddi'n rhoi,
am y cyfan a roddaist yma'n awr,
rhown ein diolch a'n moliant,
yn enw Crist.
Amen.

239.

Dduw cariad,
deuwn â'n harian heddiw,
nid fel casgliad
ond fel offrwm,
nid allan o ddyletswydd
ond yn llawen,
nid allan o rym arferiad
ond allan o gariad.
Derbynia ein hoffrwm yn yr ysbryd y rhoddwn ef,
fel y gallom ddweud yn syml drwy'r rhoddion hyn
cymaint yr ydym yn dy garu di
a chymaint ein hangen i ddiolch i ti
am bopeth a dderbyniasom,
yn enw Crist.
Amen.

240.

Dduw cariad,
offrymwn y rhoddion hyn,
er mor fychan ydynt.
Offrymwn ein haddoliad,
er mor amherffaith yw.
Offrymwn ein ffydd,
er mor wan ei wedd.
Offrymwn ein cariad,
er nad yw'n ddim o'i gymharu â'th gariad di.
Dduw'r cariad,
cymer bopeth a offrymwn heddiw,
a ninnau'n gwybod am ei ddiffygion,
a defnyddio'r cyfan mewn ffyrdd y tu hwnt i'n dychymyg
er mwyn dy deyrnas a'th ogoniant.
Amen.

241.

Arglwydd yr oll yn oll,
wrth i ni estyn ein hoffrwm heddiw
nid yn unig yr ydym yn dod â'r arian hyn –
deuwn â'n hunain,
deuwn â'n cymdeithas,
deuwn â'th Eglwys ym mhobman,
gan weddïo y byddi'n defnyddio popeth a wnawn,
popeth a ddywedwn,
a phopeth yr ydym,
er cynyddu dy deyrnas
a chyflawni dy ewyllys,
drwy Iesu Grist ein Harglwydd.
Amen.

242.

Dduw cariadlon,
deuwn â'r rhoddion hyn,
nid oherwydd bod gorfodaeth
ond am ein bod yn cael gwneud,
nid am fod rheidrwydd arnom
ond am ein bod yn dymuno gwneud,
nid allan o ddyletswydd
ond am mai dyma yw ein braint,
nid am bod unrhyw ddisgwyliad
ond am ei fod yn wahoddiad.
Rhown ein hoffrwm o'n gwirfodd i ti,
fel y rhoddaist dy hun o'th wirfodd i ni yng Nghrist.
Gweddïwn hyn yn ei enw.
Amen.

243.

Dduw grasol,
nid oes geiriau digonol
i ddiolch i ti am dy ddaioni,
na gweithred sy'n ddigon mawr
i ddiolch am dy gariad,
na rhodd sy'n ddigon costus
i ddiolch i ti am dy rodd yn Iesu Grist.
Ond rydym am estyn arwydd o'n hymateb,
i fynegi ein diolchgarwch am bopeth a wnaethost drosom ni.
Felly deuwn â'n harian nawr
fel arwydd o'n cariad a'n haddoliad
ac yn symbol o'n hymddisgyblaeth.
Hyn a estynnwn i ti drwy Grist ein Harglwydd,
mewn moliant llawen a diolchgar.
Amen.

244.

Dduw y bywyd,
arllwysaist dy fendithion arnom,
ddydd ar ôl dydd.
Llenwaist ein bywydau gyda phethau da
ac maent yn gorlifo mewn digonedd.
Gwnaethost gwrdd â'n hangen a mwy na'n hangen,
rhoddaist i ni fyd o amrywiaeth a phleser.
Derbyn nawr ein rhoddion,
derbyn ein haddoliad,
derbyn ein ffydd,
wrth i ni eu dwyn ger dy fron
fel modd bychan a syml o fynegi'n diolch
am bopeth a wnaethost yng Nghrist.
Gweddïwn hyn yn ei enw.
Amen.

245.

Dduw cariadlon,
mor aml rydym wedi methu diolch i ti am bopeth a dderbyniasom.
Rydym yn sydyn i ofyn am fwy
ond yn araf i gydnabod yr hyn rydym eisoes wedi ei dderbyn.
Rydym yn sydyn i ddod â'n ceisiadau
ond yn araf i ddangos gwerthfawrogiad
pan maent yn cael eu caniatáu.
Rydym yn sydyn i gwyno pan fydd bywyd yn galed
ond yn araf i ddathlu pan fydd bywyd yn dda.
Dduw cariadlon,
maddau i ni
a derbyn y rhoddion hyn nawr,
sef ein cyfrwng ni o ddweud
yr hyn y dylsem fod wedi ei ddweud cymaint o weithiau yn y
gorffennol:
diolch am bopeth!
Amen.

GWEDDÏAU DROSOM EIN HUNAIN

246. DILYN IESU

Arglwydd Iesu Grist,
gelwaist ni, fel y gelwaist dy ddisgyblion cyntaf,
i'th ddilyn di –
nid yn unig i gredu,
nid yn unig i ddatgan ffydd
a'th gyffesu yn Arglwydd,
ond i'th ddilyn ble bynnag rwyt yn arwain.
Arglwydd Iesu, helpa ni.

Helpa ni i ddilyn yn frwdfrydig,
yn ffyddlon,
yn ymroddedig,
gan weld ble rwyt yn gweithio
ac aros yn agos atat.
Arglwydd Iesu, helpa ni.

Helpa ni i ddilyn yn ôl dy droed,
yn ceisio llwybr cariad,
a derbyn ffordd aberth.
Arglwydd Iesu, helpa ni.

Helpa ni i'th ddilyn di,
gan adael i'th bresenoldeb lenwi ein calonnau,
ac ymddiried ynot yn llwyr
ac fel bod dy gariad yn cael ei lewyrchu drwom.
Arglwydd Iesu, helpa ni.

Helpa ni i ddilyn drwy ein bywyd o ymddisgyblaeth,
heb ganiatáu ein hunain i golli golwg,
na cholli calon fel y byddom yn crwydro oddi wrthyt,
ond gan gadw ffydd ynot hyd y diwedd.
Arglwydd Iesu, helpa ni.

Arglwydd Iesu Grist,
gelwaist ni, fel y gelwaist dy holl bobl,
i'th ddilyn di.
Addysga ni i ddeall ystyr hyn,
a thrwy dy ras, helpa ni i ymateb
a bod yn ddilynwyr i ti.
**Arglwydd Iesu, helpa ni,
wrth i ni ofyn hyn yn dy enw.
Amen.**

247. GRYM DUW SY'N TRAWSFFURFIO

Dduw grasol,
molwn di dy fod o ddydd i ddydd yn gweithio yn ein bywydau,
yn ein trawsffurfio tu hwnt i'n disgwyliadau.
Molwn di am y ffordd rwyt wedi ein galw i ffydd,
serch ein cyflwr ein hunain,
yn torri drwy ein hamheuon,
ein hystyfnigrwydd,
ein hunanoldeb,
a'n balchder,
a'n dwyn at Grist.
Dduw grasol,
gweddïwn y byddi'n parhau i'n newid.

Helpa ni i ddal gafael cryf ar ein hargyhoeddiadau
fel y byddi'n parhau i'n newid ni –
fel, pwy bynnag ydym,
beth bynnag a wnawn,
beth bynnag a wynebwn,
nad oes unrhyw beth tu hwnt i'th rym adnewyddol.
Dduw grasol,
gweddïwn y byddi'n parhau i'n newid.

Helpa ni i gofio y gelli di newid eraill –
fel, pa mor anobeithiol bynnag y bydd y sefyllfa'n ymddangos,
pa fodd bynnag bydd rhai yn dy wrthwynebu di,
pa mor bell bynnag y byddant yn ymddangos,
dy fod yn medru gwneud creadigaeth newydd allan ohonynt.
Dduw grasol,
gweddïwn y byddi'n parhau i'n newid.

Helpa ni i sylweddoli dy fod wedi siarad gyda ni
ac felly yn medru siarad gydag eraill –
serch pa mor gaeëdig bynnag gallant fod,
pa mor amharod bynnag i wrando,
pa mor ddi-hid,
rwyt yn medru troi eu calon
a herio eu hysbryd.
Dduw grasol,
gweddïwn y byddi'n parhau i'n newid.

Dduw grasol,
arbed ni rhag byth colli golwg o'r ffaith honno,
rhag camu yn ôl i besimistiaeth,
rhag credu mewn ffawd,
rhag meddwl ei bod ar ben arnom.
Dduw grasol,
gweddïwn y byddi'n parhau i'n newid.

Arbed ni rhag anghofio am bopeth rwyt yn medru ei wneud,
fel ein bod yn digalonni,
yn disgwyl dim,
yn ymdrechu gwneud dim,
yn cyflawni dim.
Dduw grasol,
gweddïwn y byddi'n parhau i'n newid.

Helpa ni yn unigol a gyda'n gilydd,
drwy ein geiriau a'n gweithredoedd,
i dystio am y modd rwyt wedi ein newid,
fel y gelli newid eraill.
Dduw grasol,
gweddïwn y byddi'n parhau i'n newid,
drwy Grist ein Harglwydd.
Amen.

248. DICTER

Dduw'r bywyd,
gorfoleddwn dy fod yn Dduw sy'n araf i ddigio,
ac yn llawn o gariad di-syfl,
amynedd, dealltwriaeth a thrugaredd diderfyn,
o hyd yn ceisio maddau, anghofio, adfer ac adnewyddu.
Eto, nid wyt yn gadael i ni ymfoddhau,
gan fod yna adegau y bydd dy amynedd di
yn cael ei brofi i'r pen,
a'th ddicter yn taro yn ein herbyn –
pan fyddwn yn anufuddhau mewn modd bwriadol ac ystyfnig,
pan fydd ein gweithredoedd, neu ein methiant i weithredu,
yn achosi loes i eraill,
pan fydd ein diffyg ffydd yn troi'n rhwystr
i eraill sy'n dy geisio.
Maddau i ni'r adegau hynny,
a helpa ni i gywiro'n camgymeriadau.
Arglwydd yn dy drugaredd,
clyw ein gweddi.

Dduw'r bywyd,
helpa ni i sylweddoli'r achlysuron hynny
pan nad oes gennyt ddewis ond teimlo dicter,
a helpa ni i sylweddoli y dylem ninnau deimlo felly weithiau.
Arglwydd yn dy drugaredd,
clyw ein gweddi.

GWEDDÏAU DROSOM EIN HUNAIN

Addysga ni am yr adegau pan nad oes cyfiawnhad i ddicter,
a'i fod yn wirion, yn blentynnaidd ac yn hunanol,
pan mae'n sôn mwy am ein balchder ein hunain nag am y gwir a'r gau,
pan mae'n dweud mwy amdanom ni
na'r hyn sy'n wrthrych ein dicter.
Arbed ni rhag y camgymeriadau a all arwain ato –
y geiriau difeddwl, y gweithredoedd diofal,
yr agweddau dinistriol –
a helpa ni i reoli ein tymer.
Arglwydd yn dy drugaredd,
clyw ein gweddi.

Addysga ni hefyd pryd dylem deimlo dicter –
pan fyddwn yn wynebu unrhyw beth
sy'n gwadu bywyd llawn,
sy'n bychanu neu chwalu,
yn porthi anghyfiawnder ac ecsbloetio eraill,
sy'n twyllo, llygru, clwyfo neu achosi poen,
sy'n arwain y diniwed ar gyfeiliorn,
sy'n rhannu pobl oddi wrth ei gilydd neu oddi wrthyt ti.
Addysga ni felly i deimlo dicter byw
ac i roi mynegiant iddo gydag angerdd,
ac i drawsnewid dicter yn weithredoedd,
gan lefaru yn erbyn twyll,
a gweithio i gywiro pob cam,
fel bod daioni yn goresgyn drygioni,
a rhoi popeth er mwyn dy deyrnas.
Arglwydd, yn dy drugaredd,
clyw ein gweddi,
yn enw Crist ein Harglwydd.
Amen.

249. CHWALU'R MURIAU

Frenhinol Dduw,
mae cymaint yn ein bywydau sy'n ein gwahanu oddi wrthyt –
ein hunanoldeb, ein balchder,
ein barusrwydd, ein cenfigen,
ein gweithredoedd difeddwl, ein geiriau annoeth,
ein chwantau pechadurus, ein natur hunanol.
Mae cymaint o elfennau yn ein bywydau sy'n tynnu'n groes i'th
ewyllys
ac yn adlewyrchu dyheadau anghristnogol.
Dduw trugarog, clyw ein cyffes
a thynn ni'n agosach atat.

Molwn di am dy fod yn ein croesawu er ein pechod,
gan agor y ffordd i'th bresenoldeb,
gan gynnig i ni'r cyfleoedd o'th adnabod drosom ein hunain
a sefydlu perthynas fyw rhyngom â thi.
Dduw trugarog, clyw ein cyffes
a thynn ni'n agosach atat.

Frenhinol Dduw,
rwyt wedi chwalu'r gwahanfur rhyngom a thi,
ac wedi clirio'r rhwystrau sy'n ein gwahanu oddi wrthyt.
Darperaist i ni allwedd y bywyd,
a datgloi y drws i'th bresenoldeb.
Dduw trugarog, clyw ein cyffes
a thynn ni'n agosach atat.

Helpa ni i werthfawrogi rhyfeddod yr hyn a wnaethost,
i dderbyn y bywyd newydd rwyt yn ei gynnig,
i agosáu atat yn llawen ac yn ostyngedig ger bron dy orseddfainc rasol,
a'th adnabod drosom ein hunain,
fel y Duw byw a ddaeth yn gnawd.
Dduw trugarog, clyw ein cyffes
a thynn ni'n agosach atat.
yn enw Crist.
Amen.

250. DARGANFOD DUW YM MHOBMAN

Bywiol Dduw,
molwn di am y ffordd
rydym yn profi dy bresenoldeb wrth i ni ddod i'th addoli,
a'r modd mae'r adeg hon yn ein helpu i ganolbwyntio ein meddyliau arnat.
Dduw hollbresennol,
helpa ni i'th ddarganfod yma.

Ond arbed ni rhag dychmygu ar gam
dy fod yn amlach yma nag yn unrhyw le arall.
Addysga ni dy fod gyda ni ym mhobman,
a beth bynnag a wnawn,
ac felly helpa ni i gysegru nid yn unig y cyfnod byr
o wythnos i wythnos
ond pob eiliad o bob dydd.
Helpa ni i sylweddoli dy fod yn ymwneud
â phob gwedd o'n bywydau,
ar draws y byd, ac ym mhob sefyllfa,
a chaniatâ i'r ymneilltuo hwn o drefn arferol bywyd
ein harfogi i ddychwelyd iddo
gydag argyhoeddiad, gweledigaeth, gobaith a ffydd newydd.
Dduw hollbresennol,
helpa ni i'th ddarganfod yma.

Bywiol Dduw,
llefara wrthym yn ein haddoliad.
Heria ni drwy dy air,
tyrd i'n cyfarfod yn ein gweddïau,
ymateb i'r addoliad a gyflwynwn ger dy fron
a llenwa ni gyda synnwyr o'th fawredd brenhinol.
Dduw hollbresennol,
helpa ni i'th ddarganfod yma.

Boed i ddigwyddiadau beunyddiol bywyd gael eu goleuo
a'u cyfoethogi gan ein bywydau ni.
Ac wrth i ni ddychwelyd i drefn feunyddiol ein bywydau
boed i ni wybod dy fod yno fel ym mhobman arall,
yn aros i rannu cymdeithas gyda ni yn ein hymwneud ag eraill
ac yn datguddio dy bwrpas yn nigwyddiadau bywyd,
ac arddangos gwaith dy ddwylaw yn rhyfeddod y greadigaeth.
Dduw hollbresennol,
helpa ni i'th ddarganfod yma,
drwy Iesu Grist ein Harglwydd.
Amen.

251. BYW ER MWYN DUW

Dduw cariadlon,
rwyt yn gofyn i ni wneud popeth er mwyn dy enw –
drwy gynnig ein holl fywyd,
ein holl feddyliau, geiriau a gweithredoedd,
i'th wasanaeth,
ac er dy ogoniant.
Helpa ni i ddeall beth mae hyn yn ei olygu–
i weld pob rhan o'r dydd
fel cyfle i'th wasanaethu,
ac i ystyried pob gwedd o'n gwaith a'n gorffwys
fel cyfleoedd i ddwyn tystiolaeth i ti.
Dduw cariad,
er mwyn dy enw, helpa ni.

Boed i bopeth a wnawn gael ei wneud gydag egni,
brwdfrydedd ac ymroddiad,
gyda thrylwyredd, penderfyniad a llawenydd,
fel y gwêl eraill dy ddylanwad arnom,
dy ysbryd oddi mewn i ni,
a'th gariad yn ein calonnau.
Dduw cariad,
er mwyn dy enw, helpa ni.

Dduw cariadlon,
byddwn yn aml yn clywed y dywediad 'er mwyn Duw!'
Weithiau defnyddiwn ef ein hunain:
'Er mwyn Duw, gwna hyn!'
'Er mwyn Duw, gwna hwnna!'
'Er mwyn Duw, paid!'
'Er mwyn Duw, gwranda!'
Ond yr hyn a feddyliwn mewn gwirionedd, pe byddem yn onest,
yw er ein mwyn ni, ac nid er dy fwyn di.
Dduw cariad,
er mwyn dy enw, helpa ni.

Dduw cariadlon,
arbed ni rhag bodloni ein hamcanion ein hunain,
neu wneud ond yr hyn sy'n rhoi pleser i ni
a gadael popeth arall i eraill.
Arbed ni rhag gweithredu oherwydd grym arferiad
ond addysga ni yn hytrach i ymateb o'r galon,
ac ymgysegru ein bywyd i ti,
gan gofio bod Iesu wedi marw er mwyn y byd.
Dduw cariad,
er mwyn dy enw, helpa ni,
drwy Iesu Grist ein Harglwydd.
Amen.

252. RHYDDID ODDI WRTH OFN

Dduw cariadlon,
yn holl newidiadau a chyfleoedd bywyd,
yr holl ansicrwydd a wynebwn,
diolchwn dy fod yn Dduw y gallwn ddibynnu arno,
o hyd yn dda,
o hyd yn gariadlon,
o hyd yn drugarog ac o hyd yn ffyddlon.
Dduw cariad,
am y wybodaeth dy fod o hyd gyda ni,
molwn di.

Diolchwn am y sicrwydd,
beth bynnag a ddaw i'n wynebu,
y bydd dy gariad yn ymestyn allan
a'th law yn dal i'n cynnal,
a'th bwrpas yn parhau i gael ei gyflawni.
Dduw cariad,
am y wybodaeth dy fod o hyd gyda ni,
molwn di.

Helpa ni i gredu'n wirioneddol,
nid yn unig yn ein meddyliau ond yn ein calonnau,
bod rhoi'n hymddiriedaeth yn llwyr ynot ti
yn sicrwydd na fydd yn ein siomi.
Dduw cariad,
am y wybodaeth dy fod o hyd gyda ni,
molwn di.

Helpa ni i ollwng yn rhydd ein hofnau a'n pryderon,
y rhai sy'n ein tynnu i lawr,
yn ein dal yn ôl,
yn dinistrio ein hyder ac yn tanseilio ein llawenydd,
yn ein dieithrio oddi wrth eraill
ac yn ein rhwystro rhag byw bywyd llawn.
Dduw cariad,
am y wybodaeth dy fod o hyd gyda ni,
molwn di.

Helpa ni i dderbyn y rhyddid rwyt yn ei gynnig,
y rhyddid a ddaw o wybod
dy fod yn dal popeth yn dy ddwylo
ac nad oes unrhyw beth a all ein gwahanu oddi wrth dy gariad.
Dduw cariad,
am y wybodaeth dy fod o hyd gyda ni,
molwn di.

Dyro i ni'r heddwch a addawodd Iesu i bawb sy'n ei ddilyn,
gan wybod nad oes angen i ni bryderu nac ofni,
am dy fod gyda ni,
yn gwylio drosom nawr a hyd byth.
Dduw cariad,
am y wybodaeth dy fod o hyd gyda ni,
molwn di,
yn enw Crist.
Amen.

253. NERTH MEWN GWENDID

Dduw pob trawsnewid,
yn gweithio o hyd ymysg y tlawd,
y gwylaidd,
y gwan,
yr isel radd,
addysga ni i fyw nid wrth ein gwerthoedd ein hunain,
ond wrth dy werthoedd di.

Pan fyddwn yn teimlo'n llesg a di-rym,
yn anabl i gwrdd â'r her sydd o'n blaen,
pan deimlwn fod ein hadnoddau yn rhy fychan
a'r gofynion yn rhy fawr,
pan deimlwn fod ein cyflawniadau yn fychan
ac felly yn gosod cyfyngiadau ar yr hyn y gellir ei gyflawni drwom,
addysga ni i fyw nid wrth ein gwerthoedd ein hunain,
ond wrth dy werthoedd di.

Pan fyddwn yn edrych o gwmpas
ac yn methu gweld arwyddion o'th deyrnas,
pan fydd cymaint o ddrygioni fel petai'n ennill
dros yr ychydig ddaioni,
pan fydd problemau ein byd yn ymddangos yn niferus
a'r atebion yn brin,
pan fydd gobeithio yn ymddangos yn ddibwrpas
a bod modd cyfiawnhau anobaith,
pan fydd gwirionedd a chariad yn ymddangos
fel pe baent yn colli'r dydd
i anwiredd a chasineb,
addysga ni i fyw nid wrth ein gwerthoedd ein hunain,
ond wrth dy werthoedd di.

Dduw pob trawsnewid,
helpa ni i adnabod y gelli di ddefnyddio
yr hyn sy'n ymddangos yn fach yn ein golwg a thu hwnt i'n
dychymyg,
bod y dechreuadau lleiaf
yn esgor ar ganlyniadau mawr.
Addysga ni y gelli ddefnyddio eraill,
y gelli ein defnyddio ni,
y gelli ddefnyddio unrhyw un.
**Addysga ni i fyw nid wrth ein gwerthoedd ein hunain,
ond wrth dy werthoedd di,
er gogoniant dy enw.
Amen.**

254. YNG NGHRIST, YN . . .

(Mae'r weddi hon yn ein hatgoffa bod angen daearu'n ffydd yn ein hamgylchiadau dyddiol. Cynhwyswch enw eich tref/ardal)

Bywiol Dduw,
diolchwn am bopeth a wnaethost i ni yng Nghrist.
Helaethaist orwelion ein bywydau,
gyda gobaith a phwrpas nad ydynt o'r byd,
a blas ar fywyd tragwyddol gyda'r holl gyflawnder mae hyn yn ei gynnig,
adnodd i gyfarfod pob her a ddaw i'n rhan.
Arglwydd bywyd,
clyw ein gweddi.

Molwn di, ein bod drwy ffydd
wedi cael cipolwg o'r anweladwy,
ein bod yn rhan o gymdeithas fawr dy bobl
yn y nef ac ar y ddaear,
ein bod yn bererinion gyda'n gilydd ar daith y darganfod,
ein bod oll yng Nghrist.
Arglwydd bywyd,
clyw ein gweddi.

Diolchwn hefyd dy fod wedi rhoi bywyd i ni yn y byd hwn,
a'th fod wedi ein galw i'th wasanaethu
mewn lle ac ar adeg arbennig,
a'n bod yn Gristnogion yma yn ………………
Arglwydd bywyd,
clyw ein gweddi.

Diolchwn am bopeth sydd gan y pentref/dref/ddinas i'w gynnig,
ac am bob modd rydym yn rhan ohono/ohoni,
ac am bawb sy'n byw yma.
Helpa ni i weithio allan ein ffydd yn y lle hwn,
gan gynnig gwasanaeth i'n cymdeithas sy'n bodoli yma,
gan wneud yr Efengyl yn real drwy ein gweithgarwch,
ein perthynas gyda'n gilydd a'n hagweddau.
Arglwydd bywyd,
clyw ein gweddi.

Bywiol Dduw,
helpa ni i edrych ymlaen at dy deyrnas
ond hefyd i gadw'n traed yn gadarn ar y ddaear,
gan gofio fod hyn yn dechrau nawr
ac nid ar ryw adeg ymhell ymlaen yn y dyfodol,
ar y ddaear ac nid yn unig yn y nefoedd,
yma yn .... yn gymaint ag yn unrhyw le arall.
Arglwydd bywyd,
clyw ein gweddi.

Helpa ni i fod yng Nghrist, yn ....
er gogoniant dy enw.
Amen.

255. CARU

Dduw grasol,
gelwaist ni i'th garu
gyda'n calonnau, ein meddyliau a'n henaid.
Heriaist ni i garu ein cymydog fel ni ein hunain.
Dywedaist wrthym fod y gyfraith i gyd oddi fewn un gorchymyn:
carwch.
Mae'n ymddangos mor hawdd, mor syml,
ond gwyddom mewn gwirionedd pa mor anodd yw.
Dduw grasol,
maddau i ni am wendid ein cariad.

Yn rhy aml, rydym ond yn caru ein hunain,
a phob meddwl yn troi o gwmpas ein lles ein hunain,
ein hamcanion,
ein hunan-barch,
ein pleserau.
Dduw grasol,
maddau i ni am wendid ein cariad.

Yn rhy aml, rydym yn cyfyngu ein cariad i'r dethol rai –
ein teuluoedd,
ein cyfeillion agos,
ein cymdeithas eglwysig.
Dduw grasol,
maddau i ni am wendid ein cariad.

Yn rhy aml byddwn yn anghofio eraill,
ac yn ddi-hid tuag atynt,
hyd yn oed yn ymosodol.
Dduw grasol,
maddau i ni am wendid ein cariad.

A hyd yn oed yn waeth, hyd yn oed pan dybiwn ein bod yn caru,
rydym yn twyllo ein hunain.
Byddwn yn ddiamynedd gyda chamgymeriadau eraill.
Byddwn yn araf i estyn cymorth,
yn arbennig pan fydd hynny yn rhoi trafferth i ni.
Byddwn yn eiddigeddus o lwyddiant eraill,
gyda mwy o gonsýrn am ein lles ni
yn hytrach na lles y sawl sydd o'n cwmpas.
Dduw grasol,
maddau i ni am wendid ein cariad.

Byddwn yn esgeulus o'r hyn a ddywedwn
ac yn hunanol yn y modd y meddyliwn,
yn cael ein brifo'n hawdd,
yn gwynfanllyd ac yn magu dicter tuag at eraill,
hyd yn oed yn llurgunio a thwyllo er mwyn cael ein ffordd,
neu yn gwrthod derbyn y gwir, os yw hynny'n gyfleus.
Dduw grasol,
maddau i ni am wendid ein cariad.

Bydd ein cariad yn cael ei chwalu'n hawdd.
Yn lle dal gafael ym mhob anhawster,
byddwn yn hawdd yn meddwl y gwaethaf,
gan dybied fod eraill wedi ein bradychu,
ac yn rhoi'r gorau i gariad yn hytrach na gweithio i'w feithrin.
Dduw grasol,
maddau i ni am wendid ein cariad.

GWEDDÏAU DROSOM EIN HUNAIN

Arglwydd y cyfan sydd,
mae'n anodd caru,
yn arbennig pan fydd y cariad hwnnw
yn cael ei daflu yn ôl i'n hwynebau,
neu pan fyddwn yn wynebu pobl anodd i'w caru,
neu fod cariad yn ddrudfawr neu'n hawlio llawer.
Cyffeswn ein bod yn meddwl weithiau tybed
ai caru yw'r ffordd orau o gwbl,
neu ai rhith ffôl yw.
Dduw grasol,
maddau i ni am wendid ein cariad.

Ond dangosaist i ni ffordd cariad,
a wnaed yn gnawd yng Nghrist –
cariad a ddaeth i'n byd er iddo gael ei wrthod,
sy'n ymestyn tuag ato er nad ydym yn ymddangos yn ddymunol,
ac a gostiodd yr aberth mwyaf.
A thrwy'r cariad hwnnw rwyt yn cynnig bywyd,
nid yn unig i ni, ond i bawb –
bywyd a fydd ryw ddydd yn rhydd o bopeth
sy'n rhannu, yn brifo ac yn frawychus.
Dduw grasol,
maddau i ni am wendid ein cariad.

Felly gweddïwn nawr,
y byddi'n cymryd yr ychydig gariad sydd gennym –
a'i feithrin, ei ddyfnhau a'i helaethu,
hyd nes y byddwn wedi dysgu beth yw gwir gariad,
hyd nes y bydd dy gariad yn llifo drwy ein calonnau,
hyd nes y bydd cariad yn yr oll yn oll.
Amen.

256. ANGEN DUW A DUW EIN HANGEN NI

Bywiol Dduw,
yn ddigywilydd, cyhoeddwn ein hangen ohonot.

Rydym angen dy gariad,
dy gymorth,
dy nerth.
Rydym angen dy drugaredd,
dy faddeuant,
dy adnewyddiad.
Rydym angen dy gyfarwyddyd,
dy anogaeth,
dy ysbrydoliaeth.
Rydym angen dy gefnogaeth,
dy gysur,
dy heddwch.

Mewn sawl ffordd rydym dy angen di,
oherwydd hebot, mae ein heneidiau yn aflonydd
a'n bywydau yn dlawd
a'n dyfodol yn ddiobaith.

Bywiol Dduw,
diolchwn dy fod yn ymateb i'n hanghenion,
yn ymestyn allan gyda'th gariad anfesuradwy,
gyda thrugaredd gyson,
gyda daioni di-feth.

Ond diolchwn hefyd dy fod mewn ffordd anghredadwy
yn Dduw sydd ein hangen ni,
yn Dduw a ddewisodd wneud dy hun
yn ddibynnol ar gydweithrediad pobl.
Rwyt am ein ffydd,
ein hymddiriedaeth,
ein hymrwymiad.
Rwyt am ein calonnau,
ein meddyliau,
ein heneidiau.
Rwyt am ein dwylo,
ein traed,
ein gweithredoedd.
Rwyt am ein haddoliad,
ein gwasanaeth,
ein tystiolaeth.

Bywiol Dduw,
rhyfeddwn dy fod ein hangen ni fel yr ydym dy angen di,
ond fe ddiolchwn am y gwirionedd mawr,
yr anrhydedd enfawr,
y cyfrifoldeb rhyfeddol.
Helpa ni i anrhydeddu'r ymddiriedaeth a osodaist ynom,
drwy Iesu Grist ein Harglwydd.
Amen.

257. GWELD DRWY LYGAID DUW

Bywiol Dduw,
hollwybodus, hollalluog, sy'n gweld popeth,
sydd byth yn llonydd, ac yn hollbresennol yn ein byd,
helpa ni i ddal rhywbeth o'th ryfeddod,
i gael cip bach o'th fawredd,
i weld nad ein gorwelion cyfyng ni yw'r gair olaf.
Bywiol Dduw,
addysga ni i weld drwy dy lygaid di.

Galluoga ni i weld bywyd o'th bersbectif di
gyda'i holl bosibiliadau,
ei botensial, ei ddaioni, a'i harddwch.
Bywiol Dduw,
addysga ni i weld drwy dy lygaid di.

Dangos i ni pan na fyddwn yn gweld y dyfodol
bod dy addewid yn parhau,
lle gwelwn ni ond rhwystrau
dy fod wedi agor y ffordd drwodd,
pan welwn ni ond cyfyngiadau
dy fod ti yn gweld y cyfleoedd,
lle gwelwn ni ond anobaith
rwyt ti yn gweld gobaith,
lle gwelwn ni raniadau
rwyt ti yn gweithio o blaid cymod,
lle gwelwn ni dristwch
rwyt ti yn awyddus i ddwyn llawenydd.
Bywiol Dduw,
addysga ni i weld drwy dy lygaid di.

Dyro i ni'r hyder i freuddwydio breuddwydion,
a chael gweledigaeth o'r dyfodol,
drosom ein hunain,
ein heglwys,
a'r byd cyfan.
Bywiol Dduw,
addysga ni i weld drwy dy lygaid di.

Dyro inni'r ffydd i weld bywyd mewn golau newydd,
a ffordd wahanol,
o berspectif lletach.
A dyro i ni'r penderfyniad nid yn unig i freuddwydio,
ond i weithio tuag at gyflawni'r weledigaeth,
a gweithio dros dy deyrnas di yn y byd.
Bywiol Dduw,
addysga ni i weld drwy dy lygaid,
er mwyn Iesu Grist ein Harglwydd.
Amen.

258. ANFON FI
(ysbrydolwyd gan Eseia 6:8-9)

Dduw cariadlon,
gelwaist ni i fynd allan i'r byd
yn dy wasanaeth
o gyhoeddi'r efengyl,
i wneud disgyblion,
i rannu dy gariad,
ac i weithio tuag at gyflawni dy bwrpas.
Arglwydd Dduw, rwyt yn galw nawr.
Wele fi – anfon fi.

Dduw cariadlon,
maddau i ni ein bod wedi methu mor aml yn yr alwad honno,
ein bod yn hapus i ddod at Grist
ond yn amharod i fynd allan yn ei enw.
Maddau i ni ein bod yn awyddus i dderbyn,
ond yn amharod i roi,
yn troi ffydd
yn rhywbeth er ein mwyn ein hunain ac nid er mwyn eraill.
Arglwydd Dduw, rwyt yn galw nawr.
Wele fi – anfon fi.

Dduw cariadlon,
llenwa ni gyda dewrder, brwdfrydedd a phwrpas,
gweledigaeth ac ymroddiad newydd,
fel y byddwn yn debyg i Eseia gynt
yn clywed dy lais
ac, o adnabod dy ogoniant, yn ymateb yn llawen.
Arglwydd Dduw, rwyt yn galw nawr.
Wele fi – anfon fi,
yn enw Crist.
Amen.

259. TYSTIO I GRIST

Arglwydd yr oll,
gelwaist ni i fod yn dystion i Iesu Grist,
a dweud wrth eraill beth a wnaeth drosom ni.
Helpa ni i wneud hynny yn ffyddlon.

Addysga ni o hyd i lefaru o'n profiadau ein hunain,
yn hytrach na phrofiad rhywrai eraill,
i rannu'r hyn y mae Crist yn ei olygu i ni
ac nid yr hyn mae'n ei olygu i eraill.
Helpa ni i wneud hynny yn ddidwyll.

Addysga ni i fod yn ymwybodol o'r sawl a gyfarchwn,
gan wneud popeth a allwn i sicrhau bod ein geiriau
yn berthnasol i'w sefyllfaoedd.
Helpa ni i wneud hynny yn sensitif.

Addysga ni i gyflwyno neges yr Efengyl,
yn hytrach na chael ein clymu i lawr gyda meddyliau a syniadau
sy'n golygu nemor ddim i ni, a llai i eraill.
Helpa ni i wneud hynny'n syml.

Addysga ni i dystio
pryd bynnag a ble bynnag y daw'r cyfleoedd,
gan gyhoeddi dy gariad i bawb.
Helpa ni i wneud hynny yn hyderus.

Arglwydd yr oll,
gelwaist ni i gyhoeddi'r Newyddion Da,
a'u cyflwyno i ben draw'r byd.
Helpa ni i wneud hynny yn llawen.

A boed i bobloedd daear ym mhobman ddod i'th gyfarfod
ac i'th adnabod drostynt eu hunain.
Gofynnwn hyn yn enw Crist.
Amen.

260. RHANNU'R NEWYDDION

Dduw cariadlon,
gelwaist ni i fod yn dystion,
ac i ddweud y Newyddion
a dwyn ar goedd yr hyn a wnaethost drosom.
Nid wyt yn galw eraill
a'n rhyddhau ni o'n cyfrifoldeb,
gan roi'r dewis o'i adael i rywun arall.
Rwyt yn ein galw i gyd, yn ddieithriad,
i fynd allan ac i ddweud.
Dduw cariadlon,
clywsom a derbyniasom y Newyddion Da:
arbed ni rhag eu cadw i ni ein hunain.

Maddau i ni am yr holl adegau rydym yn euog o hynny,
pob achlysur rydym wedi colli'r cyfle
i ddweud wrth eraill.
Maddau i ni nad ydym mor frwdfrydig ag y dylem fod
am y Newyddion sydd gennym i'w cyhoeddi,
ac ein bod wedi dod yn orgyfarwydd gyda'r Efengyl,
yn rhy gyfforddus ac ymfoddhaus,
gan feddwl amdanom ein hunain yn hytrach nag eraill.
Maddau i ni am y sawl na chlywodd
am nad oeddem wedi rhannu'r Efengyl gyda hwy.
Dduw cariadlon,
clywsom a derbyniasom yr Efengyl:
arbed ni rhag ei chadw i ni ein hunain.

Helpa ni i sylweddoli o'r newydd bopeth sydd gennym i'w rannu,
a gwna ni'n barod i weld ein cyfleoedd
sy'n galw allan arnom i rannu'r Newyddion Da.
Ysbrydola ni eto gydag Efengyl Iesu.
Boed i'w neges gyffroi ein calonnau
a dal ein dychymyg,
a thorri drwy ein difaterwch, ein diofalwch
a'n dihidrwydd.

Dduw cariadlon,
clywsom a derbyniasom yr Efengyl:
arbed ni rhag ei chadw i ni ein hunain,
yn enw Crist.
Amen.

261. YR AIL FILLTIR
(ysbrydolwyd gan Mathew 5:41)

Bywiol Dduw,
rwyt yn ein galw i godi'n croes ac i ymwadu ein hunain.
Rwyt yn dweud wrthym mai ond drwy golli ein bywydau
y gallwn eu gwir ddarganfod.
Rwyt yn ein herio drwy Iesu i fynd yr ail filltir,
i wneud mwy nag a ofynnir neu a ddisgwylir ohonom.
Addysga ni i roi
fel yr wyt ti wedi rhoi i ni yng Nghrist.

Maddau i ni ein bod yn ei chael mor anodd,
ac yn amlach na pheidio ein bod yn dewis
gwneud cyn lleied â phosibl yn hytrach na chymaint â phosibl,
ein bod yn rhoi ein help, ein hamser, ein gwasanaeth a'n cyfoeth
yn rwgnachlyd yn hytrach na rhoi'n llawen.
Addysga ni i roi
fel yr wyt ti wedi rhoi i ni yng Nghrist.

Bywiol Dduw,
diolchwn am y bobl
sy'n barod i fynd yr ail filltir –
y sawl sydd o fewn cylch ein teuluoedd a'n cyfeillion,
y sawl sydd yng nghylch ein cymuned a'n Heglwys,
oddi fewn i'r gymdeithas a'r byd cyfan,
ac sy'n rhoi'n barod
gan fynd tu hwnt i ddisgwyliadau dyletswydd yn eu gwasanaeth i
eraill.
Addysga ni i roi
fel yr wyt ti wedi rhoi i ni yng Nghrist.

GWEDDÏAU DROSOM EIN HUNAIN

Bywiol Dduw,
molwn di am Iesu Grist –
am ei barodrwydd nid yn unig i fynd yr ail filltir
ond i roi popeth,
gan uniaethu ei hun gyda'r ddynoliaeth,
ac wynebu'n barod ddioddefaint a marwolaeth
fel y gallom brofi bywyd yn ei holl gyflawnder.
Addysga ni i roi
fel yr wyt ti wedi rhoi i ni yng Nghrist.

Cyffwrdd â'n calonnau drwy bopeth a wnaeth Crist,
fel y byddom yn barotach i fyw fel ei bobl.
Addysga ni yn ein tro i wneud yr hyn sy'n ychwanegol,
ac i fynd y tu hwnt i ddisgwyliadau pobl,
i roi ac i roi drachefn.
A boed i bobl weld ynom ni
gip ar y cariad a welsom yng Nghrist.
Addysga ni i roi
fel yr wyt ti wedi rhoi i ni yng Nghrist,
wrth i ni ofyn hyn yn ei enw.
Amen.

262. ADDYSGA NI I WEDDÏO
(wedi ei seilio ar Luc 11:1)

Arglwydd Dduw ein tad,
gofynnwn fel yr Apostolion gynt,
'Addysga ni i weddïo'.

Addysga ni am gyfrinach gweddi –
pryd i lefaru a phryd i gadw'n dawel,
pryd i dderbyn a phryd i barhau i geisio,
pryd i ddal ati, a phryd i ymryddhau.
Gofynnwn fel yr Apostolion gynt,
'Addysga ni i weddio'.
Addysga ni am rym gweddi –
a'i gallu i newid,
i galonogi,
i drawsnewid bywyd.
Gofynnwn fel yr Apostolion gynt,
'Addysga ni i weddio'.

Addysga ni am fendithion gweddi –
a'i modd o addysgu,
o gysuro,
ac o gryfhau.
Gofynnwn fel yr Apostolion gynt,
'Addysga ni i weddio'.

Addysga ni am bosibilrwydd gweddi –
a'i gallu i'n helpu wrth roi mynegiant i'n haddoliad,
i ddarganfod dy ewyllys,
ac i glywed dy lais.
Gofynnwn fel yr Apostolion gynt,
'Addysga ni i weddio'.

GWEDDÏAU DROSOM EIN HUNAIN

Addysga ni am lawenydd gweddi –
a'i gallu i gyfleu dy faddeuant,
ac i ddatguddio mwy ar dy gariad,
ac i gyflwyno profiadau newydd yn dy bresenoldeb.
Gofynnwn fel yr Apostolion gynt,
'Addysga ni i weddio'.

Arglwydd Dduw ein Tad,
clyw ein gweddi,
fel bo'r cyfan a wnawn ac a ofynnwn ac a feddyliwn
yn dwyn i ti y gogoniant rwyt yn deilwng ohono,
yn enw Crist.
Amen.

263. CLYW DUW

Dduw cariadlon,
diolchwn mai ti sydd Dduw,
sy'n addysgu'n ddyddiol mwy amdanat ti dy hun,
sydd o hyd â mwy i'w ddatguddio am dy gariad.
Llefara wrthym nawr,
a dyro i ni glustiau i glywed.

Diolch am yr amrywiol ffyrdd rydym yn clywed dy lais –
drwy'r ysgrythur, y byd o'n cwmpas
a'r bobl rydym yn eu cyfarfod,
drwy weddi a myfyrdod,
drwy brofiadau bywyd,
a thrwy ein pererindod ddyddiol gyda thi.
Llefara wrthym nawr,
a dyro i ni glustiau i glywed.

Dduw cariadlon,
diolchwn dy fod yn siarad gyda ni, o ddydd i ddydd.
Helpa ni i fod yn agored i bopeth rwyt yn ei ddweud,
yn barod i dderbyn dy gyfarwyddyd
ac i dderbyn dy arweiniad.
Llefara wrthym nawr,
a dyro i ni glustiau i glywed.

Arbed ni rhag cau ein clustiau
i'r hyn nad ydym am ei glywed;
rhag bod mor gaeth i'n ffyrdd a'n tybiaeth ni
fel ein bod yn ysbrydol fyddar;
rhag cyfyngu dy air a gwadu dy alwad
drwy ein hamharodrwydd i wrando.
Llefara wrthym nawr,
**a dyro i ni glustiau i glywed,
drwy Iesu Grist ein Harglwydd.
Amen.**

264. DEALL GWEDDI

Dduw Dad,
rwyt wedi addo
pan fyddwn yn gweddïo am rywbeth
yn enw Crist
y bydd yn cael ei wneud.
Addysga ni beth yw gwir ystyr hyn –
bod adnabod a charu Iesu'n llwyr
yn peri i'n hewyllys ni a'i ewyllys ef gydgyfarfod.
Nefol Dad, gofynnwn hyn
yn enw Crist.

Maddau i ni pan fyddwn yn camddefnyddio gweddi,
gan edrych tuag at ein dibenion ni ac nid dy ddiben di.
Maddau i ni pan fydd ein gweddi'n wag neu heb ymroddiad llwyr,
ac yna cwyno
bod ein gweddïau heb eu hateb.
Helpa ni i sylweddoli mai dy rodd di i ni yw gweddi
ac nid ein rhodd ni i ti,
ac felly boed i ni ddysgu mwy drwy weddïo am dy bwrpas,
a mwy amdanat ti.
Nefol Dad, gofynnwn hyn
yn enw Crist.

Cryfha ein ffydd, dyfnha ein cymdeithas,
cyfeiria ein tystiolaeth.
Helpa ni i dyfu'n fewnol ac yn allanol,
yn ymestyn tuag atat ti ac at ein gilydd.
ac at bawb o'n cwmpas.
Nefol Dad, gofynnwn hyn
yn enw Crist.

A phan na fyddwn yn gweld yr atebion
i'n hanghenion ni ac anghenion eraill,
pan na fyddwn ond yn gweld y problemau sydd y tu hwnt i ni,
pan na fyddwn yn gwybod beth i'w weddïo,
addysga ni i adael popeth yn dy ddwylo.
Nefol Dad, gofynnwn hyn
yn enw Crist.

Deuwn felly,
nid yn gofyn i'n hewyllys ni gael ei chyflawni, ond dy ewyllys di,
er gogoniant dy enw.
Nefol Dad, gofynnwn hyn
yn enw Crist.
Amen.

265. PAN MAE DUW YN YMDDANGOS YN DAWEL

Dduw cariadlon,
diolchwn am y ffyrdd rwyt yn siarad gyda ni,
drwy'r ysgrythur, gweddi ac addoliad,
drwy gymdeithas dy bobl
a phrofiadau ein bywyd dyddiol.
Dduw cariadlon,
agor ein calonnau i bopeth rwyt am ei ddweud wrthym.

Diolchwn am y ffyrdd rwyt wedi siarad
gyda'th bobl ar draws y cyfnodau,
a'r ffyrdd rwyt yn siarad gyda ni heddiw
a'r ffyrdd byddi yn parhau i siarad i'r dyfodol.
Dduw cariadlon,
agor ein calonnau i bopeth rwyt am ei ddweud wrthym.

Ond heddiw rydym yn gofyn am dy gymorth
ar yr adegau hynny pan wyt yn ymddangos yn dawel,
yr adegau hynny pan na fyddwn yn clywed dy lais
er ein hymdrech i wrando,
yr adegau pan fyddwn yn teimlo'n unig
ac yn bell oddi wrthyt.
Dyro i ni'r hyder i ofyn
a ydym wedi cau ein calonnau a'n meddyliau
i'r hyn sydd gennyt i'w ddweud,
neu a oes rhywbeth yn ein bywydau
sy'n creu gwahanfur rhyngom a thi,
ac yn ein rhwystro rhag dod yn agos atat.
Dduw cariadlon,
agor ein calonnau i bopeth rwyt am ei ddweud wrthym.

Helpa ni hefyd i ddeall bod yna adegau
pan wyt yn disgwyl i ni aeddfedu fel disgyblion y ffydd,
heb dy fod yn ein cyfarwyddo,
heb fod dy arweiniad yn cael ei gyflwyno gam wrth gam.
Helpa ni i sylweddoli nad yw dy dawelwch
yn arwydd o'n hanffyddlondeb ni neu dy siom di,
ond yn hytrach yn arwydd o'th gariad
yn estyn i ni'r cyfle
i dyfu mewn aeddfedrwydd Cristnogol.
Dduw cariadlon,
agor ein calonnau i bopeth rwyt am ei ddweud wrthym.

A phan na fyddwn yn dy glywed yn llefaru
helpa ni i gofio bob tro
dy fod wedi siarad yn eglur gyda ni ac eraill,
a boed i'r adegau hynny ein cynnal a'n cyfarwyddo
hyd y daw gair oddi wrthyt eto,
yn dy amser ac yn dy ffordd dy hun.
Dduw cariadlon,
agor ein calonnau i bopeth rwyt am ei ddweud wrthym.
yn enw Crist.
Amen.

GWEDDÏAU DROS ERAILL

266. DROS Y SAWL SYDD WEDI COLLI POB GOBAITH

Bywiol Dduw,
gweddïwn dros y bobl sydd wedi colli gobaith –
yn eu breuddwydion,
eu hamgylchiadau,
neu mewn bywyd yn gyfan gwbl.
Arglwydd pob gobaith,
clyw ein gweddi.

Gweddïwn dros y sawl sydd wedi colli gobaith
o ddod o hyd i bartner neu o fagu teulu,
y gobaith o fynd i goleg, prifysgol neu astudiaethau pellach,
y gobaith o gael cartref
neu le parhaol i fyw ynddo,
y gobaith o sicrhau gwaith neu fodd i ddefnyddio eu sgiliau.
Arglwydd pob gobaith,
clyw ein gweddi.

Gweddïwn dros y sawl sy'n dyheu am farw –
y sawl sydd ag afiechyd nad oes gwella iddo,
y sawl sydd wedi colli'r ewyllys i frwydro,
y sawl sydd â'u hysbryd wedi ei gywasgu
fel na allant godi oddi ar y llawr,
y sawl sydd am gyflawni hunanladdiad
am eu bod wedi colli pob gobaith,
y sawl sydd wedi dioddef oherwydd newyn ac afiechyd
fel na allant barhau.
Arglwydd pob gobaith,
clyw ein gweddi.

Bywiol Dduw,
mae cymaint o drallod yn ein byd,
ac i lawer, mae'n ymddangos nad oes rheswm dros fyw.
Ymestyn allan tuag at y sawl sy'n teimlo
bod eu dyfodol wedi ei chwalu'n llwyr,
a dyro iddynt freuddwydion newydd, wedi i'r hen ddyheadau farw,
ailgynnau fflam eu pwrpas lle mae eu hyder wedi ei danseilio,
a rhoi cefnogaeth lle nad oes ganddynt unrhyw beth i afael ynddo,
a gobaith y daw dy deyrnas un dydd
ac y bydd dy ewyllys yn cael ei chyflawni.
Arglwydd pob gobaith,
clyw ein gweddi,
yn enw Crist.
Amen.

267. DROS Y SAWL SY'N GWEDDïO
AM HEDDWCH MEDDWL

Bywiol Dduw,
gweddïwn dros y sawl sy'n cael eu gwasgu
gan ofid a straen bywyd beunyddiol –
y sawl sy'n hiraethu am heddwch meddwl,
ac yn dyheu am orffwys i'w heneidiau,
ond yn methu dod o hyd iddo.
Arglwydd, yn dy drugaredd,
clyw ein gweddi.

Gweddïwn dros y sawl sy'n cael eu llethu gan ofid,
ac yn methu gollwng eu pryderon yn rhydd,
ac yn gaeth i'r llu o ofnau cyfrinachol.
Arglwydd, yn dy drugaredd,
clyw ein gweddi.

Gweddïwn dros y sawl sy'n methu gollwng gafael,
y sawl sy'n methu ymlacio
ac o hyd yn poeni am fanion bywyd.
Arglwydd, yn dy drugaredd,
clyw ein gweddi.

Gweddïwn dros y sawl sy'n ymgolli mewn prysurdeb,
yn cuddio eu gwir deimladau,
gan redeg i ffwrdd oddi wrth y gwacter yn eu bywydau
gan obeithio y bydd eu gweithgareddau yn dwyn llawenydd iddynt.
Arglwydd, yn dy drugaredd,
clyw ein gweddi.

GWEDDÏAU DROS ERAILL

Gweddïwn dros y sawl na roddodd amser i ti,
gan ganiatáu i bwysau a galwadau bob dydd
dy gau allan,
gan dybied y bydd cyfle arall ym mhob yfory.
Arglwydd, yn dy drugaredd,
clyw ein gweddi.

Gweddïwn dros y sawl sy'n dewis peidio rhoi amser i ti,
heb ddiddordeb mewn dim ond arferion pob dydd,
heb sylweddoli eu hanghenion ysbrydol.
Arglwydd, yn dy drugaredd,
clyw ein gweddi.

Bywiol Dduw,
llefara wrth bob un yn dawel
a dyro yr heddwch sydd tu hwnt i bob dealltwriaeth
a'r hyder a ddaw drwot ti yn unig,
fel bod i'w beichiau ysgafnhau
a'u heneidiau gael eu hadnewyddu.
Arglwydd, yn dy drugaredd,
clyw ein gweddi,
drwy Iesu Grist ein Harglwydd.
Amen.

268. DROS Y SAWL SYDD HEB DANGNEFEDD

Arglwydd pawb,
gweddïwn dros bawb sy'n chwilio am heddwch yn eu bywydau –
ac o dan bwysau gofid,
naill ai drostynt eu hunain neu dros eu hanwyliaid,
yn wynebu anawsterau a phryderon
heb ateb yn y golwg.
Dduw'r heddwch,
ymestyn tuag atynt a thawela'r storm.

Gweddïwn dros y sawl sy'n ymgiprys gydag ofnau mewnol
ac yn cael eu rhwygo gan bwysau emosiynol a seicolegol.
Dduw'r heddwch,
ymestyn tuag atynt a thawela'r storm.

Gweddïwn dros y sawl sydd â'u byd yn newid o'u cwmpas,
yn arbennig y sawl sy'n cael eu bygwth gan drais a rhyfel.
Dduw'r heddwch,
ymestyn tuag atynt a thawela'r storm.

I bawb sydd mewn cyflafan ac anhrefn llwyr,
pawb sy'n aflonydd ac yn cael eu poeni,
dyro iddynt dy dawelwch,
dy lonyddwch,
dy hedd,
a'th dangnefedd sydd uwchlaw pob deall.
Dduw'r heddwch,
ymestyn tuag atynt a thawela'r storm,
yn enw Crist.
Amen.

269. DROS Y SAWL SY'N WYNEBU CWESTIYNAU AM WIRIONEDD

Bywiol Dduw,
gweddïwn dros y sawl sy'n ymgiprys
gyda chwestiynau anodd bywyd –
y sawl sy'n wynebu materion cymhleth cydwybod,
sy'n ymdrechu gyda phenderfyniadau moesol anodd,
sy'n ymgiprys gyda phynciau cymdeithasol dadleuol,
sy'n ceisio ymgodymu gyda gofidiau diwinyddol cymhleth.
Dyro i bawb mewn sefyllfaoedd felly o'th ddoethineb,
a helpa hwy i ddarganfod y ffordd ymlaen.
Arglwydd, yn dy drugaredd,
clyw ein gweddi.

Gweddïwn dros y sawl sy'n gorfod wynebu
dewisiadau pwysig ond lletchwith,
rhwng y da a'r drwg,
yr iawn a'r anghywir,
gwirionedd a thwyll,
cariad a chasineb;
rhwng ffordd y byd a ffordd Crist,
rhwng ffordd hunanol a ffordd gwasanaeth.
Dyro i bawb sy'n wynebu'r fath ddewisiadau
yr hyder i ddilyn dy ffordd di.
Arglwydd, yn dy drugaredd,
clyw ein gweddi.

GWEDDÏAU DROS ERAILL

Gweddïwn dros dy Eglwys.
Arbed hi rhag naïfrwydd ffwndamentalaidd,
rhag agweddau gorfeirniadol,
rhag credu'n ddogmataidd
bod ganddi'r atebion i bob sefyllfa.
Dyro i'th bobl ym mhobman
y gwyleidd-dra i gydnabod bod gofyn y cwestiynau
yn rhan o ffydd.
Arglwydd, yn dy drugaredd,
clyw ein gweddi.

Bywiol Dduw,
gweddïwn drosom ein hunan wrth ein bod o ddydd i ddydd
yn wynebu'r angen i ddewis.
Weithiau, mae'r dewis yn glir, weithiau yn ansicr,
weithiau yn hawdd, weithiau yn anodd,
weithiau yn ddibwys, weithiau yn hynod bwysig.
Ond helpa ni, beth bynnag yw'r achos,
i dderbyn yn llawen y cyfrifoldeb o ddewis,
a chydnabod mai braint yw bod yn ddynol.
Arglwydd, yn dy drugaredd,
clyw ein gweddi.

Helpa ni i ddewis yn ddoeth,
gan geisio dy ewyllys ac ymateb i'th arweiniad.
Helpa ni i gydnabod ein cam pan fyddwn yn anghywir
a bod yn barod i newid ein penderfyniad pan fydd angen.
A helpa ni i gofio pan fyddwn yn crwydro
dy fod o hyd ar gael i'n helpu i ailgychwyn.
Arglwydd, yn dy drugaredd,
clyw ein gweddi,
yn enw Crist.
Amen.

270. DROS Y SAWL SY'N GWEITHIO O BLAID CYFIAWNDER

Dduw cariadlon,
clyw ein gweddïau dros bawb yn y byd
sy'n ceisio cyflawni dy ewyllys ar y ddaear –
y sawl sy'n gweithio dros heddwch,
sy'n ymgyrchu dros gyfiawnder,
sy'n hyrwyddo'r ddadl i ddileu tlodi,
sy'n brwydro o blaid y sawl sy'n llwgu –
pawb sy'n ymgyrchu dros y gorthrymedig
a'r sawl sy'n cael eu hecsbloetio,
y difreintiedig a'r sawl sydd heb hawliau sylfaenol bywyd.
Llwydda eu hymdrechion ac ysbrydola hwy
fel y gallant herio pobl ym mhobman
a rhoi ohonynt eu hunain mewn gwasanaeth i eraill.
Dduw cyfiawnder a thrugaredd,
clyw ein gweddi.

Gweddïwn dros y sawl sy'n gwasanaethu yn y sustem farnwrol –
y bargyfreithwyr, y cyfreithwyr a'r barnwyr,
yr ynadon, aelodau'r rheithgor a swyddogion y llysoedd –
a phawb sydd â'r cyfrifoldeb i weld
fod cyfiawnder yn cael ei weithredu yn deg ac i bawb.
Dyro iddynt ddoethineb, didwylledd, dewrder ac ymroddiad,
fel y gallant gyflawni eu dyletswyddau yn ffyddlon.
Dduw cyfiawnder a thrugaredd,
clyw ein gweddi.

Gweddïwn dros yr heddlu a phawb sy'n ymwneud
ag atal a datrys tor-cyfraith,
a gweddïwn hefyd dros y sawl sy'n gweithio yn ein carchardai,
boed yn swyddogion neu yn rheolwyr.
Dyro iddynt dy ofal,
a helpa hwy i wneud eu gwaith yn gadarn ac yn deg.
Dduw cyfiawnder a thrugaredd,
clyw ein gweddi.

Gweddïwn dros y sawl a grwydrodd i fyd tor-cyfraith –
y carcharorion sydd mewn dalfa
a'r sawl sydd mewn carchar yn cyflawni dedfryd,
a'r sawl sydd wedi cael eu rhyddhau o garchar.
Arwain hwy i wir edifeirwch
a dyro iddynt yr ewyllys a'r cyfle
i ddechrau o'r newydd.
Dduw cyfiawnder a thrugaredd,
clyw ein gweddi.

Yn olaf, gweddïwn dros y sawl
sydd wedi profi cam mewn llys barn –
wedi eu cyhuddo ar gam,
wedi eu carcharu ar gam,
wedi eu cosbi'n annheg.
Helpa hwy i ddod i dermau gyda'u profiadau,
ac i dderbyn tâl am eu camgyhuddo.
Dduw cyfiawnder a thrugaredd,
clyw ein gweddi,
drwy Iesu Grist ein Harglwydd.
Amen.

271. DROS BREGETHWYR A GWRANDAWYR YR EFENGYL

Bywiol Dduw,
gweddïwn dros bawb sy'n dwyn tystiolaeth i ti,
pawb sy'n pregethu ac yn cyhoeddi neges yr Efengyl.
Dyro iddynt ysbrydoliaeth, dewrder a didwylledd,
fel bod eu tystiolaeth yn arwain eraill
i adnabod Iesu drostynt eu hunain.
Arglwydd, yn dy drugaredd,
clyw ein gweddi.

Gweddïwn dros bawb a fydd yn clywed,
pawb a fydd mewn gwahanol ffyrdd yn wynebu
yr her i ymateb i'r Crist.
Boed i'r sawl sy'n ceisio o ddifrif ymateb i Grist,
a'r sawl sydd heb benderfynu ddarganfod ffydd,
a'r sawl sydd heb benderfynu gael eu hargyhoeddi,
a'r sawl sy'n cael cipolwg weld yn eglur,
a'r sawl sydd â ffydd fas gael eu harwain i ddealltwriaeth ddyfnach,
a'r sawl sy'n gwrthod gwrando gael eu herio i feddwl eto.
Arglwydd, yn dy drugaredd,
clyw ein gweddi,
yn enw Crist.
Amen.

272. DROS Y SAWL SY'N CREDU
BOD DUW YN SEGUR

Dduw cariadlon,
gweddïwn dros bawb yn ein byd
sy'n fwriadol yn cerdded llwybr drygioni –
ac yn dilyn bywyd o dor-cyfraith,
ac yn twyllo,
pobl sy'n ecsbloetio eu cyd-ddinasyddion yn y byd,
ac yn clwyfo corff a meddwl,
sy'n lladd a dinistrio.
Agor eu llygaid i realaeth dy ddedfrydu,
a'u meddyliau i'r difrod mae eu gweithredoedd yn ei achosi,
a'u calonnau i rym chwyldroadol dy ras.
Arglwydd, yn dy drugaredd,
clyw ein gweddi.

Dduw cariadlon,
gweddïwn dros y sawl sy'n ddi-hid i ti –
y sawl nad ydynt wedi clywed her dy Efengyl,
neu na roddodd ystyriaeth
i hawl Crist arnynt,
neu sydd â ffydd arwynebol heb ymroddiad llwyr.
Agor eu clustiau i glywed neges Crist,
a'u hysbrydoedd i'th bresenoldeb real,
a'u bywydau i'r llawenydd o'th adnabod di.
Arglwydd, yn dy drugaredd,
clyw ein gweddi.

Dduw cariadlon,
gweddïwn dros y sawl sy'n ceisio dy wasanaethu,
ond sy'n teimlo bod eu ffydd yn cael ei bygwth –
y sawl sy'n wynebu poen a dioddefaint,
sy'n ymdeimlo bod trallod yn eu goddiweddyd,
y sawl sy'n cael eu drysu gan ymwybyddiaeth o anghyfiawnder,
a'r sawl sydd â'u barn wedi cael ei thanseilio
gan brofiadau bywyd.
Sicrha hwy o'th bwrpas parhaol,
dy gariad diddiwedd
a'th fuddugoliaeth derfynol.
Arglwydd, yn dy drugaredd,
clyw ein gweddi,
drwy Iesu Grist ein Harglwydd.
Amen.

273. DROS Y SAWL NA ALL FYND I'R EGLWYS

Dduw cariadlon,
deuwn ynghyd heddiw i ddwyn ein diolchgarwch –
am y lle hwn lle y deuwn wythnos ar ôl wythnos,
i rannu cymdeithas;
am yr eglwys, sy'n ymroi i'th addoli di;
ac am yr amser hwn a neilltuwyd gennym oddi wrth dasgau
beunyddiol bywyd
fel y gallom gyflwyno ein moliant,
myfyrio ar dy air, a cheisio dy ewyllys.
Diolchwn am bopeth mae'r arfer o ddod ynghyd yma
wedi ei olygu ac yn parhau i olygu i ni.
Arglwydd dy Eglwys,
una ni ynghyd drwy gariad Crist.

Gweddïwn nawr dros y sawl am amrywiol resymau
sy'n methu addoli gyda ni –
y sawl sy'n gaeth i'w cartrefi,
y sawl sy'n anabl i symud o gwmpas,
y sawl sydd mewn ysbytai,
y sawl sy'n gorfod gweithio ar y Sul,
y sawl sy'n gofalu am anwyliaid.
Arglwydd dy Eglwys,
una ni ynghyd drwy gariad Crist.

Gweddïwn hefyd dros y sawl sydd wedi ymbellhau
o fynychu'n gyson –
y sawl sydd wedi colli ffydd,
neu ymuno gydag eglwysi eraill,
neu symud i ardal wahanol ymysg pobl eraill.
Arglwydd dy Eglwys,
una ni ynghyd drwy gariad Crist.

Dduw cariadlon,
boed iddynt i gyd, ein cyfeillion,
wybod eu bod yn cael eu cofio
a'u gwerthfawrogi,
gyda llawer o gariad.
Boed i ni fedru dangos ein consýrn drostynt
drwy ddangos cefnogaeth,
a mynegi ein diddordeb yn eu lles.
A beth bynnag y sefyllfa,
boed iddynt wybod dy fod yn agos iddynt,
ac yn ymuno gyda ni a theulu'r ffydd ym mhobman,
mewn cymdeithas a ddaw â ni oll yng Nghrist.
Arglwydd dy Eglwys,
una ni ynghyd drwy gariad Crist,
wrth i ni weddïo yn ei enw.
Amen.

274. CARU FEL MAE IESU YN EIN CARU NI

Arglwydd Iesu Grist,
rhoddaist dy hun heb gyfrif y gost,
gan gynnig dy fywyd
er mwyn rhoi bywyd i'r byd.

Gweddïwn nawr dros bawb
sy'n ceisio ymateb i ti mewn cariad,
pa mor ansicr, rhannol,
neu amherffaith gall ein cariad fod.
Ysbrydola hwy drwy dy gariad.

Gweddïwn dros y sawl sy'n newydd i'r ffydd,
ac yn dal i ddysgu amdanat,
yn dal yn ansicr o'u hymrwymiad,
yn dal i ddarganfod mwy am dy gariad.
Gofala bod eu cariad yn tyfu o hyd.

Gweddïwn dros y sawl sydd wedi sefydlogi yn eu ffydd,
yn wynebu'r perygl dyddiol o fynd yn foddhaus,
yn ddiflas ac wedi syrthio i rigol gyfforddus.
Gwna eu cariad yn ffres o hyd.

Gweddïwn dros y sawl sydd â'u ffydd wedi breuo,
heb yr afael gadarn a fu gynt,
heb y teimlad o wybod dy fod yn agos,
heb yr awydd i ddilyn Iesu.
Adnewydda eu cariad.

Gweddïwn dros y sawl na chafodd ffydd,
ac yn gyson heb eu gwefreiddio gan neges yr Efengyl,
pobl sy'n gwrthod ei her,
a'r sawl sydd yn ymwybodol eu bod yn gwrthod dy ewyllys di.
Dyro wreichionyn o gariad yn eu calonnau
er mwyn iddynt gredu ynot.

Gweddïwn dros y sawl sydd yn talu'n ddrud oherwydd eu ffydd,
pobl sydd wedi aberthu amser, arian ac ynni,
diogelwch, iechyd ac einioes,
yn eu gwasanaeth i eraill.
Gwobrwya eu cariad.

A gweddïwn dros y sawl sydd ag angen i gredu –
y tlodion, y newynog, y digartref,
y cleifion, y dioddefwyr, y galarus,
pawb a ddioddefodd oherwydd trasiedïau ac argyfyngau bywyd.
Boed iddynt brofi cyflawnder dy gariad.

Arglwydd Iesu Grist,
mae dy gariad di ar gyfer pawb,
pwy bynnag y bônt.
**Boed i'th gariad ymestyn allan tuag at bob calon ym mhob man,
a boed i ni fod yn rhannu yn hynny,
yn dysgu sut i'th garu di wrth i ti ein caru ni.
Amen.**

275. DROS BOBL IFANC

Ti sy'n Arglwydd pawb,
buom yn meddwl amdanom ein hunain –
a nawr meddyliwn am eraill.
Ac yn arbennig nawr
meddyliwn am yr ifanc yn ein heglwys,
ein gwlad a'n byd;
pobl ifanc sydd â chymaint i'w gynnig,
cymaint o ddoniau, gyda llawer o syniadau ffres,
cymaint o ynni a brwdfrydedd,
ac eto yn wynebu heddiw yn fwy nag erioed
gyda phwysau, galwadau a themtasiynau.
Arglwydd yn dy drugaredd,
clyw ein gweddi.
Gweddïwn dros bobl ifanc yr eglwys hon.
Helpa ni i'w gwerthfawrogi hwy,
i fod yn agored i'w syniadau,
i ddefnyddio eu doniau,
i feithrin eu ffydd,
ac i ofalu dros eu lles.
Arwain hwy yn eu gwaith a'u hastudiaethau,
gwarchod hwy rhag popeth a allai eu niweidio neu eu harwain ar
gyfeiliorn,
cysgoda hwy ym mhopeth a wnânt yn ein plith,
a dangos iddynt dy ffyrdd i'r dyfodol.
Arglwydd yn dy drugaredd,
clyw ein gweddi.

Gweddïwn dros bobl ifanc ein tref, ein gwlad ac yn y byd cyfan –
yn aml bydd llawer ohonynt yn cael eu collfarnu
oherwydd ffolineb yr ychydig.
Gweddïwn dros y sawl sydd yn yr ysgolion a'r prifysgolion,
y sawl sy'n dod o gartrefi wedi eu chwalu,
y sawl sydd â'u doniau'n cael eu gwastraffu oherwydd diweithdra,
y sawl sy'n wynebu temtasiwn alcohol neu gamddefnydd o gyffuriau,
y sawl sy'n cario baich gofid am ddyled,
y sawl sy'n ymgodymu â chymhlethdodau
perthynas dynol,
y sawl sydd heb yr adnoddau sydd eu hangen arnynt
i wireddu eu potensial llawn,
a'r sawl, sydd oherwydd newyn a haint,
na fydd byth yn byw i fod yn oedolion.
Arglwydd, yn dy drugaredd,
clyw ein gweddi.

Ti sy'n Arglwydd pawb,
dyro gyfarwyddiadau i bawb sy'n gweithio gyda'r ifanc–
yn ein heglwys ni,
mewn mudiadau ieuenctid,
mewn ysgolion a cholegau,
mewn mudiadau sy'n ymroi i ofalu am blant.
Arglwydd yn dy drugaredd,
clyw ein gweddi.

Dduw cariadlon,
diolchwn i ti am bobl ifanc.
Drwy ein rhannu gyda hwy
helpa ni i wneud y gwerthfawrogiad yn un real.
Arglwydd, yn dy drugaredd,
clyw ein gweddi,
drwy Iesu Grist ein Harglwydd,
Amen.

276. DROS Y GWAN A'R SAWL SY'N HAWDD EU NIWEIDIO

Frenhinol Dduw,
gweddïwn dros y gwan a'r sawl sy'n hawdd eu niweidio yn ein byd –
y sawl sy'n teimlo'n ddi-rym
yn wyneb y problemau enfawr sy'n eu hwynebu.
Cymorth y digymorth,
ymestyn allan er mwyn atgyfnerthu a chynorthwyo.

Gweddïwn dros y tlawd,
y newynog,
y claf,
a'r sawl sy'n marw.
Cymorth y digymorth,
ymestyn allan er mwyn atgyfnerthu a chynorthwyo.

Gweddïwn dros y gorthrymedig,
y sawl sy'n cael eu hecsbloetio,
y sawl sy'n cael eu cam-drin,
y sawl sy'n cael eu poenydio.
Cymorth y digymorth,
ymestyn allan er mwyn atgyfnerthu a chynorthwyo.

Gweddïwn dros y sawl sy'n byw mewn gwledydd sy'n llawn tensiwn,
y sawl sy'n wynebu newyn
y sawl sy'n ddi-waith,
y sawl sy'n ddigartref.
Cymorth y digymorth,
ymestyn allan er mwyn atgyfnerthu a chynorthwyo.

Frenhinol Dduw,
mynegaist gonsýrn arbennig
dros y briwedig, yr anghenus, a gweiniaid ein byd.
Boed i'r consýrn hwn ddwyn nerth i'r anghenus,
ac ysbrydoli pobl ym mhobman
i weithio dros gymdeithas fwy cyfiawn,
gan sefyll dros yr anghenus,
ac ymdrechu i greu sefyllfa pan na fydd
dioddefaint, galar a phoen;
pan ddaw dy deyrnas
a bydd dy ewyllys yn cael ei chyflawni.
Cymorth y digymorth,
ymestyn allan er mwyn atgyfnerthu a chynorthwyo,
yn enw Crist.
Amen.

277. DROS Y SAWL SY'N TEIMLO NAD OES UNRHYW UN YN EU CARU

Dduw cariad,
gweddïwn dros y lluoedd yn ein byd
sydd wedi eu hamddifadu o gariad,
sy'n teimlo nad oes unrhyw un yn eu caru,
neu'r sawl sy'n cysylltu cariad gyda phoen.
Cyffwrdd â'u calonnau gyda chariad Crist.

Gweddïwn dros y sawl sydd wedi profi ing wrth garu –
y sawl a wynebodd drawma
neu dor-priodas,
neu â phrofiad o weld cyfeillgarwch neu ddyweddïad
wedi'i chwalu;
y sawl a ddaw o gartrefi sydd wedi rhannu,
neu a bellhaodd oddi wrth deulu a chyfeillion;
y sawl sydd â'u plant wedi symud i ffwrdd
i ddechrau byw yn annibynnol,
neu sydd â'u rhieni eu hunain wedi gwanhau, neu fynd yn gymysglyd
eu meddwl;
y sawl sy'n galaru am anwyliaid
neu wedi cael eu gorfodi i symud ymhell
oddi wrth eu hanwyliaid.
Boed i'r wybodaeth am dy gariad diddiwedd di
fod yn ffynhonnell gyson o gysur ac ysbrydoliaeth.
Cyffwrdd â'u calonnau gyda chariad Crist.

Gweddïwn dros y sawl sy'n ei chael yn anodd caru –
y sawl a gafodd eu bradychu,
y sawl a gafodd eu creithio gan brofiadau sur a phoenus,
y sawl a ddioddefodd gael eu cam-drin,
y sawl sy'n ofnus o ddangos eu gwir deimladau,
y sawl sy'n cael eu gorthrymu gan salwch meddwl.
Cyffwrdd â'u calonnau gyda chariad Crist.

Dduw cariadlon,
cyflwynwn ger dy fron fyd cymhleth
o berthnasau pobl,
a all ddwyn llawer o lawenydd ynghyd â thristwch,
cymaint o bleser ynghyd â phoen.
Diolch am dy rodd o gariad
a'r holl gariad sydd o'n cwmpas,
ond helpa ni i beidio anghofio'r sawl a gollodd gariad,
neu a gafodd eu brifo o'i herwydd.
Adfer eu ffydd yn yr hyn gall cariad ei gyflawni,
a helpa hwy i ddarganfod a rhannu cariad.
Cyffwrdd â'u calonnau gyda chariad Crist.

Dyro i bawb ohonom y wybodaeth
na fydd dy gariad di byth yn siomi,
nac yn ein gollwng yn rhydd.
Diolch fo i Dduw, yn enw Iesu.
Amen.

278. DROS Y SAWL SYDD HEB DDIM YN EIN BYD

Dduw cariadlon,
diolchwn am bopeth sydd gennym –
ein cartrefi,
ein bwyd,
ein dillad,
ein hoffer cyfoes,
ein gwasanaethau cyhoeddus,
ein cyfleoedd addysgol,
ein darpariaeth feddygol,
a llawer mwy.
Dduw cariadlon,
clyw ein gweddi dros y sawl sydd heb ddim yn ein byd.

Gweddïwn dros y sawl sydd heb gartrefi,
yn byw fel ffoaduriaid,
neu byw'n ddigartref ar ein strydoedd.
Dduw cariadlon,
clyw ein gweddi dros y sawl sydd heb ddim yn ein byd.

Gweddïwn dros y sawl sydd heb fwyd,
a'u cnydau wedi methu,
eu heconomïau wedi eu llethu gan ddyled,
neu eu llafur heb gael ei gydnabod yn ddigonol.
Dduw cariadlon,
clyw ein gweddi dros y sawl sydd heb ddim yn ein byd.

Gweddïwn dros y sawl sydd heb ddŵr glân,
ac yn wynebu'n ddyddiol afiechyd ac arswyd diffyg dŵr,
a dros y sawl sydd heb adnoddau,
wedi eu condemnio i fywyd o dlodi heb arwyddion gobaith,
heb fodd i helpu eu hunain.
Dduw cariadlon,
clyw ein gweddi dros y sawl sydd heb ddim yn ein byd.

Gweddïwn dros y sawl sydd heb fodd o gael addysg,
neu fanteisio ar wasanaeth iechyd neu gymorth gwasanaeth lles,
neb i droi ato am gymorth neu gefnogaeth.
Dduw cariadlon,
clyw ein gweddi dros y sawl sydd heb ddim yn ein byd.

Dduw cariadlon,
yng nghyd-destun y byd yma, ni yw'r rhai sydd â llawer,
y rhai ffodus,
gyda digonedd i'w fwynhau.
Cyffroa ein calonnau i ymateb i'r sawl sydd heb ddim.
Helpa ni i ddweud 'na' wrthom ni ein hunain
fel y gallom ddweud 'ie' wrthynt hwy,
i aberthu'r ychydig fel y byddant hwy yn derbyn llawer.
Dduw cariadlon,
clyw ein gweddi dros y sawl sydd heb ddim yn ein byd,
yn enw Crist.
Amen.

279. BREUDDWYDION WEDI CHWALU

Dduw cariadlon,
gweddïwn dros y sawl a welodd eu breuddwydion yn deilchion,
sydd heb galon i edrych ymlaen,
sydd wedi colli gweledigaeth o'r dyfodol.
Mae llawer o bobl, yr adnabyddus a'r anadnabyddus –
sydd â'u llawenydd a'u gobeithion wedi eu chwalu gan drasiediau,
sydd â'u ffydd yn eu hanwyliaid wedi ei bradychu,
sy'n wynebu tlodi, diweithdra, digartrefedd,
haint, newyn, a marwolaeth –
sydd â'u hymddiriedaeth ynot ti wedi ei brofi i'r pen.
Dduw gobaith,
goleua fflam newydd yn eu calonnau.

Gweddïwn dros bawb sy'n camu'n flinedig ar daith bywyd
heb unrhyw synnwyr o bwrpas –
pobl sy'n ymdeimlo bod eu dyfodol yn wag,
a phob gobaith wedi diflannu,
ac sy'n byw i'r heddiw, ac yn ofni'r yfory.
Dduw gobaith,
goleua fflam newydd yn eu calonnau.

Cyffwrdd â'u calonnau,
cyffroa eu dychymyg,
ailoleua eu ffydd,
ac adnewydda eu gobaith.
A boed i freuddwydion a gweledigaethau newydd
egino ym mywyd briwedig pobl y byd.
Dduw gobaith,
goleua fflam newydd yn eu calonnau,
drwy Iesu Grist ein Harglwydd.
Amen.

280. DROS Y SAWL SY'N TEIMLO FOD BYWYD WEDI MYND ALLAN O REOLAETH

Bywiol Dduw,
gweddïwn dros y sawl sy'n teimlo eu bod wedi colli
rheolaeth ar eu bywydau –
gyda thrasedi wedi gorlifo eu bywydau efallai,
neu bod perthynas wedi chwalu;
pobl yn brwydro yn erbyn gofidiau henaint,
neu'n ymgodymu gyda salwch terfynol;
pobl yn dioddef poenau corfforol,
neu storm feddyliol.
Arglwydd y cyfan oll,
sicrha ni y bydd dy bwrpas yn fuddugol yn y diwedd.

Gweddïwn dros y sawl sy'n dioddef yn sgil bod eraill
wedi colli rheolaeth,
ac wedi eu clwyfo yn gorfforol neu'n feddyliol –
plant wedi eu camdrin,
gwragedd wedi cael eu curo,
cartrefi wedi'u chwalu,
dioddefwyr byrgleriaeth, trais rhywiol, neu ymosodiad.
Arglwydd y cyfan oll,
sicrha ni y bydd dy bwrpas yn fuddugol yn y diwedd.

Gweddïwn dros y sawl sy'n brwydro
i reoli agweddau ar eu cymeriad –
blys,
tymer wael,
trychwant,
diffyg amynedd,
eiddigedd,
annioddefgarwch.
Arglwydd y cyfan oll,
sicrha ni y bydd dy bwrpas yn fuddugol yn y diwedd.

Bywiol Dduw,
dyro i bawb sy'n agos at ben eu tennyn
y sicrwydd dy fod ti yn rheoli yn y diwedd;
i'r sawl sy'n brifo
y cysur o'th gariad iachusol;
i'r sawl sy'n dioddef poen meddwl
y tangnefedd mewnol a ddaw oddi wrthyt ti yn unig;
ac i'r sawl sy'n siomedig gan eu methiannau parhaol
y rhodd o hunanreolaeth.
Arglwydd y cyfan oll,
sicrha ni y bydd dy bwrpas yn fuddugol yn y diwedd,
yn enw Iesu Grist ein Harglwydd,
Amen.

281. DROS Y SAWL SY'N AMDDIFAD O'R CYFLE A GYMERWN YN GANIATAOL

Dduw cariadlon,
gweddïwn dros y sawl sy'n amddifad o'r cyfle
a gymerwn yn ganiataol –
bwyd a dillad,
gwaith,
addysg sylfaenol,
annedd addas,
modd i symud,
iechyd,
cwmnïaeth,
cariad,
hawliau dynol,
rhyddid,
rhyddid i lefaru,
cyfiawnder,
heddwch.
Arglwydd, yn dy drugaredd,
clyw ein gweddi.

Llwydda ymdrech pawb sy'n brwydro dros eu hawliau,
pawb sy'n gweithio i roi iddynt gymorth a gobaith.
Arglwydd, yn dy drugaredd,
clyw ein gweddi.

Dduw cariadlon,
gweddïwn dros y sawl sy'n teimlo
eu bod yn methu dyfod i'th ŵydd,
wedi pellhau gan euogrwydd,
amheuon,
camgymeriadau'r gorffennol,
neu ddiffyg ffydd.
Arglwydd, yn dy drugaredd,
clyw ein gweddi.

GWEDDÏAU DROS ERAILL

Boed i bawb sy'n ceisio dy bresenoldeb,
pawb sy'n ceisio dy faddeuant,
a phawb sy'n dyheu am dy gariad,
ddarganfod yn Iesu Grist y Ffordd, y Gwirionedd a'r Bywyd.
Arglwydd, yn dy drugaredd,
clyw ein gweddi,
yn enw Crist.
Amen.

282. DROS Y SAWL SY'N OFIDUS AM Y DYFODOL

Bywiol Dduw,
gweddïwn dros y sawl sy'n wynebu'r dyfodol
gydag ansicrwydd neu bryder –
y sawl sy'n ei ofni,
ac yn arswydo rhagddo,
neu sy'n teimlo nad oes ganddynt ddyfodol.

Gweddïwn dros y sawl sy'n byw yn llefydd terfysglyd ein byd –
y sawl sy'n dyheu am heddwch,
a diwedd i'r gwrthdaro ac am amser o harmoni,
ond sydd â'u calonnau wedi ildio pob gobaith.

Gweddïwn dros y sawl sy'n wynebu trawma
a chyfnewidiadau helaeth yn eu bywydau –
y sefydlog yn eu bywyd wedi ei ysgubo ymaith,
a'r hyn roeddent yn gobeithio amdano wedi ei wadu iddynt,
a'r hyn roeddent yn ymddiried ynddo wedi ei brofi'n ffals.

Gweddïwn dros y sawl sy'n amau eu gallu
i ymgodymu gyda'r hyn sy'n brofiad bywyd –
y sawl sy'n cael eu gorlethu gan wasgfa,
a'u parlysu gan ofn,
a'u chwalu gan dristwch.

Gweddïwn dros y sawl sy'n wynebu penderfyniadau anodd –
gan amgylchiadau sydd tu hwnt i'w rheolaeth,
gan beryglon annisgwyl,
gan ddewisiadau lletchwith.

Bywiol Dduw,
ymestyn allan tuag at bawb sydd â'u dyfodol
yn ymddangos yn ansicr neu yn ddigroeso,
a dyro iddynt dy sicrwydd a fydd, hyd yn oed yn y munudau tywyllaf,
yn yr her fwyaf,

yr adegau mwyaf pryderus,
yn dweud dy fod yn gweithredu dy bwrpas,
ac yn abl i ddwyn golau i lewyrchu ym mhob tywyllwch,
a dwyn gobaith ym mhob anobaith,
llawenydd ym mhob tristwch,
a daioni ym mhob sefyllfa ddrygionus.

Dyro hyder nad oes unrhyw beth yn y nefoedd na'r ddaear,
mewn bywyd na marwolaeth,
y presennol na'r dyfodol,
a all ein gwahanu oddi wrth dy gariad di.
Drwy Iesu Grist ein Harglwydd.
Amen.

283. DROS Y SAWL SYDD MEWN ANGEN

Bywiol Dduw,
daethost i'n byd drwy Grist
i helpu,
i iacháu, ac i achub.
Felly gweddïwn dros bawb sydd yn wynebu pob math o angen.
Ymestyn allan tuag atynt yn dy gariad.

Gweddïwn dros y claf a'r sawl sy'n dioddef,
y tlawd a'r newynog,
y gorthrymedig a'r sawl sy'n cael eu hecsbloetio,
yr unig a'r sawl sydd â neb i'w caru,
yr oedrannus a'r eiddil,
yr ofnus a'r pryderus,
y gofidus a'r galarus,
y digymorth a'r diobaith.
Ymestyn allan tuag atynt yn dy gariad.

Bywiol Dduw,
mae cymaint o angen o'n cwmpas,
yn ein cymuned, ein tref,
ein gwlad a'n byd –
cymaint o bobl yn galw allan am gymorth.
Ymestyn allan tuag atynt yn dy gariad.

Dangos i ni ble a phryd y gallwn ymateb.
Dyro inni'r modd, yr ewyllys, yr ymrwymiad a'r cariad
i ymestyn allan yn enw Iesu,
gan gynnig rhywbeth ohonom ein hunain i eraill,
fel y cynigiodd ei oll i ni.
Ymestyn allan tuag atynt yn dy gariad,
drwy Iesu Grist ein Harglwydd.
Amen.

284. DROS Y SAWL SY'N GALARU

Cariadlon Dduw,
addewaist dy fendith arbennig i'r sawl sy'n galaru,
dy gysur i'r sawl sy'n cael eu goddiweddyd gan alar,
dy lawenydd i'r sawl sy'n dioddef tristwch.

Gweddïwn dros y sawl sy'n drist,
ac yn cael eu llethu gan ddiflastod,
y sawl sy'n byw dan bwysau anobaith, a'r sawl a gollodd anwyliaid
ac yn brwydro i ymdopi gyda'r ymdeimlad o wacter a thor-calon.
Arglwydd, yn dy drugaredd,
clyw ein gweddi.

Gweddïwn dros y sawl o blith ein teuluoedd a'n cylch o gyfeillion
sy'n wynebu adegau anodd,
y sawl sydd o blith aelodau'r eglwys hon
ac yn ein byd.
Arglwydd, yn dy drugaredd,
clyw ein gweddi.

Dduw cariadlon,
dyro i'r sawl sy'n galaru dy fendith arbennig.
Boed iddynt wybod fod dy law arnynt,
a'th freichiau yn eu cofleidio,
a'th galon yn ymestyn allan tuag atynt.
Arglwydd, yn dy drugaredd,
clyw ein gweddi.

Boed i bawb sy'n galaru ddarganfod y cysur a addewaist,
a dod o hyd i'r nerth i wynebu yfory,
hyd y daw goleuni'r wawr eto
a hwythau yn profi gobaith.
Arglwydd, yn dy drugaredd,
clyw ein gweddi,
drwy Iesu Grist ein Harglwydd.
Amen.

285. LLE NAD OES ARWYDD O OBAITH AM NEWID

Dduw cariadlon,
daw adegau pan fyddwn yn sylwi ar fywydau pobl
ac yn ei chael yn anodd credu
y daw newid er gwell –
gwelwn hwy yn dioddef afiechyd,
o dan bwysau pryder,
yn cael eu poenydio gan iselder,
yn cael eu baglu gan ddyled,
yn cael eu malu gan alcohol,
yn cael eu difa gan gyffuriau,
yn cael eu chwalu gan ddiweithdra,
a byddwn ni yn gofyn pa obaith sydd ganddynt,
pa obaith gwirioneddol sydd ganddynt,
pa gymorth a allwn ei estyn.
Dduw pob trawsnewid,
boed i'th oleuni lewyrchu lle mae tywyllwch.

Gweddïwn dros y sawl sy'n hysbys i ni –
teulu,
cyfeillion,
aelodau'r eglwys,
cydweithwyr,
cymdogion,
cydnabod,
ynghyd â llu o bobl na wyddom amdanynt
sy'n brwydro o dan feichiau bywyd.
Dduw pob trawsnewid,
boed i'th oleuni lewyrchu lle mae tywyllwch.

GWEDDÏAU DROS ERAILL

Gweddïwn dros ein byd –
dros bawb sy'n wynebu dioddefaint,
anghyfiawnder,
caledi,
a marwolaeth.
Dduw pob trawsnewid,
boed i'th oleuni lewyrchu lle mae tywyllwch.

Ymestyn tuag at bawb sydd mewn ing,
pawb sy'n dyheu gweld newid
ac ond yn gweld anobaith yn ymestyn o'u blaen.
Cyffwrdd â'u bywydau
a dyro iddynt gymorth, gobaith, iachâd a modd i ddod yn bobl
gyflawn.
Dduw pob trawsnewid,
boed i'th oleuni lewyrchu lle mae tywyllwch.

Dduw cariadlon,
mae'n anodd weithiau i gredu y bydd y sawl sydd o'n cwmpas,
heb sôn am y byd,
yn medru newid er gwell.
Gwelwn wledydd yn cael eu chwalu gan ryfel,
a phobl yn cael eu difetha gan gasineb,
miloedd yn byw mewn ofn,
a chenhedloedd yn troi yn erbyn cenedl,
y lluoedd sy'n ddigartref oherwydd trychineb,
cyfandiroedd yn wynebu newyn,
a ninnau'n methu deall pa ddyfodol sydd o'u blaen,
pa obaith y gellir ei gynnig,
pa gymorth y gellir ei roi.
Dduw pob trawsnewid,
boed i'th oleuni lewyrchu lle mae tywyllwch.

Helpa ni i weld o dan yr wyneb,
a'th weld ar waith,
a bod modd i bethau newid.
Helpa ni i weld tu hwnt i'r gweladwy,
a sylweddoli dy fod yn Dduw sy'n peri trawsnewid
hyd yn oed y sefyllfa sydd fwyaf anobeithiol.
Dyro i ni ac i bawb arall y sicrwydd
nad oes yr un person na'r un sefyllfa
na ellir ei thrawsnewid drwy dy rym di.
Dduw pob trawsnewid,
boed i'th oleuni lewyrchu lle mae tywyllwch,
drwy Iesu Grist, ein Harglwydd.
Amen.

286. DROS Y SAWL SY'N WYNEBU DINISTR

(Cynhwyswch y manylion yn y llefydd priodol)

Dduw cariadlon,
wrth i ni feddwl amdanom ein hunain
meddyliwn am y sawl sydd mewn helbul,
y sawl a brofodd yn ystod yr wythnos olaf hon
drychineb a thrasiedi,
y sawl sydd â'u bywydau mewn cythrwfl.
Gweddïwn yn arbennig dros ....
sydd â'u bywydau wedi eu troi wyneb i waered
gan y .... a ddifrododd eu tir.
Arglwydd, yn dy drugaredd,
clyw ein gweddi.

Gweddïwn dros deuluoedd y sawl
a gollodd eu bywydau –
dyro iddynt gysur, cefnogaeth
a gwybodaeth am dy gariad tragwyddol.
Arglwydd, yn dy drugaredd,
clyw ein gweddi.

Gweddïwn dros y sawl a glwyfwyd ac a anafwyd,
y sawl a fydd yn wynebu gweddill eu bywyd
yn ceisio dod i dermau gyda'u creithiau corfforol
neu'r clwyfau dyfnach sy'n feddyliol neu'n ysbrydol –
dyro iachâd a chymorth i bob un.
Arglwydd, yn dy drugaredd,
clyw ein gweddi.

Gweddïwn dros y sawl sy'n ymdrechu i roi cefnogaeth
yng nghanol y chwalfa,
boed i'r corff, y meddwl neu'r enaid –
adnodda hwy gyda chydymdeimlad, doethineb
a sgiliau i gyflawni eu gorchwyl.
Arglwydd, yn dy drugaredd,
clyw ein gweddi.

Gweddïwn dros y sawl sy'n dal i chwilio yng nghanol yr anhrefn
wrth i bob gobaith o ddarganfod pobl sydd wedi goroesi redeg allan –
a'u cartrefi wedi eu colli,
eu trefi/dinasoedd wedi eu chwalu,
eu gwlad wedi profi sioc –
dyro iddynt anogaeth i ddyfalbarhau.
Arglwydd, yn dy drugaredd,
clyw ein gweddi.

Bywiol Dduw,
credwn dy fod yn galaru ac yn dioddef
pryd bynnag mae pobl yn dioddef,
ble bynnag mae dy bobl mewn angen.
Ymestyn allan tuag at y bobl hyn
yn eu tristwch a'u hanobaith,
a dyro iddynt gymorth
i ailadeiladu eu bywydau a'r gobeithion sydd wedi chwalu.
Arglwydd, yn dy drugaredd,
clyw ein gweddi,
yn enw Crist.
Amen.

287. DROS Y SAWL SY'N TEIMLO EU BOD YN DDIWREIDDIAU

Dduw grasol,
yr un sy'n caru'r tlodion, y gwan,
yr hawdd eu niweidio, y gorthrymedig,
gweddïwn dros y sawl sy'n teimlo nad oes ganddynt wreiddiau,
heb hunaniaeth,
nac unrhyw synnwyr o berthyn.
Arglwydd, yn dy drugaredd,
clyw ein gweddi.

Gweddïwn dros y sawl sy'n byw fel ffoaduriaid mewn gwledydd dieithr,
wedi eu gyrru allan o'u cartrefi a'u gwledydd eu hunain
gan ryfel cartref,
gorthrwm,
newyn,
trychineb naturiol.
Arglwydd, yn dy drugaredd,
clyw ein gweddi.

Gweddïwn dros y sawl sy'n amddifad ers yn ifanc;
y sawl a gafodd eu mabwysiadu
ac sy'n ysu i ddarganfod pwy yw eu rhieni naturiol;
y sawl sy'n dod o gartrefi a chwalwyd
ac wedi cael eu creithio gan drawma ymwahanu teuluol cas;
y sawl a gafodd eu cam-drin;
y sawl sy'n teimlo eu bod yn amddifad o gariad ac yn ddiwerth.
Arglwydd, yn dy drugaredd,
clyw ein gweddi.

Gweddïwn dros yr unig,
ac yn amddifad oherwydd oed neu lesgedd
o gwmnïaeth ddynol,
neu sydd wedi eu gwahanu oddi wrth eraill hyd yn oed mewn
cwmnïaeth
oherwydd ofn,
swildod,
drwgdybiaeth,
neu ragfarn.
Arglwydd, yn dy drugaredd,
clyw ein gweddi.

Gweddïwn dros ein cymdeithas
sydd wedi colli llawer o'r ymwybod cymdeithasol,
lle mae'r synnwyr o hunaniaeth leol a chenedlaethol wedi diflannu,
lle mae'r clymau a unodd deuluoedd cynt
wedi eu torri,
lle mae'r gwerthoedd, arferion ac argyhoeddiadau a roddodd
sefydlogrwydd
wedi eu dibrisio gan y sawl sy'n byw iddynt hwy eu hunain.
Arglwydd, yn dy drugaredd,
clyw ein gweddi.

Gweddïwn dros yr eglwysi sydd wedi cael eu rhannu,
ac wedi gadael i'r hyn a'u gwahanodd
fod yn bwysicach na'r ffydd sy'n uno,
gan wadu drwy eu diffyg amynedd
yr undeb mae Crist yn ei ddeisyf dros ei bobl,
ac felly yn profi poen yr anghytgord a'r ymrannu.
Arglwydd, yn dy drugaredd,
clyw ein gweddi.

GWEDDÏAU DROS ERAILL

Arglwydd ein byd,
dyro i ni oll y gwir synnwyr o werth ym mhawb o'n cwmpas,
a chydnabyddiaeth o'r ddynoliaeth sy'n ein plethu ynghyd,
ac sydd yn uwch na'n gwahaniaethau.
Dyro i ni synnwyr o'th gariad tuag at bawb,
dy bwrpas sydd gennyt ar gyfer pob person,
beth bynnag eu hil na'u diwylliant,
eu cefndir na'u hamgylchiadau.
Arglwydd, yn dy drugaredd,
clyw ein gweddi.

Cymorth dy eglwys i estyn aelwyd o dderbyniad
a chroeso
a pherthyn.
A helpa pawb sy'n teimlo eu bod wedi cael eu hynysu
rhag darganfod ynot ti wir ffynhonnell eu bod
a gwreiddyn eu bywydau.
Arglwydd, yn dy drugaredd,
clyw ein gweddi,
drwy Iesu Grist ein Harglwydd.
Amen.

288. DROS Y SAWL SY'N GWASANAETHU ERAILL

Arglwydd y cyfan oll,
gweddïwn dros y sawl sydd mewn ffyrdd gwahanol
yn treulio cymaint o'u hamser yn gwasanaethu eraill,
y sawl sydd â'u gwaith yn estyn gofal, diogelwch,
cyfleoedd a chefnogaeth
a gymerwn mor ganiataol mewn cymdeithas.
Yn eu holl lafur,
Arglwydd, calonoga hwy.

Meddyliwn am y sawl sy'n gweithio mewn ysbytai neu mewn hosbis,
yn yr heddlu, y lluoedd arfog, neu'r gwasanaethau argyfwng,
yn y gwasanaethau gwirfoddol a dyngarol,
mewn gwaith cymdeithasol a chymunedol,
yn yr ysgolion, colegau a phrifysgolion,
yn yr Eglwys a'r maes cenhadol,
mewn llywodraeth leol, genedlaethol a rhyng-genedlaethol.
Yn eu holl lafur,
Arglwydd, calonoga hwy.

Dduw cariadlon,
diolchwn i ti am bawb sy'n estyn gwasanaeth
mewn amrywiol ffyrdd.
Cryfha ac anoga hwy yn eu gwaith,
dyro iddynt gefnogaeth,
ysbrydoliaeth a'r adnoddau sydd eu hangen arnynt,
a gweithia drwyddynt i fynegi dy gariad dros y byd.
Yn eu holl lafur,
Arglwydd, calonoga hwy,
wrth i ni ofyn hyn yn enw Crist.
Amen.

289. DROS Y SAWL A GAFODD EU HETHOL I LYWODRAETH AC I ARWEINYDDIAETH

Anfeidrol Dduw, llywodraethwr terfynau'r ddaear,
gweddïwn dros y sawl rwyt wedi ymddiried iddynt
rym a chyfrifoldeb.

Meddyliwn yn gyntaf am ein gwlad
a'r sawl sydd wedi eu hethol i fod
yn aelodau'r Cynulliad yng Nghymru,
a'r aelodau seneddol ym Mhrydain –
y sawl sy'n gwasanaethu mewn llywodraeth,
boed mewn swyddi cabinet, neu swyddi'r is-weinidogion
neu sy'n gweithio ym mhwyllgorau'r meinciau cefn;
y sawl sy'n gweithredu fel gwrthbleidiau gyda'r gwaith
o herio a dadlau polisïau a phenderfyniadau gyda'r llywodraeth;
ac yn arbennig gweddïwn dros yr arweinwyr
sy'n rhan o'r broses wleidyddol.
Arglwydd, yn dy drugaredd,
clyw ein gweddi.

Anfeidrol Dduw,
dyro iddynt ddoethineb,
gweledigaeth,
amynedd,
ymroddiad, didwylledd, meddwl agored,
a gwyleidd-dra,
a boed iddynt oll gael eu harfogi
i ddwyn anrhydedd ar yr ymddiriedaeth a roddwyd ynddynt.
Arglwydd, yn dy drugaredd,
clyw ein gweddi.

Gweddïwn dros y sawl sydd mewn llywodraeth leol,
wedi derbyn yr ymddiriedaeth i gynrychioli buddiannau
y bobl leol yn eu cymunedau,
gan gymryd y penderfyniadau a fydd yn dylanwadu'n
uniongyrchol ar eu bywydau,
gan ymgiprys gyda'r adnoddau cyfyngedig a'r galwadau niferus.
Dyro iddynt yr ansawdd angenrheidiol i wasanaethu'n ffyddlon,
gan aros yn ffyddlon i'w hargyhoeddiadau
a rhoi budd y bobl o flaen teyrngarwch i blaid wleidyddol.
Arglwydd, yn dy drugaredd,
clyw ein gweddi.

Gweddïwn dros y sawl sydd mewn awdurdod mewn gwledydd eraill,
arweinyddion gwledydd mawr a bach,
y llywodraethau tra grymus a'r cenhedloedd di-rym,
sy'n dylanwadu ar fywyd miliynau neu ar fywydau'r ychydig.
Dyro iddynt yr arweiniad a'r doniau sydd eu hangen arnynt
i lywodraethu'n ddoeth,
fel y byddont yn ceisio'r gorau dros bawb,
ac yn ymdrechu i hyrwyddo cyfiawnder,
rhyddid i fynegi barn a chael cyfleoedd teg,
gyda heddwch oddi fewn eu gwlad eu hunain a heddwch rhyngwladol.
Arglwydd, yn dy drugaredd,
clyw ein gweddi.

GWEDDÏAU DROS ERAILL

Yn olaf, gweddïwn dros y cenhedloedd
sy'n dioddef oherwydd camddefnydd o rym,
a'u rhannu gan grwpiau sy'n wrthwynebus i'w gilydd,
yn cael eu gormesu gan lywodraethau milwrol,
ac yn cael eu hecsbloetio gan lywodraethau llygredig,
ac yn cael eu gwasgu gan awdurdodau totalitaraidd.
Cynnal y sawl sy'n dioddef y fath lywodraethau,
a chryfha'r sawl sy'n brwydro
i ddwyn cyfiawnder i'r llefydd hyn,
fel y daw'r dydd
pan fydd gwirionedd a chyfiawnder yn cael lle amlwg.
Arglwydd, yn dy drugaredd,
clyw ein gweddi, drwy Iesu Grist ein Harglwydd.
Amen.

290. DROS Y CLAF A'U GOFALWYR

Dduw cariadlon,
cyflwynwn ger dy fron y cleifion a'r dioddefwyr yn ein byd,
pawb sy'n ymgiprys gyda salwch y corff, y meddwl a'r ysbryd.
Arglwydd yn dy drugaredd,
clyw ein gweddi.

Gweddïwn dros y sawl sy'n dioddef cystudd corfforol –
gan ddioddef poen,
a'u goresgyn gan afiechyd sy'n peri anabledd,
y disgwyl a llawdriniaeth, neu driniaeth bellach,
gan ofni beth fydd gan y dyfodol i'w gynnig iddynt,
neu'n byw gyda'r wybodaeth am salwch terfynol.
Arglwydd yn dy drugaredd,
clyw ein gweddi.

Gweddïwn dros y sawl sydd â'u meddyliau wedi eu haflonyddu –
pobl â'u hyder wedi ei chwalu,
ac yn anabl i ymdopi gyda phwysau bywyd beunyddiol,
yn cael eu gormesu gan ofnau ffals y dychymyg,
a'r sawl sy'n wynebu anobaith iselder clinigol.
Arglwydd yn dy drugaredd,
clyw ein gweddi.

Gweddïwn dros y sawl sy'n dioddef yn ysbrydol –
y sawl sy'n teimlo fod eu bywydau yn wag,
neu fod eu ffydd yn cael ei bygwth
neu sydd wedi colli ffydd,
neu sy'n addoli duwiau o'u dychymyg eu hunain
heb fodd i fodloni,
neu sydd â'u calonnau wedi suro neu'n wyrdroëdig,
a'u meddyliau'n dywyll.
Arglwydd yn dy drugaredd,
clyw ein gweddi.

GWEDDÏAU DROS ERAILL

Bywiol Dduw,
diolchwn am bawb sy'n gweithio
i ddwyn help, adferiad cyflawn ac iachâd i'r cleifion –
y meddygon a'r nyrsys, y llawfeddygon a'r staff meddygol,
y seiciatryddion, cynghorwyr, gweinidogion a therapyddion.
Cynnal a chryfha
pawb sy'n rhannu yn y gwaith o iacháu,
pawb sy'n ymdrechu i ddod â rhyddhad,
pawb sy'n gweini ar eraill.
Arglwydd yn dy drugaredd,
clyw ein gweddi.

Dyro iddynt ddoethineb ac arweiniad,
dy ofal a'th gydymdeimlad,
dy nerth a'th gefnogaeth.
Arfoga hwy ym mhob peth a wnânt,
a dyro fywyd cyflawn iddynt.
Arglwydd yn dy drugaredd,
clyw ein gweddi.

Yn olaf gweddïwn dros dy Eglwys
yn ei gweinidogaeth iacháu rwyt wedi ei galw i'w harfer,
yr iacháu mewnol yn y corff, y meddwl a'r enaid,
a ddaw oddi wrthyt ti yn unig.
Boed i'th bobl ym mhobman
gael eu llenwi â'th Ysbryd Glân,
a'u cyffwrdd gan ras Crist,
fel y gallant rannu'n effeithiol
yn y gwaith ehangach o iacháu,
drwy eu bywydau a'u tystiolaeth,
gan ddwyn y bywyd cyflawn i bobl friwedig
ac i fyd toredig.
Arglwydd, yn dy drugaredd,
clyw ein gweddi,
yn enw Crist.
Amen.

291. DROS Y SAWL SYDD Â'R CYFRIFOLDEB O WNEUD BARN

Arglwydd y cyfan oll,
gweddïwn dros y sawl sydd â chyfrifoldeb
i roddi barn ac i wneud penderfyniadau –
barnwyr, ynadon, a'r sawl sy'n cael eu galw i wasanaethu ar y
rheithgorau:
dyro iddynt ddoethineb;
y sawl sydd yn y gwasanaeth profiannol
ac ardaloedd eraill o waith cymdeithasol:
dyro iddynt ddoethineb;
y sawl sy'n cyfweld eraill am swyddi,
llefydd mewn prifysgolion a chyfleoedd eraill:
dyro iddynt ddoethineb;
y sawl sy'n gwasanaethu ar gynghorau lleol
neu mewn llywodraethau cenedlaethol a rhyng-genedlaethol,
sy'n gwneud penderfyniadau
a fydd yn dwyn effaith ar gymunedau lleol,
gwledydd a'r byd cyfan:
dyro iddynt ddoethineb;
athrawon ysgol ac arholwyr sy'n asesu gwaith y disgyblion:
dyro iddynt ddoethineb;
y sawl sy'n ymwneud â thorri dadleuon, trafodaethau a chymodi,
dyro iddynt ddoethineb.

Arglwydd y cyfan oll,
dyro i bawb yr ymddiriedwyd safleoedd felly iddynt
y gallu i wneud penderfyniadau teg a diragfarn,
doethineb i farnu'r ffordd orau ymlaen,
a nerth i gario baich eu cyfrifoldebau yn ffyddlon,
drwy Iesu Grist ein Harglwydd.
Amen.

292. DROS Y SAWL SY'N CEISIO NEU'N GWRTHOD Y GWIR

Arglwydd Iesu Grist, y Ffordd, y Gwirionedd a'r Bywyd,
gweddïwn dros y sawl sy'n ceisio gwirionedd,
y gwirionedd amdanynt eu hunain,
am eraill,
ynglŷn â'r byd rydym yn byw ynddo,
amdanat ti.
Arglwydd, yn dy drugaredd,
clyw ein gweddi.

Gweddïwn dros y sawl sy'n astudio ac yn ymchwilio
i weithgarwch y bydysawd,
i ddirgelwch dwfn bywyd,
i gymhlethdodau'r byd,
i fecanwaith gwyddoniaeth.
Dyro iddynt y ddealltwriaeth a'r gwyleidd-dra,
yr amynedd a'r amgyffred angenrheidiol.
Arglwydd, yn dy drugaredd,
clyw ein gweddi.

Gweddïwn dros y sawl sy'n gweithio yn y cyfryngau torfol –
y gohebwyr, y ffotograffwyr a'r dynion camera,
golygyddion y bwletinau newyddion a'r papurau dyddiol,
y cyflwynwyr a'r ysgrifenwyr sgriptiau –
pawb yn eu gwahanol ffyrdd
sydd â'r dylanwad i ffurfio'r farn gyhoeddus.
Dyro iddynt onestrwydd a chywirdeb,
y modd i amgyffred a'r dewrder i fynegi'n deg.
Arglwydd, yn dy drugaredd,
clyw ein gweddi.

Gweddïwn dros ddiwinyddion, pregethwyr ac efengylwyr
a Christnogion unigol,
sy'n ceisio deall mwy am realaeth Duw
a'i drosglwyddo i eraill,
pobl sy'n gyfrifol am arwain eraill
i fwy o wybodaeth am dy gariad di.
Dyro iddynt y weledigaeth a'r ymroddiad,
yr unplygrwydd i ymchwilio gyda meddwl agored.
Arglwydd, yn dy drugaredd,
clyw ein gweddi.

Gweddïwn dros y sawl sy'n methu wynebu'r gwirionedd,
rhai sy'n ei weld fel her ormodol neu'n rhy drist,
yn rhy rwystredig neu yn rhy frawychus i'w ystyried.
Dyro iddynt yr hyder a'r help,
y gobaith a'r dyfalbarhad.
Arglwydd, yn dy drugaredd,
clyw ein gweddi.

Gweddïwn hefyd dros y sawl sy'n gwadu'r gwirionedd,
yn ei wyro a'i newid,
yn camarwain eraill,
y sawl sy'n ddall i'r hyn sy'n gywir ac anghywir.
Dyro iddynt yr onestrwydd i gydnabod eu camgymeriadau,
a'r gras i'w newid.
Arglwydd, yn dy drugaredd,
clyw ein gweddi.

Yn olaf, gweddïwn dros y sawl sy'n gweithio
i gynorthwyo eraill i ddod i delerau gyda'r gwirionedd;
cynghorwyr, seiciatryddion, gweinidogion,
awduron, meddygon, athronwyr.
Dyro iddynt y tosturi a'r sensitifrwydd,
y ddealltwriaeth a'r ysbrydoliaeth angenrheidiol.
Arglwydd, yn dy drugaredd,
clyw ein gweddi,
wrth inni ofyn hyn yn dy enw.
Amen.

SWPER YR ARGLWYDD

293. GWAHODDIAD 1

Unwaith eto daw'r cyfle ger ein bron.
Unwaith eto mae'r bwrdd wedi ei osod,
a'r gwahoddiad yn cael ei estyn –
y symlaf o brydau,
y wledd fwyaf rhyfeddol;
y darn o fara a'r llymaid lleiaf o win –
ac eto i ni y wledd fwyaf.
Mae Crist yn ein plith,
yn ein croesawu fel ei bobl,
yn ein cyfarch fel ei ffrindiau,
yn cynnig i ni gynhaliaeth barhaol,
nid yn unig i'r corff
ond i'n heneidiau.

Dewch gyda'ch awydd am fwyd,
eich syched,
eich gwacter,
eich eneidiau gwag,
ac fe gewch eich llenwi.

Dewch â'ch gwendid,
eich diffyg ffydd,
eich aelodaeth eglwysig frau,
eich gwadu dyddiol o Grist,
ac fe gewch faddeuant.

Dewch â'ch ofnau,
eich amheuon,
eich ochr dywyll,
eich anobaith,
ac fe gewch oleuni.

Dewch â'ch poen,
eich meidroldeb,
eich ofn o farwolaeth,
eich ymchwil am rywbeth a rydd ystyr parhaol,
ac fe ddarganfyddwch fywyd.

Dewch â'ch poen,
eich cur,
eich unigrwydd,
eich hiraeth,
ac fe gewch gariad.

Mae'r bwrdd wedi ei osod ac y mae Crist yma,
yn aros amdanoch i ymuno gydag ef,
yn aros amdanoch i dderbyn ei roddion,
yn aros i'ch bendithio
fel y bendithiodd ei bobl ar draws yr oesau.
Dewch ac agorwch eich calonnau i'r un,
yr unig un, a all gwrdd â'ch anghenion.
Dewch a dathlwch ym mhopeth a wnaeth.
Diolch fo i Dduw.
Amen.

294. GWAHODDIAD 2

Gwryw neu fenyw, ifanc neu hen,
cyfaill neu ddieithryn, gwan neu hyderus,
sicr neu ansicr, llawen neu drist,
cryf neu frau, da neu ddrwg,
rhydd o ofid, neu o dan bwysau,
mewn pleser neu mewn poen, mewn gobaith neu anobaith,
dewch i'r bwrdd hwn lle daw rhaniadau i ben,
dewch â'r holl enwau sy'n ein gwahaniaethu,
dewch yma, sydd yn uwch na pob rhaniad,
a darganfod pwrpas newydd yn tarddu yn eich calon.
Cynigwch i'r Iesu eich cariad a'ch ymroddiad,
derbyniwch y rhodd mae'n awyddus i'w rhannu –
llawenydd a fydd gennych hyd weddill eich oes.
Mae Crist yn aros yma amdanoch,
yn barod nawr i'n harwain ymlaen;
rhoddwch iddo eich addoliad didwyll,
y gwas dioddefus, yr Arglwydd atgyfodedig.

295. GWAHODDIAD 3

Dewch â'ch chwerthin, dewch â'ch dagrau,
dewch â'ch llawenydd, dewch â'ch tristwch,
dewch â'ch gobaith, dewch â'ch pryderon,
dewch heddiw, a dewch â'ch yfory.
Dewch â'ch llawnder, dewch â'ch syched,
dewch â'ch gwendid, dewch â'ch iechyd,
dewch â'ch anwyliaid, dewch â'ch hunan.
Dewch â'ch gorfoledd, dewch â'ch gofidiau,
dewch â'ch ffydd, a dewch â'ch amheuon,
dewch â'ch chwerthin, dewch â'ch gweddïau,
dewch â'r cyfan mae bywyd yn ei olygu i chi.
Wrth y bwrdd hwn, mae Crist yn eich derbyn,
popeth yr ydym a phopeth a ddeuwn gyda ni;
dewch nawr i gyfarfod Iesu,
a chynnig popeth iddo.

296. GWAHODDIAD 4

Rydym yma i edrych yn ôl,
ac i edrych ymlaen.
Rydym yma i gofio un a fu farw,
ac yma i gyfarch un sy'n fyw.
Rydym yma i rannu bara a gwin,
yma i rannu cymdeithas gyda'n gilydd.
Rydym yma yn enw ein Harglwydd Iesu Grist,
yr un sy'n ein gwahodd, fel y gwahoddodd ei ddisgyblion cyntaf,
i swpera gydag ef.

Rhannodd ei fara a'i win,
gyda'r un a fyddai yn ei fradychu,
gyda'r un a fyddai yn ei wadu,
gyda'r rhai a fyddai yn cilio ymaith oddi wrtho
yn awr ei angen.
Rhannodd fara a gwin,
gyda'r sawl na allodd aros ar ddihun gydag ef
hyd yn oed am awr,
y sawl er eu holl frwdfrydedd na allent ddeall,
y sawl a oedd yn gymysg oll ynghyd,
yn llawn amheuaeth ac ofn.

Mae'n ein gwahodd i rannu bara a gwin,
ti a fi, sy'n wan a phechadurus,
sy'n ei siomi'n ddyddiol,
ac yn dewis ein ffyrdd ni yn hytrach na'i ffyrdd ef,
sydd ond wedi dechrau deall
beth yw gwir ystyr bod yn ddisgybl.
Er bod ein ffydd yn frau,
a'th feiau yn niferus,
er bod gennyt lawer o gwestiynau
a llawer i'w ddysgu,
tyrd nawr, a rhannu'r bara a'r gwin,
tyrd a darganfod bywyd i'th enaid.
Amen.

297. GWEDDI CYMUN O DDIOLCH 1

Dduw cariadlon,
diolchwn dy fod wedi ein galw ynghyd –
fel dy bobl,
dy Eglwys, dy deulu wedi ei uno yng Nghrist.
Yn ei enw, molwn di.

Diolchwn am dy gariad a'th dderbyniad
a ddangosaist drwyddo ef –
a'i barodrwydd i gyd-fwyta
gyda'r sawl a wrthodwyd gan gymdeithas,
ei barodrwydd i gymysgu
gyda phawb a oedd yn barod i'w dderbyn ef,
ei wedd agored i eraill
a groesodd pob rhwystr.
Yn ei enw, molwn di.

Diolchwn fod Iesu wedi ein galw yn gyfeillion iddo –
canys fel y deuwn ynghyd yn ei enw
y mae ef yn ein plith,
wrth i ni fwyta o gwmpas ei fwrdd
y mae wrth ein hochr,
ac wrth i ni rannu gydag ef, yr ydym yn rhannu gyda thi,
ac yn profi bywyd yn ei gyflawnder.
Yn ei enw, molwn di.

Dduw cariadlon,
diolchwn am y Swper Olaf,
a sefydlwyd gan Grist ei hun –
yn gofeb i'w farwolaeth,
a hefyd yn ddathliad o'i fywyd sy'n parhau;
yn fodd o gofio i'w ddisgyblion gynt
ac i'w ganlynwyr byth bythoedd
am dy gariad tuag at bawb.
Yn ei enw, molwn di.
Amen.

298. GWEDDI CYMUN O DDIOLCH 2

Dduw grasol,
cawn ein hatgoffa wrth y bwrdd hwn o faint dy gariad tuag atom
a pha mor bell roeddet yn barod i fynd er ein mwyn,
ac eithaf dy aberth a wnaethost yng Nghrist.
Deuwn i ddathlu'r ffaith i ti fynd hyd eithaf y daith
drwy wisgo cnawd dynol,
a'r modd yr aethost hyd eithaf y daith
drwy ildio dy unig Fab,
a dioddef marwolaeth a dioddefaint y Groes.

Dduw grasol,
atgoffa ni unwaith yn rhagor,
drwy'r bara a'r gwin a rannwn,
y geiriau y byddwn yn eu clywed,
a'r gweddïau a offrymir,
o bopeth a wnaethost ac o bopeth a roddaist,
ac felly helpa ni i roi ein cyfan i ti,
yn enw Crist.
Amen.

299. GWEDDI GOLLYNGDOD 1

Arglwydd Iesu Grist,
rydym wedi cofio dy farwolaeth.
Rydym wedi dathlu dy atgyfodiad.
Rydym wedi gorfoleddu yn rhyfeddod dy gariad.
Anfon ni allan i gyhoeddi'r Newyddion Da,
fel y bydd eraill yn gwybod dy fod wedi marw er eu mwyn,
ac y gallant hwythau ddathlu'r bywyd newydd rwyt yn ei gynnig,
a'r cariad rwyt yn ei roi mor rhad.
Amen.

300. GWEDDI GOLLYNGDOD 2

Arglwydd Iesu Grist,
diolchwn dy fod wedi bodloni
ein newyn a'n syched
gyda'r bara bywiol a'r gwin newydd.
Tyrd gyda ni nawr,
a helpa ni i rannu'r hyn a dderbyniasom,
fel y bydd y sawl y cawn eu cyfarfod
yn cael cipolwg o'th gariad,
ac wrth ddod i'th adnabod di
yn darganfod maeth i'w heneidiau.
Amen.

301. GWEDDI GOLLYNGDOD 3

Arglwydd Iesu Grist,
gorchmynnaist ni i dorri bara a rhannu gwin
hyd nes y byddi yn dod.
Anfon ni allan felly,
i baratoi'r ffordd,
i weithio dros dy deyrnas,
ac i wneud popeth y gallwn
i ddwyn dydd dy ddyfod yn agosach.
Amen.

302. GWEDDI GOLLYNGDOD 4

Mae'r bara wedi ei dorri,
y gwin wedi ei arllwys.
Y swper drosodd,
a'r byd yn disgwyl.
Dos felly,
a chynnig dy wasanaeth,
dy ffydd a'th gariad,
hyd nes y bydd y byd yn dathlu,
ac y bydd dy deyrnas yn dod.
A boed i Dduw fynd gyda thi
y dydd hwn a hyd byth.
Amen.

BENDITHION

303.

Ewch nawr, gyda chwerthin yn eich llygaid,
a gwên ar eich gwefus,
cân yn eich calon
a llawenydd yn eich enaid,
a rhannwch y gorfoledd mae Crist wedi ei roi i chi.
Amen.

304.

I Dduw, a roddodd i ni bob eiliad
i'w dathlu,
i'w mwynhau
a chael ein digoni ynddi,
y bo'r moliant cynhesaf
nawr a hyd byth.
Amen.

305.

Fel y daethoch i addoli
felly ewch nawr i wasanaethu,
gan ddangos y gwirionedd yn eich bywydau
o'r hyn a gyhoeddasoch gyda'ch gwefusau,
yn enw Crist.
Amen.

306.

Ewch nawr gan gyhoeddi'r Efengyl,
nid yn unig drwy eiriau ond drwy weithredoedd –
drwy'r hyn a ddywedwch
a'r hyn a wnewch
a phwy yr ydych.
Boed i eraill, wrth iddynt eich cyfarfod,
gyfarfod Crist,
ac adnabod ei bresenoldeb bywiol drostynt eu hunain.
Amen.

307.

Dduw, tyrd gyda ni ar ein taith o ffydd –
adnewydda ni pan fyddwn yn blino,
cyfeiria ni pan awn ar goll,
ysbrydola ni pan fyddwn yn gwangalonni
a chywira ni pan fyddwn am droi yn ôl.
Cadw ni i deithio ymlaen o hyd,
yn bobl ar bererindod,
yn edrych am Iesu
sydd wedi rhedeg yr yrfa o'n blaen,
ac sy'n aros amdanom i'n croesawu gartref.
Amen.

308.

Bywiol Dduw,
daethom atat
gan geisio dy gymorth
ac estyn ein haddoliad
a datgan ein ffydd.
Nawr rydym yn mynd ar dy ran
i weithio o blaid dy deyrnas,
i gyhoeddi dy gariad
ac i ddweud am Efengyl Iesu Grist.
Tyrd gyda ni a dyro inni'r gras i'th wasanaethu,
fel y gwnaethost drwy Grist ein gwasanaethu ni.
Amen.

309.

Dduw cariadlon,
arwain ni allan i'r byd,
adnewydda ein nerth,
mewn gobaith
a ffydd
a phwrpas.
Anfon ni allan i fyw a gweithio drosot,
gan rannu dy gariad
a byw dy fywyd,
drwy Iesu Grist ein Harglwydd.
Amen.

310.

Nid yw'n haddoliad wedi gorffen,
nid yw ond megis dechrau –
am fod Duw gennym bob eiliad o bob dydd!
Ewch felly, a chynnig yr addoliad mae'n ei geisio –
i wneud cyfiawnder
ac i garu caredigrwydd
ac i gerdded yn wylaidd gydag ef,
bob cam o daith ein byw.
Amen.

311.

I Dduw, sydd o hyd yn maddau,
o hyd yn caru,
ac o hyd yn cynnig cychwyniad newydd,
y bydd yr anrhydedd a'r gogoniant,
y moliant a'r diolchgarwch,
heddiw a hyd byth.
Amen.

312.

Dduw'r bywyd,
boed i'r addewid am y wawr
adleisio yn ein meddyliau.
Boed i gynhesrwydd yr haul ganol dydd
lifo yn ein calonnau.
Boed i hedd y machlud haul
gyffwrdd â'n heneidiau.
A phan fydd bywyd yn ymddangos yn dywyll
addysga ni i gofio dy fod gyda ni ar adegau felly hefyd,
ac y cawn weld dy oleuni eto,
yn enw Crist.
Amen.

313.

I'r hwn sydd â'i ddaioni yn ddigymar,
a'i gariad tu hwnt i gymhariaeth,
a'i drugaredd tu hwnt i bob deall,
a'i rym tu hwnt i eiriau,
y bydd y moliant a'r gogoniant,
yr addoliad a'r diolch
nawr a hyd byth.
Amen.

314.

Boed i'r byd barhau i'n rhyfeddu,
i gariad barhau i'n synnu,
i fywyd ein hudo,
i ffydd ein cynnal,
a boed i Dduw deithio gyda ni yn wastadol,
nawr a hyd byth.
Amen.

315.

Boed i ras Duw wefreiddio'ch calonnau,
i drugaredd Duw drawsnewid eich meddyliau,
i heddwch Duw lifo i'ch eneidiau,
er mwyn anrhydeddu ei enw.
Amen.

316.

Gadewch i gariad y Tad
lifo drwy ein gwythiennau.
Gadewch i ddaioni Crist
guro yn ein cyrff.
Gadewch i rym yr Ysbryd Glân
lenwi eich eneidiau.
Gadewch i ryfeddod Duw
atseinio yn eich meddyliau.
Gogoniant fo i Dduw
y Tad, y Mab a'r Ysbryd Glân,
nawr a hyd byth.
Amen.

317.

Dduw grasol,
anfon ni yn ôl i'r byd
gyda'th lygaid di yn hytrach na'n llygaid ni.
Helpa ni i weld, nid yn unig y drwg ond y da,
nid yn unig yr hyll ond yr hardd,
nid yn unig y gwaethaf ond y gorau.
Helpa ni i weld o'n cwmpas hadau dy deyrnas,
ac i'w meithrin yn gariadus
hyd nes daw'r dydd pan fydd dy ewyllys wedi cael ei chyflawni
a'th fod yn yr oll yn oll.
Amen.

318.

Grasol Dduw,
cymer yr eiliad hon,
y funud hon,
yr awr hon,
y dydd hwn.
Cymer ein bywydau,
a'u defnyddio er mwyn dy deyrnas,
yn enw Crist.
Amen.

319.

Ewch yn ôl i ddyletswyddau eich bywyd beunyddiol
a boed i'r hyn a ranasoch yma
drawsnewid popeth a wnewch ac a brofwch yno,
yn enw Crist.
Amen.

320.

Ewch allan i'r byd dan orfoleddu
gan fod Duw yn eich disgwyl yno
ac am eich rhyfeddu gyda harddwch ei bresenoldeb.
Yng nghân yr aderyn du, ac yn hwtian y dylluan,
a chri'r cadno;
yn agor y blagur, ac ym mherarogl y blodyn,
yn nisgyniad y ddeilen;
yn siffrwd yr awel, ac yn rhuthr y gwynt,
ac yn rhu'r storm;
ym mharabl y nant, ac yn nawns yr afon,
yn nerth y tonnau;
yn heddwch y caeau, yn rhyddid y llethrau,
ac ym mawredd y mynyddoedd;
yng nghri'r baban, a chwerthin y plant,
ac yn hymian y sgwrsio;
yn y cyffyrddiad cyfeillgar ar yr ysgwydd,
ac yn yr ymestyn i ysgwyd llaw,
ac yng nghofleidio ein ceraint;
yn sŵn y ffatri, a threfn arferol y swyddfa,
ym mhrysurdeb y siop –
mae Duw yma,
mae Duw yno, mae Duw ym mhobman.
Ewch felly,
a cherddwch gydag ef,
yng ngoleuni ei gariad,
ac yn llawnder y bywyd.
Amen.